ЗВЕЗДНЫЙ

ЛАБИРИНТ

ЛАБИРИНТ

ЗВЕЗДНЫЙ

СЕРГЕЙ ЛУКЬЯНЕНКО

НОЧНОЙ ДОЗОР

ИЗДАТЕЛЬСТВО АСТ • МОСКВА

2001

УДК 821.161.1
ББК 84 (2Рос=Рус)6
Л84

Серия основана в 1997 году

Серийное оформление А.А. Кудрявцева

*В оформлении обложки использована работа художника ANRY,
предоставленная его агентом Николаем Симкиным*

Подписано в печать 29.08.01. Формат $84 \times 108^1/_{32}$.
Усл. печ. л. 20,16. Тираж 10 000 экз. Заказ № 8440.

Лукьяненко С.В.
Л84   Ночной дозор: Фантаст. роман / С.В. Лукьяненко. -   М.: ООО
«Издательство АСТ», 2001. — 381, [3] с. — (Звездный лабиринт).

ISBN 5-17-008498-6

На ночных улицах — опасно. Но речь не о преступниках и маньяках На
ночных улицах живет другая опасность — те, что называют себя Иными
Вампиры и оборотни, колдуньи и ведьмаки. Те, кто выходит на охоту, когда
садится солнце. Те, чья сила велика, с кем не справиться обычным оружием
Но по следу «ночных охотников» веками следуют охотники другие — Ночной
дозор. Они сражаются с порождениями мрака и побеждают их, но при этом
свято блюдут древний Договор, заключенный между Светлыми и Темными

УДК 821.161.1
ББК 84 (2Рос=Рус)6

Данный текст одобрен к распространению как способствующий делу Света.

Ночной Дозор.

Данный текст одобрен к распространению как способствующий делу Тьмы.

Дневной Дозор.

История первая

Своя судьба

ПРОЛОГ

Эскалатор полз медленно, натужно. Старая станция, ничего не поделаешь. Зато ветер гулял в бетонной трубе вовсю — трепал волосы, оттягивал капюшон, забирался под шарф, толкал вниз.

Ветер не хотел, чтобы Егор поднимался.

Ветер просил вернуться.

Удивительно, но никто вокруг, казалось, не замечал ветра. Людей было немного — к полуночи станция пустела. Несколько человек ехало навстречу, на лестнице рядом с Егором тоже почти никого: один впереди, двое или трое сзади. И все.

Разве что еще ветер.

Егор засунул руки в карманы, обернулся. Уже минуты две, едва он вышел из поезда, его не оставляло ощущение чужого взгляда. Почему-то совсем не страшное, скорее — завораживающее, резкое, как укол.

В самом начале эскалатора стоял высокий мужчина в форме. Не милиционер, военный. Дальше — женщина с сонным малышом, держащимся за ее руку. Еще один мужчина, молодой, в яркой оранжевой куртке, с плеером. Он, казалось, тоже спал на ходу.

Ничего подозрительного. Даже для мальчишки, который слишком поздно возвращается домой. Егор снова посмотрел вверх, там милиционер, привалившийся к блестящим поручням, уныло высматривал среди редких пассажиров легкую добычу.

Ничего страшного.

Ветер толкнул Егора последний раз и стих, будто смирился, понял, что бороться бесполезно. Мальчик еще раз взглянул назад и побежал по сплющивающимся под ногами ступенькам. Надо было спешить. Непонятно почему, но надо. Его еще раз кольнуло, бессмысленно и тревожно, по телу прошел холодок.

Это все ветер.

Егор выскочил в полуоткрытые двери, и пронизывающий холод навалился на него с новой силой. Волосы, еще мокрые после бассейна — сушилка снова не работала, — мгновенно обледенели. Егор надвинул капюшон глубже, не останавливаясь проскочил мимо ларьков, нырнул в переход. На поверхности людей было куда больше, но тревога не проходила. Он даже обернулся, не замедляя шаг, но никто за ним не следовал. Женщина с малышом шла к трамвайной остановке, мужчина с плеером остановился возле ларька, изучая бутылки, военный вообще еще не вышел из метро.

Мальчик шел по переходу, все убыстряя и убыстряя шаг. Откуда-то лилась музыка, тихая, едва слышная, но удивительно приятная. Тонкое пение флейты, шелест гитарных струн, перезвон ксилофона. Музыка звала, музыка торопила. Егор увернулся от спешащей навстречу компании, обогнал плетущегося еле-еле пьяненького и веселого мужичка. Из головы будто выдуло все мысли, он уже почти бежал.

Музыка звала.

В нее уже вплетались слова... пока невнятные, слишком тихие, но такие манящие. Егор выскочил из перехода, на миг остановился, глотая холодный воздух. К остановке как раз подкатывал троллейбус. Можно было проехать одну остановку, почти до самого дома...

Медленно, словно внезапно онемели ноги, мальчик пошел к троллейбусу. Несколько секунд тот ждал с открытыми дверями, потом створки сошлись и машина отъехала от остановки. Егор тупо смотрел вслед, музыка становилась все громче, заполняла весь мир, от полукружия высотной гостиницы до видневшегося невдалеке «коробка на ножках» — его дома. Музыка предлагала идти пешком. По ярко освещенному проспекту, где до сих пор шло немало людей. Всего-то пять минут до подъезда.

А до музыки — еще меньше...

Егор успел пройти метров сто, когда гостиница перестала прикрывать его от ветра. Ледяной поток ужалил в лицо, почти заглушая зовущую мелодию. Мальчик зашатался, останавливаясь. Очарование рассеялось, зато вновь вернулось ощущение чужого взгляда, теперь еще густо замешенное на страхе. Он обернулся — к остановке снова подходил троллейбус. А еще в свете фонарей мелькнула ярко-оранжевая куртка. Мужчина, поднимавшийся вместе с ним на эскалаторе, шел следом. Все так же полуприкрыв глаза, но неожиданно быстро и целеустремленно, будто видел Егора.

Мальчик побежал.

Музыка зазвучала с новой силой, прорвалась сквозь завесу ветра. Он уже мог различить слова... мог, но не хотел.

Правильнее всего сейчас было бы идти по проспекту, мимо закрытых, но ярко освещенных магазинов, рядом с припоздавшими прохожими, на виду у несущихся машин.

Но Егор свернул в подворотню. Музыка звала туда.

Здесь было почти совсем темно, и только у стены шевелились две тени. Егор видел их как сквозь туман, словно подсвеченный мертвенным синеватым светом. Юноша и девушка, очень легко одетые, будто на дворе не минус двадцать.

Музыка грянула последний раз, пронзительно и торжествующе. Смолкла. Мальчик почувствовал, как обмякает тело. Он был весь в поту, ноги его не держали, хотелось сесть на скользкий, покрытый обледенелой грязью тротуар.

— Хорошенький... — тихо произнесла девушка. У нее было худое лицо, впалые щеки, бледная кожа. Только глаза казались живыми: черные, огромные, притягивающие.

— Оставишь... чуть-чуть... — сказал юноша. Улыбнулся. Они были похожи как брат и сестра, не чертами лица, а чем-то неуловимым, общим для них, наброшенным сверху, словно пыльный полупрозрачный тюль.

— Тебе? — Девушка на миг отвела от Егора взгляд. Оцепенение слегка спало, зато нахлынул страх. Мальчик открыл рот, но встретил взгляд юноши и не смог закричать. Его будто стянуло холодной резиновой пленкой.

— Да. Держи!

Девушка насмешливо фыркнула. Перевела взгляд на Егора, вытянула губы, будто в воздушном поцелуе. Тихо произнесла уже знакомые слова, те самые, что вплетались в манящую музыку.

— Иди сюда... иди ко мне...

Егор стоял неподвижно. Сил убежать не было, несмотря на весь ужас, несмотря на рвущийся и застревающий в горле крик. Но по крайней мере он мог просто стоять.

Мимо подворотни прошла женщина с двумя здоровенными овчарками на поводках. Медленно, заторможенно, будто двигаясь под водой, будто снясь в страшном сне. Краем глаза Егор увидел, как псы дернулись, потянули в подворотню, и в душе вспыхнула безумная надежда. Овчарки зарычали, но как-то неуверенно, с ненавистью и страхом одновременно. Женщина на миг остановилась, подозрительно посмотрела в подворотню. Егор поймал ее взгляд — безразличный, словно сквозь пустое место.

— Пошли! — Она дернула поводки, и собаки охотно отступили к ее ногам.

Юноша тихо засмеялся.

Женщина ускорила шаг и скрылась из виду.

— Не идет! — капризно воскликнула девушка. — Ну ты посмотри, он же не идет!

— Сильнее, — коротко сказал юноша. Нахмурился. — Учись.

— Иди! Иди ко мне! — с напором произнесла девушка. Егор стоял метрах в двух, но ей словно было важно, чтобы он сам прошел это расстояние.

И Егор понял, что больше нет сил сопротивляться. Взгляд девушки держал, приклеивал к невидимой резиновой привязи, слова звали, и он ничего не мог с собой поделать. Знал, что идти нельзя, и все-таки сделал шаг. Девушка улыбнулась — блеснули ровные белые зубы. Сказала:

— Сними шарф.

Противиться он уже не мог. Дрожащими руками сбросил капюшон, стянул, не разматывая, шарф. Шагнул навстречу зовущим черным глазам.

У девушки что-то происходило с лицом. Отвисала нижняя челюсть, зубы шевелились, искривлялись. Блеснули длинные, уже нечеловеческие клыки.

Егор сделал еще шаг.

ГЛАВА 1

Ночь начиналась неудачно.

Я проснулся, едва лишь стемнело. Лежал, глядя, как тают в щелях жалюзи последние проблески света, размышлял. Пятая ночь охоты — и все безрезультатно. Едва ли и сегодня повезет.

В квартире было холодно, батареи чуть грели. Единственное, за что люблю зиму: быстро темнеет и людей на улицах мало. А так... давно бы плюнул на все, уехал из Москвы куда-нибудь в Ялту или в Сочи. Именно на Черное море, а не на далекие острова чужих теплых океанов: люблю, когда вокруг родная речь...

Глупые мечты, конечно.

Рановато мне еще на покой, в теплые края.

Не заслужил.

Телефон словно дожидался моего пробуждения — зачирикал требовательно и мерзко. Я нащупал трубку, приложил к уху — молча, не говоря ни слова.

— Антон, ответь.

Я молчал. Голос у Ларисы деловой, собранный, но уже усталый. Весь день не спала явно.

— Антон, тебя соединить с шефом?

— Не надо, — буркнул я.

— То-то. Проснулся?

— Да.

— Ты сегодня как обычно.

— Что-то новое случилось?

— Нет, ничего.

— Позавтракать есть чем?

— Найду.

— Хорошо. Удачи.

Пожелание было вялым, скучным. Лариса в меня не верила. Шеф наверняка тоже.

— Спасибо, — сказал я частым гудкам. Поднялся, совершил экскурсию в туалет и ванную. Начал было намазывать зубной пастой щетку потом сообразил, что спешу, отложил ее на край раковины.

На кухне было совсем темно, но свет я, конечно же, включать не стал. Открыл дверцу холодильника — вывернутая лампочка мерзла среди продуктов. Посмотрел на кастрюлю, накрытую дуршлагом. В дуршлаге валялся кусок полурастаявшего мяса. Я вынул дуршлаг, поднес кастрюлю к губам, сделал глоток.

Если кто-то думает, что свиная кровь — это вкусно, то он ошибается.

Вернув кастрюлю с остатками натекшей крови на место, я прошел в ванную. Тусклая синяя лампочка едва разгоняла темноту. Я долго, с ожесточением чистил зубы, потом не выдержал, совершил еще один поход на кухню и глотнул ледяной водки из морозильника. Теперь в животе было не просто тепло — горячо. Чудесный букет ощущений: холод на зубах и жар в животе.

— Чтоб тебе самому... — начал было я в адрес шефа, но вовремя опомнился. С него станется почувствовать даже неоформленное проклятие. Двинувшись в комнату, я стал собирать разбросанные повсюду предметы гардероба. Брюки нашлись под кроватью, носки на подоконике, рубашка почему-то висела на маске Чхоен.

Древний корейский царь взирал на меня с неодобрением.

— Стереги лучше, — буркнул я, и тут снова заверещал телефон. Запрыгав по комнате, я нашел трубку.

— Антон, ты что-то хотел мне сказать? — поинтересовался незримый собеседник.

— Никак нет, — мрачно сказал я.

— Ну-ну. Добавь «рад стараться, ваше благородие».

— Не рад. Тут уж ничего не поделаешь... ваше благородие.

Шеф помолчал:

— Антон, я все-таки попрошу тебя отнестись серьезнее к сложившемуся положению. Хорошо? Утром жду с отчетом, в любом случае. И... удачи тебе.

Я не то чтобы устыдился. Но все-таки радражение поутихло. Спрятав сотовый в карман куртки, открыл шкаф в прихожей. Некоторое время размышлял, чем завершить обмундирование. Было у меня несколько новинок в снаряжении, подаренных друзьями за последнюю неделю. И все-таки я остановился на обычном наборе, в меру универсальном и достаточно компактном.

Еще — мини-дисковый плеер. Слух мне не нужен совершенно, а вот скука — враг неумолимый.

Перед выходом я долго рассматривал в глазок лестницу. Никого.

Так началась очередная ночь.

Часов шесть я ездил в метро, без всякой системы переходя с ветки на ветку, временами задремывая, позволяя сознанию отдохнуть, а чувствам — раскрепоститься. Все было глухо. Нет, кое-что интересное я видел, но все случаи были ординарные, для новичков. Лишь к одиннадцати, когда в метро стало более безлюдно, ситуация изменилась.

Я сидел с закрытыми глазами, уже в третий раз за вечер слушая пятую симфонию Манфредини. Мини-диск в плеере был совершенно безумный: моя личная сборка, где итальянцы средних веков и Бах чередовались с «Алисой», Ричи Блэкмором и «Пикником».

Всегда интересно, какая мелодия и с каким событием совпадет. Сегодня удача выпала на Манфредини.

Меня скрутило — судорога прошла от пяток до затылка. Я даже что-то прошипел, открывая глаза и оглядывая вагон.

Девушку я выделил сразу.

Очень миленькая, молодая. В нарядной шубке, с сумочкой и книжкой в руках.

И с таким черным вихрем над головой, какого я уже года три не видел!

Наверное, у меня был безумный взгляд. Девушка его почувствовала, взглянула на меня, тут же отвернулась.

Ты бы лучше вверх посмотрела!

Нет, конечно, увидеть воронку ей все равно не дано. Максимум, что она может ощутить, — легкое беспокойство. И лишь смутно-смутно, уголком глаз, способна заметить мельтешение над головой... будто мушки летают, будто в жаркий день над асфальтом рябит воздух...

Ничего ей не увидеть. Ничего. И она будет жить еще день или два, пока не оступится на гололеде, да так, что ударится головой насмерть. Или попадет под машину. Или в подъезде наткнется на нож бандита... не понимающего в общем-то, зачем он убивает эту девушку. И все будут говорить: «Такая молодая, жить еще и жить, все ее так любили...»

Да. Конечно. Верю, уж очень доброе и хорошее лицо: усталость есть, а озлобленности нет. Рядом с такой девушкой чувствуешь себя не таким, каков ты на самом деле. Пытаешься быть лучше, а это тяготит. С такими предпочитают дружить, чуть-чуть флиртовать, делиться откровениями. В таких редко влюбляются, но зато все таких любят.

Кроме кого-то одного, заплатившего Темному магу.

Черная воронка на самом деле явление обычное. Приглядевшись, я мог заметить еще пять или шесть, зависших над пассажирами. Но все они были смазанные, тусклые, едва вращающиеся. Результаты самого обычного, непрофессионального проклятия. Кто-то бросил вслед человеку: «Чтоб ты сдох, сволочь». Кто-то выразился проще и мягче: «Чтоб тебе пусто было». И протянулся с Темной Стороны маленький смерч, вытягивающий удачу, высасывающий силы.

Но только обычного проклятия, дилетантского и неоформленного, хватает на час, два, максимум на сутки. И последствия от него хоть и неприятные, но не смертельные А вот черная воронка над девушкой была полноценной, стабилизированной, сработанной опытным магом. Сама того не зная, девушка уже была мертва.

Я машинально потянулся к карману, сообразил, где нахожусь, и поморщился. Ну почему сотовые не работают в метро? Те, кто их имеет, под землей не ездят?

Теперь я разрывался между основным заданием, которое надо было выполнять, пусть и без надежды на успех, и обреченной девушкой. Не знаю, возможно ли ей еще помочь, но выследить создателя воронки я обязан...

И в этот миг меня ударило второй раз. Теперь — по-другому. Без судорог, без боли, лишь пересохло горло, онемели десны, запульсировала кровь в висках, а кончики пальцев стали зудеть.

Есть!

Но почему так невовремя?

Я поднялся — поезд уже притормаживал перед станцией. Прошел мимо девушки и почувствовал ее взгляд. Она следила за мной. Боялась. Видимо, черный вихрь, пусть и неощутимый, вызывал у нее беспокойство, заставлял приглядываться к окружающим.

Может быть, потому она до сих пор еще жива?

Стараясь не смотреть в ее сторону, я опустил руку в карман. Нащупал амулет — прохладный стержень, выточенный из оникса. Еще секунду медлил, пытаясь придумать иные действия.

Нет, другого выхода не было.

Я сжал стержень в ладони. Пальцы стало покалывать, потом камень потеплел, отдавая накопленную энергию. Ощущение не было ложным, но это тепло не измерить термометром. Мне казалось, что я сжимаю уголек из костра... уголек, покрытый холодным пеплом, но раскаленный в сердцевине.

Выбрав амулет до конца, я бросил взгляд на девушку. Черная воронка дрожала, слегка изгибаясь в мою сторону. Вихрь был настолько мощным, что обладал зачатками интеллекта.

Я ударил.

Будь в вагоне, да что там в вагоне, во всем поезде еще хоть один Иной, он увидел бы ослепительную вспышку, с одинаковой легкостью пронзающую металл и бетон...

Еще никогда я не бил по черному вихрю такой сложной структуры. И никогда не применял амулета с таким мощным зарядом.

Эффект был совершенно неожиданным. Слабенькие проклятия, висевшие над другими людьми, смело начисто. Пожилая женщина, устало терлая лоб, удивленно посмотрела на ладонь: у нее вдруг исчезла жестокая мигрень. Молодой парень, тупо глядевший в стекло, вздрогнул, лицо его расслабилось — из глаз уходила глухая тоска.

Черный вихрь над девушкой отнесло метров на пять, он даже наполовину выскочил из вагона. Но структуры не потерял и зигзагами поплыл обратно к жертве.

Вот это сила!

Вот это нацеленность!

Говорят, правда, сам я этого не видел, что оттесненный хотя бы на два-три метра вихрь теряет ориентировку, приклеивается к ближайшему человеку. Это тоже скверно, но чужое проклятие действует куда слабее, у новой жертвы есть все шансы спастись.

А этот вихрь пер обратно, будто верный пес к попавшему в беду хозяину!

Поезд останавливался. Я бросил последний взгляд на вихрь — тот вновь завис над девушкой, даже ускорил вращение... И ничего, совершенно ничего поделать я не мог. Рядом, на станции, была цель моих недельных блужданий по Москве. Проехать мимо, проследить за девушкой я не мог. Меня шеф заживо сожрал бы... может быть, даже не фигурально выражаясь...

Когда двери с шипением разошлись, я бросил на девушку последний взгляд, торопливо запоминая ауру. Шансов найти ее вновь в огромном городе немного. И все-таки я должен буду попытаться.

Но не сейчас.

Выскочив из вагона, я огляделся. Опыта полевой работы мне и впрямь не хватает, в этом шеф абсолютно прав. Но вот метод, который он применил для обучения, мне совершенно не нравился.

Как, черт возьми, найти цель?

Обычным зрением я видел людей, ни один из них не вызывал подозрения. Здесь до сих пор толклось много пассажиров — все-таки «Курская-кольцевая», тут и приезжие с вокзала, и расходящиеся торговцы, и спешащие на пересадку в спальные районы... Прикрыв глаза, я мог наблюдать картину более занятную: блеклые, как обычно к вечеру, ауры. Среди них ярким алым пятном горела чья-то злоба, пронзительно-оранжевым светилась парочка, явно спешащая добраться до постели, размытыми коричнево-серыми полосами тянулись распадающиеся ауры пьяных.

И никакого следа. Только сухость в горле, зуд в деснах, безумно колотящееся сердце. Привкус крови на губах. Нарастающее возбуждение.

Все признаки косвенные и в то же время слишком явные, чтобы пренебречь ими.

Кто же? Кто?

Поезд за моей спиной тронулся. Ощущение близости цели не слабело, значит, пока мы рядом. Показался встречный состав. И я почувствовал, как цель дрогнула, двинулась навстречу ему.

Вперед!

Я пересек перрон, лавируя между пялящимися на указатели приезжими, двинулся к хвосту состава — ощущение цели начало слабеть. Побежал к головному вагону... есть... ближе...

Как в детской игре — «горячо-холодно».

Люди входили в вагоны. Я бежал вдоль состава, чувствуя, как рот наполняется тягучей слюной, начинают болеть зубы, судорогой сводит пальцы... В наушниках гремела музыка.

In the shadow of the moon,
She danced in the starlight
Whispering a haunting tune
To the night...

Ох к месту песенка. Удивительно к месту...

Не к добру.

Я прыгнул в сходящиеся двери, замер, прислушиваясь к себе. Угадал или нет? Визуально я по-прежнему не фиксировал цель...

Угадал.

Поезд мчался по кольцу, а мои бунтующие инстинкты кричали: «Здесь! Рядом!»

Может быть, я и с вагоном угадал?

Исподтишка оглядев попутчиков, я отказался от этой надежды. Здесь не было никого, способного вызвать интерес.

Что ж, будем ждать...

Feel no sorrow, jeef no pain,
Feel no hurl, there's noting gamed..
Only love will then remain,
She would say.

На «Проспекте Мира» я почувствовал, что цель удаляется. Выскочил из вагона, двинулся на пересадку. Рядом, где-то совсем рядом...

На радиальной станции ощущение цели стало почти мучительным. Я уже высмотрел несколько кандидатур: две девушки, молодой парень, мальчик. Все они были потенциальными кандидатами, но вот кто из них?

Моя четверка села в один вагон. Это уже была удача, я вошел следом и стал ждать.

Одна девушка вышла на «Рижской».

Ощущение цели не ослабло.

Парень вышел на «Алексеевской».

Прекрасно. Девушка или мальчик? Кто из них?

Я позволил себе украдкой поглядеть на обоих. Девушка была пухленькая, розовощекая, внимательно читала «МК». Никакого волнения не проявляла. Мальчик, наоборот, тощенький и хрупкий, стоит у двери, водя пальцем по стеклу.

На мой взгляд, девушка была гораздо... аппетитнее. Два к одному, что она.

Но в общем-то тут все решает вопрос пола.

Я уже начал слышать Зов. Пока еще не вербализированный, просто нежная, тягучая мелодия. Звук из наушников сразу перестал восприниматься, Зов легко перекрыл музыку.

Ни девушка, ни мальчик не проявляли беспокойства. Либо у них очень высокий порог переносимости, либо, наоборот, — сразу поддались.

Поезд подъехал к «ВДНХ». Мальчик убрал руку от стекла, вышел на перрон, торопливо зашагал·к старому выходу. Девушка осталась.

Проклятие!

Они оба были еще совсем рядом, и я не мог понять, кого из них чувствую!

И тут мелодия Зова ликующе взвилась, в нее стала вкрадываться речь.

Женская!

Я выскочил из сходящихся дверей, торопливо пошел следом за мальчиком.

Прекрасно. Охота подходит к концу.

Вот только как я собираюсь справиться с разряженным амулетом? Ума не приложу...

Народу вышло совсем мало, по эскалатору мы поднимались вчетвером. Мальчик впереди, за ним женщина с ребенком, потом я, следом помятый пожилой полковник. Аура у военного была красивая, яркая, вся из блистающих серо-стальных и голубых тонов. Я даже подумал, насмешливо и устало, что его можно позвать на помощь. Такие до сих пор верят в понятие «офицерская честь».

Вот только пользы от старого полковника будет меньше, чем от мухобойки при охоте на слона.

Прекратив забивать голову ерундой, я снова посмотрел на мальчика. С закрытыми глазами, сканируя ауру.

Результат был обескураживающим.

Его окружало переливчатое, полупрозрачное сияние. Временами окрашивающееся красным, порой наливающееся густой зеленью, иногда вспыхивающее темно-синим цветом.

Редкий случай. Несформированная судьба. Расплывчатый потенциал. Мальчик может вырасти большим мерзавцем, может стать добрым и справедливым человеком, а может оказаться никем, пустышкой, каких на самом деле большинство в мире. Все впереди, как говорится. Подобные ауры обычны у детей до двух-трех лет, но у более старших встречаются исчезающе редко.

Теперь понятно, почему Зов обращен именно на него. Деликатес, что ни говори.

Я почувствовал, как рот наполняется слюной.

Слишком долго все тянулось, слишком долго... Я смотрел на мальчика, на тонкую шею под шарфом, и проклинал шефа, традиции, ритуалы — все то, из чего складывалась моя работа. Десны зудели, горло ссохлось.

У крови горьковато-соленый вкус, но эту жажду утолит лишь она.

Проклятие!

Мальчик соскочил с эскалатора, пробежал по вестибюлю, скрылся за стеклянными дверями. На миг мне стало легче. Замедляя шаг, я вышел следом, краем глаза зафиксировал движение: мальчик нырнул в подземный переход. Он уже бежал, его тащило, влекло навстречу Зову.

Быстрее!

Подбежав к ларьку, я бросил продавцу две монетки, сказал, стараясь не показывать зубы:

— За шесть, с кольцом.

Прыщавый парень заторможенно — он и сам, похоже, грелся на работе — подал чекушку. Честно предупредил:

— Водка не очень. Не отрава, конечно, «Дороховская», но все-таки...

— Здоровье дороже, — отрезал я. Водка явно была суррогатом, но сейчас меня это устраивало. Одной рукой я содрал колпачок за прикрученное к нему проволочное колечко, другой вытащил сотовый, включил дозвон. У продавца округлились глаза. Сделав на ходу глоток — водка воняла как керосин, а на вкус была еще гаже, явная подделка, за углом разливали, — я побежал к переходу.

— Слушаю.

Это уже не Лариса. Ночью обычно дежурит Павел.

— Говорит Антон. Гостиница «Космос», где-то рядом, во дворах. Иду следом.

— Бригаду? — В голосе появился интерес.

— Да. Я уже разрядил амулет.

— Что случилось?

Бомж, прикорнувший в середине перехода, протянул руку, будто надеясь, что я отдам ему початую бутылочку. Я пробежал мимо.

— Там другое... Быстрее, Павел.

— Ребята уже в пути.

Я вдруг почувствовал, как челюсти пронзило раскаленной иглой. Ах ты ж сволочь...

— Паша, я за себя не отвечаю, — быстро сказал я, обрывая связь. И остановился перед милицейским нарядом.

Ну вот так всегда!

Почему человеческие стражи порядка всегда появляются в неподходящий момент?

— Сержант Каминский, — скороговоркой произнес молодой милиционер. — Ваши документы...

Интересно, что мне собираются пришить? Пьянство в общественном месте? Вернее всего.

Опустив руку в карман, я коснулся амулета. Едва теплый. Но тут многого и не надо.

— Меня нет, — сказал я.

Две пары глаз, обшаривающих меня в предвкушении добычи, опустели, их покинула последняя искра разума.

— Вас тут нет, — хором повторили оба.

Программировать их времени не было. Я бросил первое, что пришло в голову:

— Купите водки и отдыхайте. Немедленно. Шагом марш!

Видимо, приказание упало на подходящую почву. Схватившись за руки, будто малыши на прогулке, милиционеры рванули по переходу к киоскам. Я почувствовал легкое смущение, представив последствия своего приказа, но времени выправлять положение не было.

Из перехода я выскочил в полной уверенности, что уже опоздал. Нет, как ни странно, мальчик далеко не ушел. Стоял, чуть покачиваясь, метрах в ста. Вот это сопротивляемость! Зов звучал с такой силой, что казалось странным, почему редкие прохожие не пускаются в пляс, почему троллейбусы не сворачивают с проспекта, не врываются в подворотню, навстречу сладостной судьбе...

Мальчик оглянулся. Кажется, посмотрел на меня. И быстро пошел вперед.

Все, сломался.

Я двинулся следом, лихорадочно решая, что буду делать. Стоило бы дождаться бригады — ей ехать минут десять, не больше.

Но как-то нехорошо выйдет — для мальчика.

Жалость— штука опасная. Сегодня я поддавался ей дважды. Вначале в метро, истратив заряд амулета на бесплодную попытку сбить черный вихрь. А теперь снова, двинувшись вслед за мальчиком.

Много лет назад я услышал фразу, с которой никак не хотел соглашаться. Не соглашаюсь и до сих пор, хотя уж сколько раз убеждался в ее правоте.

«Благо общее и благо конкретное редко встречаются вместе...»

Да, я понимаю. Это правда.

Но, наверное, есть такая правда, которая хуже лжи.

Я побежал навстречу Зову. Я слышал его наверняка не так, как слышал мальчик. Для него призыв был манящей, чарующей мелодией, лишающей воли и сил. Для меня, наоборот, будоражащим кровь набатом.

Будоражащим кровь...

Тело, над которым я издевался неделю, бунтовало. Мне хотелось пить, не воды — я способен без всякого для себя вреда утолить жажду грязным городским снегом, не спиртного — шкалик с поганой сивухой был под рукой и тоже не принес бы мне вреда. Мне хотелось крови.

И не свиной, не коровьей, а именно человеческой. Будь проклята охота...

«Ты должен пройти через это, — сказал шеф. — Пять лет в аналитическом отделе — многовато, не находишь?» Не знаю, может, и многовато, но мне нравится. В конце концов, сам шеф уже больше ста лет оперативной работой не занимается.

Я пробежал мимо светящихся витрин, уставленных поддельной «гжелью», заполненных бутафорской едой. Мимо, по проспекту, неслись машины, шли редкие прохожие. Это тоже было подделкой, иллюзией, одной из граней мира, единственной доступной для людей. Хорошо, что я не человек.

Не прерывая бега, я вызвал сумрак.

Мир вздохнул, расступаясь. Будто ударили по мне со спины аэродромные прожекторы, высекая длинную тонкую тень. Тень клубилась и обретала объем, тень тянула в себя — в пространство, где вообще нет теней. Тень отрывалась от грязного асфальта, вставала, пружинила, будто столб тяжелого дыма. Тень бежала передо мной...

Ускорив бег, я пробил серый силуэт и вошел в сумрак. Краски мира стали тусклее, а машины на проспекте будто замедлились, завязли.

Я приближался к месту своего назначения,

Нырнув в подворотню, я уже готов был увидеть развязку. Неподвижное, опустошенное, выпитое тело мальчика и исчезающих вампиров.

Но я успел.

Мальчик стоял перед девушкой-вампиршей, уже выпустившей клыки, и медленно стаскивал шарф. Вряд ли ему сейчас страшно — Зов заглушает сознание начисто. Он скорее мечтает о прикосновении острых сверкающих клыков.

Рядом стоял парень-вампир. Я сразу почувствовал, что в паре он главный: именно он инициировал девушку, именно он натаскивал ее на кровь. И самое мерзкое: у него была московская регистрационная метка. Вот скотина!

Зато у меня прибавилось шансов на успех...

Вампиры повернулись ко мне, но растерянно, еще не понимая, что происходит. Мальчик был в их сумраке, я не мог, не должен был его видеть.. как и их самих.

Потом лицо парня начало разглаживаться, он даже улыбнулся — дружелюбно, спокойно.

— Привет...

Он принял меня за своего. И не стоило его винить за ошибку: сейчас я действительно был одним из них. Почти. Неделя подготовки не прошла даром: я стал чувствовать их... но и сам почти перешел на Темную сторону.

— Ночной Дозор, — сказал я. Протянул вперед руку с амулетом. Он разряжен, но это не так-то легко почувствовать на расстоянии. — Выйти из сумрака!

Наверное, парень подчинился бы. В надежде, что я не знаю о тянущемся за ним кровавом следе, что дело удастся классифицировать как «попытку неразрешенного взаимодействия с человеком». Но девушка не имела его выдержки и не способна была что-либо соображать.

— А-а-а-а!!! — С протяжным воем она бросилась на меня. Хорошо еще, что не впилась зубами в мальчика: она сейчас была невменяема, как наркоман в ломке, у которого выдернули из вены едва вколотый шприц, как нимфоманка, с которой слезли за миг до оргазма.

Для человека рывок был слишком быстрым, парировать его не смог бы никто.

Но я был с вампиршей в одном слое реальности. Вскинул руку и плеснул из початого шкалика прямо в исковерканное трансформацией лицо.

Почему вампиры так плохо переносят алкоголь?

Угрожающий вопль перешел в тонкий визг. Вампирша закрутилась на месте, колотя руками по лицу, с которого пластами сходили кожа и сероватое мясо. А вампир повернулся и бросился бежать.

Все складывалось даже слишком просто. Регистрированный вампир — это не залетный гость, с которым пришлось бы сражаться на равных. Я швырнул бутылкой в вампиршу, протянул руку и поймал послушно раскрутившуюся нить регистрационной метки. Вампир захрипел, хватаясь за горло.

— Выйди из сумрака! — крикнул я.

Кажется, он понял, что дело пошло уж совсем плохо. Кинулся на меня, пытаясь ослабить давление нити, в движении выпуская клыки и трансформируясь.

Будь амулет полностью заряжен, я бы просто его оглушил. А так пришлось убивать.

Метка — слабо светящаяся голубым печать на груди вампира — хрустнула, когда я послал беззвучный приказ. Энергия, вложенная кем-то куда поспособнее меня, хлынула в мертвое тело. Вампир еще бежал. Он был сыт, крепок, и чужие жизни еще подпитывали мертвую плоть. Но сопротивляться удару такой силы было невозможно: кожа ссохлась, пергаментом обтянув кости, из глазниц потекла слизь. Потом переломился позвоночник, и дергающиеся останки рухнули к моим ногам.

Я обернулся — вампирша уже могла успеть реанимироваться. Но опасности не было. Огромными скачками девушка бежала через двор. Из сумрака она так и не вышла, и увидеть это потрясающее зрелище мог лишь я один. Ну и собаки, конечно. Где-то в стороне заливалась истеричным лаем мелкая псина, скованная сразу и ненавистью, и страхом — всеми теми чувствами, что собачий род испокон веку питает к живым мертвецам.

Преследовать вампиршу не было сил. Потянувшись, я снял слепок ауры — иссушенной, серой, затхлой. Найдем. Никуда теперь не денется.

А где же мальчик?

После выхода из сумрака, созданного вампирами, он мог либо упасть в беспамятстве, либо войти в ступор. Но в подворотне его уже не было. Мимо меня он пробежать никак не мог... Я выскочил из подворотни во двор и действительно увидел мальчика. Улепетывал он едва ли не быстрее вампирши. Ну молодец! Чудесно. Помощи не требуется. Плохо, что он запомнил все происходящее, но кто поверит маленькому мальчику? А к утру все уже поблекнет в его памяти, сгладится, превратится в нереальный кошмар.

24

Или все-таки догнать паренька?

— Антон!

С проспекта бежали Игорь и Гарик, наш неразлучный дуэт оперативников.

— Девушка ушла! — крикнул я.

Гарик на бегу пнул ссохшийся труп вампира, подняв в морозный воздух облако трухи. Крикнул:

— Слепок!

Я послал ему образ убегающей вампирши, Гарик сморщился и прибавил скорость. Оперативники умчались в погоню, Игорь на ходу бросил:

— Займись мусором!

Кивнув, будто они нуждались в ответе, я вышел из своего сумрака. Мир расцвел. Силуэты оперативников растаяли, даже снег, лежащий в человеческой реальности, перестал приминаться под невидимыми ногами.

Вздохнув, я пошел к припаркованному к обочине серому «вольво». На заднем сиденье лежал нехитрый инструментарий, крепкий пластиковый мешок, лопатка и веник. Минут за пять я сгреб почти невесомые останки вампира, спрятал мешок в багажник. Из чахлого сугроба, оставленного нерадивым дворником, набрал грязного снега, разбросал в подворотне, потоптался, вминая остатки тлена в грязь. Не будет тебе человеческого погребения, ты не человек...

Вот теперь все.

Я вернулся к машине, сел за руль, расстегнул куртку. Было хорошо. Даже очень. Старший вампир мертв, его подругу ребята схватят, мальчишка жив.

Представляю, как обрадуется шеф!

ГЛАВА 2

—Халтура!

Я попытался что-то сказать, но следующая реплика, хлесткая, как пощечина, заткнула мне рот.

— Дешевка!

— Но...

— Ты хоть сам понимаешь свои ошибки?

Напор шефа чуть ослаб, и я рискнул поднять глаза от пола. Осторожно сказал:

— Вроде бы...

Нравится мне бывать в этом кабинете. Что-то детское просыпается в душе при взгляде на все те забавные вещички, что хранятся в стеллажах бронированного стекла, развешены на стенах, небрежно валяются на столе, вперемешку с компьютерными дискетами и деловыми бумагами. За каждым предметом — от древнего японского веера до рваного куска металла с закрепленным на нем оленем, эмблемой автозавода, — стоит какая-то история. Когда шеф в духе, то можно услышать от него очень, очень занимательный рассказ.

Вот только редко я его застаю в таком состоянии.

— Хорошо. — Шеф прекратил прохаживаться по кабинету, сел в кожаное кресло, закурил. — Тогда излагай.

Голос его стал деловым, под стать внешности. На человеческий взгляд ему было лет сорок, а принадлежал он к тому тощенькому кругу бизнесменов средней руки, на которых любит возлагать надежды правительство.

— Что излагать? — рискуя наткнуться на новую нелицеприятную оценку, спросил я.

— Ошибки. Твои ошибки.

Значит, так... Хорошо.

— Моей первой ошибкой, Борис Игнатьевич, — с самым невинным видом начал я, — было неправильное понимание задания.

— Неужели? — заинтересовался шеф.

— Ну, я-то полагал, что моя цель — выследить вампира, начавшего активную охоту в Москве. Выследить и... э... обезвредить.

— Так-так... — подбодрил шеф.

— На самом же деле задание имело своей основной целью проверку моей пригодности к оперативной работе, к полевым действиям. Исходя из неправильной оценки задания, а именно: следуя принципу «разделять и защищать»...

Шеф вздохнул, покивал. Кто-нибудь менее с ним знакомый решил бы, что он пристыжен.

— А ты в чем-то нарушил этот принцип?

— Нет. И потому провалил задание.

— Как ты его провалил?

— Вначале... — Я скосил глаза на чучело белой полярной совы, стоящее под стеклом в стеллаже. Шевельнуло оно головой или нет? — Вначале я истратил заряд амулета на бесплодную попытку нейтрализации черной воронки...

Борис Игнатьевич поморщился. Пригладил волосы.

— Ладно, с этого и начнем. Я изучил образ, и если ты его не приукрасил...

Я возмущенно покачал головой.

— Верю. Так вот, подобную воронку снять амулетом невозможно. Ты классификацию помнишь?

Черт! Ну почему я не перелистал старые конспекты?

— Уверен, что не помнишь. Но не важно, это воронка вне класса. Тебе никак не удалось бы с ней справиться... — Шеф перегнулся через стол и таинственным шепотом произнес: — И знаешь, что...

Я внимал.

— И мне бы не удалось, Антон.

Признание было неожиданно, и я не нашел, что ответить. Уверенность в том, что шеф может абсолютно все, никем вслух не озвучивалась, но бытовала у всех сотрудников конторы.

— Антон, воронка подобной силы... снять ее сможет лишь автор.

— Надо найти... — неуверенно сказал я. — Жалко девчонку...

— Не в ней дело. Не в ней одной.

— Почему? — ляпнул я и торопливо исправился: — Надо остановить Темного мага?

Шеф вздохнул.

— Возможно, у него лицензия. Возможно, он был вправе наложить проклятие... Дело даже не в маге. Черная воронка такой силы... помнишь, как зимой упал самолет?

Я вздрогнул. Это была не наша недоработка, да и вообще по большей части скорее дыра в законах: пилот, на которого наложили проклятие, не справился с управлением, и лайнер грохнулся на городские кварталы. Сотня жизней ни в чем не повинных людей...

— Такие воронки работать выборочно не способны. Девчонка обречена, но на нее не свалится кирпич с крыши. Скорее взорвется дом, начнется эпидемия, на Москву случайно сбросят атомную бомбу. Вот в чем главная беда, Антон.

Шеф вдруг повернулся, бросил испепеляющий взгляд на сову. Та быстро сложила крылья, блеск в стеклянных глазах угас.

— Борис Игнатьевич... — с ужасом сказал я. — Это моя вина...

— Понятно, что твоя. Тебя спасает одно, Антон. — Шеф откашлялся. — Поддавшись жалости, ты поступил совершенно правильно. Амулет не мог сбить вихрь полностью, но на время оттянул прорыв инферно. У нас теперь есть в запасе сутки... может быть, двое. Я всегда считал, что непродуманные, но благие поступки приносят больше пользы, чем продуманные, но жестокие. Не используй ты амулет — уже сейчас пол-Москвы лежало бы в руинах.

— Что же делать?

— Искать девчонку. Охранять... по мере сил. Еще раз-другой вихрь удастся дестабилизировать. А нам за это время придется найти мага, поставившего проклятие, и заставить его снять вихрь.

Я закивал.

— Искать будут все, — небрежно сказал шеф. — Я отозвал ребят из отпусков, к утру вернутся с Цейлона Илья и Семен, к обеду — остальные. Погода в Европе плохая, я попросил коллег из европейского бюро о помощи, но пока облака разгонят...

— К утру? — Я глянул на часы. — Еще сутки.

— Да нет, к этому утру, — игнорируя полуденное солнце за окном, ответил шеф. — Ты тоже будешь искать. Может быть, снова повезет... Продолжаем разбор твоих ошибок?

— Стоит ли терять время? — робко спросил я.

— Не бойся, не потеряем. — Шеф встал, прошел к стеллажу, достал чучело совы, водрузил на стол. Вблизи стало ясно, что это действительно чучело, жизни в нем не больше, чем в меховом воротнике... — Переходим к самим вампирам и их жертве.

28

— Я упустил вампиршу. И ребята ее не догнали, — покаянно подтвердил я.

— Тут никаких претензий. Ты и так сражался достойно. Вопрос о жертве...

— Да, мальчик сохранил память. Но он такого деру дал...

— Антон! Очнись! Мальчика зацепили зовом на расстоянии нескольких километров! Он должен был войти в подворотню беспомощной куклой! А когда сумрак исчез — упасть в обморок! Антон, да если после всего произошедшего он сохранил способность двигаться — у него великолепный магический потенциал!

Шеф замолчал.

— Я дурак.

— Нет. Но ты и впрямь засиделся в лаборатории. Антон, этот мальчик потенциально сильнее меня!

— Ну уж...

— Давай без лести...

На столе зазвонил телефон. Видно, что-то срочное: мало кто знает прямой номер шефа. Я вот — не знаю.

— Молчать! — приказал шеф ни в чем не повинному аппарату, и тот затих. — Антон, паренька надо найти. Убежавшая вампирша сама по себе не опасна. Или ребята догонят, или обычный патруль ее возьмет. Но если она высосет мальчишку... или, того хуже, инициирует... Ты не знаешь, что такое полноценный вампир. Современные — комары рядом с каким-нибудь Носферату. А он ведь был еще не из самых лучших, пускай и пыжился... Так что мальчик должен быть найден, обследован и, по возможности, принят в Дозор. На Темную сторону мы его отпускать не в праве, баланс по Москве рухнет окончательно.

— Это что — приказ?

— Лицензия, — мрачно сказал шеф. — У меня есть право на подобные приказы, как ты понимаешь.

— Знаю, — тихо сказал я. — С чего начинать? С кого, вернее.

— Как угодно. Видимо, все же с девушки. Но и мальчика попробуй найти.

— Я пойду?

— Выспись все-таки.

— Я прекрасно выспался, Борис Игнатьевич...

— Не думаю. Еще хотя бы часок рекомендую.

Я ничего не мог понять. Встал я сегодня в одиннадцать, сразу же рванул в контору, чувствовал себя совершенно бодрым и полным сил.

— Вот тебе помощник. — Шеф щелкнул пальцем по чучелу совы. Птица расправила крылья и негодующе заклекотала.

Сглотнув, я решился на вопрос:

— Кто это? Или что это?

— Зачем тебе? — заглядывая сове в глаза, спросил шеф.

— Чтобы решить, хочу ли я с ним работать!

Сова взглянула на меня и зашипела, как разъяренная кошка.

— Неправильно вопрос ставишь. — Шеф покачал головой. — Согласится ли *она* с тобой работать, вот в чем вопрос.

Сова опять заклекотала.

— Да, — обращаясь уже не ко мне, а к птице, сказал шеф. — Ты во многом права. Но кто-то просил о новой апелляции?

Птица замерла.

— Обещаю, что буду ходатайствовать. И на этот раз шансы есть.

— Борис Игнатьевич, мое мнение... — начал я.

— Извини, Антон, оно меня не волнует... — Шеф протянул руку, сова неуклюже переступила пушистыми ногами, встала на ладонь. — Ты своей удачи не понимаешь.

Я замолчал. А шеф прошел к окну, распахнул раму, вытянул руку. Сова забила крыльями и сорвалась вниз. Хорошо чучело!

— Куда... оно?

— К тебе. Вам работать в паре... — Шеф потер переносицу. — Да! Учти, зовут ее Ольга.

— Сову?

— Сову. Будешь кормить, заботиться — все будет хорошо. А теперь... поспи еще чуть-чуть и вставай. В контору можешь не заезжать, дождись Ольги — и за работу. Проверь кольцевую линию метро, например...

— Как — еще поспать... — начал я. Но мир вокруг уже мерк, тускнел, растворялся. В щеку больно впился уголок подушки.

Я лежал в своей постели.

Голова была тяжелая, в глазах — песок. Горло ссохлось и болело.

— А... — хрипло застонал я, переворачиваясь на спину. Тяжелые шторы не давали понять, ночь на дворе или давно уже день. Я скосил глаза на часы: светящиеся цифры показывали восемь.

Первый раз я удостоился от шефа аудиенции во сне.

Штука это неприятная, причем в первую очередь для шефа, которому пришлось вломиться в мое сознание.

Видно и впрямь туго со временем, если он счел нужным провести инструктаж в мире снов. Но надо же... какая реальность! Не ожидал. Разбор задания, сова эта дурацкая...

Я вздрогнул — в окно снаружи постучали. Мелко и часто, будто когтями. Донесся приглушенный клекот.

А чего еще я, собственно говоря, ожидал?

Вскочив, нелепо оправив трусы, я подбежал к окну. Вся та дрянь, что я глотал, готовясь к охоте, еще действовала, и очертания предметов я различал четко.

Рывок — я распахнул шторы. Поднял жалюзи.

Сова сидела на подоконнике. Чуть щурилась — все-таки уже рассвело и для нее было слишком светло. С улицы, конечно, трудно понять, что за птица уселась на окно десятого этажа. А вот соседи, если выглянут, будут весьма удивлены. Полярная сова в центре Москвы!

— Что ж такое... — тихо сказал я.

Хотелось выразиться более ярко. Но от этой привычки меня отучили в самом начале работы в Дозоре. Точнее — сам отучился. Как увидишь раз-другой Темный смерчик над человеком, в чей адрес ты ругнулся, — сразу начинаешь придерживать язык.

Сова смотрела на меня. Ждала.

А вокруг бесились птицы. Стайка воробьев, усевшись на дереве подальше, заходилась в чириканье. Вороны были посмелее. Уселись на соседском балконе, на ближних деревьях. И каркали, не переставая, временами спрыгивая с веток и кружа у окна. Инстинкты подсказывали им все грядущие неприятности от такого неожиданного соседа.

Но сова не реагировала. Плевала она и на воробьев, и на ворон. Если бы могла, конечно.

— Кто же ты такая? — открывая окно, безжалостно отдирая заклеенные рамы, пробормотал я. Удружил шеф с напарником... с напарницей...

Одним взмахом крыльев сова внесла себя в комнату, уселась на шифоньер, прикрыла глаза. Будто век тут жила. Может, замерзла по дороге? Да нет, она же полярная...

Я принялся закрывать окно, размышляя, что теперь делать. Как с ней общаться, чем кормить и как, скажите на милость, это пернатое создание может мне помочь?

— Тебя зовут Ольга? — спросил я, окончив с окном. Из щелей все равно дуло, но это оставим на потом. — Эй, птица!

Сова приоткрыла один глаз. Меня она игнорировала почти так же, как суетливых воробьев.

С каждым мигом я чувствовал себя все нелепее. Во-первых — такой напарник, с которым невозможно общаться. Во-вторых — она ведь женщина!

Хоть и сова.

Может, брюки надеть? Стою в одних мятых трусах, небритый, заспанный...

Чувствуя себя последним идиотом, я подхватил одежду и выскочил из комнаты. Моя фраза, брошенная сове напоследок: «Извините, я на минутку», была достойным завершающим штрихом к портрету.

Если эта птичка и впрямь то, что я думаю, то я создал о себе не лучшее впечатление.

Больше всего хотелось принять душ, но такую трату времени я себе позволить не мог. Ограничился бритьем и засовыванием гудящей головы под кран с холодной водой. На полочке, среди шампуней и дезодорантов, нашелся и одеколон, которым я обычно не пользуюсь.

— Ольга? — выглядывая в коридор, позвал я.

Сова нашлась на кухне, на холодильнике. Сидела мертво, чучелом, поставленным ради забавы. Почти как у шефа в стеллаже.

— Ты жива? — спросил я.

На меня мрачно посмотрел янтарно-желтый глаз.

— Хорошо. — Я развел руками. — Давай начнем сначала? Я понимаю, что произвел не лучшее впечатление. И скажу честно, у меня это хроническое.

Сова внимала.

— Я не знаю, кто ты. — Оседлав табуретку, я уселся перед холодильником. — Да ты и не можешь рассказать. Но вот сам представлюсь. Меня зовут Антон. Пять лет назад обнаружилось, что я — Иной.

Звук, который издала сова, больше всего походил на сдавленный смешок.

— Да, — согласился я. — Всего пять лет назад. Так уж сложилось. У меня был очень высокий барьер отторжения. Я не хотел видеть сумеречный мир. И не видел. Пока на меня не наткнулся шеф.

Кажется, сове стало интересно.

— Он вел практическое занятие. Инструктировал оперативников, как выявлять скрытых Иных. Наткнулся на меня... — Я усмехнулся, вспоминая. — Пробил мой барьер, конечно же. А дальше все просто... прошел адаптационный курс, стал работать в аналитическом отделе. И... без особых изменений в жизни. Стал Иным, но словно и не заметил этого. Шеф хмурился, но молчал. Работу я делал хорошо... в остальное он вмешиваться не в праве. Но неделю назад в городе появился вампир-маньяк. Вот мне и было поручено его обезвредить. Якобы потому, что все оперативники заняты. На самом деле — чтобы я понюхал пороху. Может быть, это и правильно. Но ведь за неделю погибло еще трое людей. Профессионал взял бы ту парочку за сутки...

Мне очень хотелось знать, что думает по этому поводу Ольга. Но сова не издала ни звука.

— Вот что важнее для сохранения баланса? — все же спросил я. — Повышение моей оперативной квалификации или жизни трех ни в чем не повинных людей?

Сова молчала.

— Обычными способами я вампиров не почувствовал, — продолжил я. — Пришлось вводить себя в резонанс. Человеческую кровь пить не стал. Обошлись свиной. И все эти препараты... да ты, конечно, их знаешь...

Заговорив о препаратах, я встал, открыл шкафчик над плитой, достал стеклянную банку с плотно притертой пробкой. Комковатого бурого порошка осталось чуть-чуть, на донышке, сдавать в хозчасть не имело смысла. Я высыпал порошок в раковину и смыл — по кухне пошел пряный дурманящий аромат. Банку я сполоснул и кинул в мусорное ведро.

— Я ведь чуть не сорвался, — заметил я. — Самым натуральным образом. Вчера утром, когда возвращался с охоты... попалась в подъезде девчонка-соседка. Я даже здороваться не рискнул, клыки уже прорезались. И этой ночью, когда почувствовал Зов, нацеленный на паренька... едва не присоединился к вампирам.

Сова смотрела мне в глаза.

— Думаешь, потому меня шеф и назначил?

Чучело. Комок перьев, набитый ватой.

— Чтобы посмотрел их глазами?

В прихожей раздался звонок. Я вздохнул, развел руками: что уж тут поделаешь, сама виновата, любой собеседник лучше такой скучной птицы. Включив по пути свет, подошел к двери, открыл.

На пороге стоял вампир.

— Заходи, — сказал я. — Заходи, Костя.

Он помялся у двери, но все же зашел. Пригладил волосы — я заметил, что ладони у него потные и глаза бегают.

Косте всего семнадцать. Вампир он с рождения, обычный, нормальный городской вампир. Очень неприятная ситуация: родители-вампиры, у ребенка в таких условиях шансов вырасти человеком почти не остается.

— Я диски занес, — буркнул Костя. — Вот.

Я взял стопочку компактов, даже не удивившись, что их так много. Обычно парня приходилось долго теребить, чтобы вернул диски: он чертовски рассеян.

— Все послушал? — спросил я. — Переписал?

— Угу... я пошел...

— Подожди. — Я взял его за плечо и впихнул в комнату. — Что такое?

Он молчал.

— Уже в курсе? — прозревая, спросил я.

— Нас очень мало, Антон. — Костя посмотрел мне в глаза. — Когда кто-то уходит, мы сразу чувствуем.

— Так. Разувайся, пошли на кухню. Поговорим серьезно.

Костя не спорил. А я лихорадочно соображал, что же делать. Пять лет назад, когда я стал Иным и мир открыл мне

34

свою сумеречную сторону, меня ждало множество удивительных открытий. Но то, что прямо надо мной живет семья вампиров, оказалось одним из самых шокирующих.

Помню, будто это было вчера. Я возвращался с занятий, самых обычных, заставлявших вспоминать недавний институт. Три пары, лектор, жара, от которой липли к телу белые халаты: мы арендовали аудиторию у мединститута. Я шел домой и баловался на ходу, то уходил в сумрак, ненадолго, навыков еще не хватало, то начинал зондировать прохожих. И уже у подъезда наткнулся на соседей.

Очень милые люди. Я как-то хотел одолжить у них дрель, а отец Кости, Геннадий, строитель по специальности, просто пришел ко мне и играючи помог справиться с бетонными стенами, наглядно показав, что интеллигенту без пролетариата не выжить...

И вдруг я увидел, что они вовсе не люди.

Это было страшно. Коричнево-серая аура, давящая тяжесть. Я застыл, с ужасом глядя на них. Полина, мать Кости, слегка изменилась в лице, мальчишка замер и отвернулся. А глава семейства подошел ко мне, с каждым шагом уходя в сумрак, — той грациозной походкой, что дана лишь вампирам, живущим и мертвым одновременно. Для них сумрак — нормальная среда обитания.

— Здравствуй, Антон, — сказал он.

Мир вокруг был серым и мертвым. Я и сам не заметил, как нырнул в сумрак вслед за ним.

— Так и знал, что однажды ты перейдешь барьер, — сказал он. — Все в порядке.

Я отступил на шаг — и лицо Геннадия дрогнуло.

— Все нормально, — сказал он. Распахнул рубашку, и я увидел регистрационную печать, голубой оттиск на серой коже. — Мы все зарегистрированы. Полина! Костя!

Его жена тоже перешла в сумрак, расстегнула блузку. Пацан не двигался, потребовался суровый взгляд отца, чтобы и он предъявил печать.

— Я должен проверить, — прошептал я. Мои пассы были неумелыми, я дважды сбивался и начинал сначала. Геннадий терпеливо ждал. Наконец печать дала отклик. Постоянная регистрация, нарушений режима не обнаружено...

— Все в порядке? — спросил Геннадий. — Мы можем идти?

— Я...

— Да ничего. Мы знали, что однажды ты станешь Иным.

— Идите, — сказал я. Не по уставу, но мне сейчас было не до правил.

— Да... — Перед тем, как выйти из сумрака, Геннадий на миг задержался. — Я был в твоем доме... Антон, я возвращаю тебе приглашение заходить...

Все было правильно.

Они ушли, а я сел на скамейку, рядом с греющейся на солнышке бабулей. Закурил, пытаясь разобраться в мыслях. Бабулька поглядела на меня и изрекла:

— Хорошие люди, правда, Аркашенька?

Она все время путала мое имя. Жить ей оставалось от силы два-три месяца, сейчас я это видел ясно.

— Не совсем... — сказал я. Выкурил три сигареты, потом поплелся домой. У порога постоял, глядя, как гаснет серая дорожка «вампирьей тропы» у порога. Как раз сегодня меня научили ее видеть...

До вечера я промаялся. Листал конспекты, для чего приходилось уходить в сумрак. Для обычного мира эти общие тетради девственно пусты. Хотелось позвонить куратору группы или самому шефу — я был на его персональной ответственности. Но я чувствовал, что должен принять решение сам.

Когда совсем стемнело, я не выдержал. Поднялся на этаж выше, позвонил. Открыл Костя, вздрогнул. В реальности он, как и вся его семья, казался совершенно обычным...

— Позови старших, — попросил я.

— Зачем? — буркнул он.

— Хочу вас пригласить на чай.

Геннадий возник за спиной сына, возник ниоткуда, он был куда способнее, чем я, свежеиспеченный адепт Света.

— Ты уверен, Антон? — с сомнением спросил он. — Этого вовсе не требуется. Все нормально.

— Уверен.

Он помолчал. Пожал плечами:

— Мы зайдем завтра. Если пригласишь. Не горячись.

К полуночи я был безумно рад, что они отказались. К трем часам ночи попытался уснуть, успокоенный, зная, что хода в мой дом для них нет и не будет.

К утру, так и не сомкнув глаз, я стоял у окна и смотрел на город. Вампиров мало. Очень мало. В радиусе двух-трех километров ни одного больше.

Каково это — быть отверженным? Быть наказанным не за преступление, а за потенциальную возможность его совершить? А каково будет им жить... ну, пусть не жить, тут требуется иное слово, рядом со своим надзирателем?

Возвращаясь с занятий, я купил к чаю тортик.

А вот теперь Костя, хороший умный парень, студент физфака МГУ, имевший несчастье родиться живым мертвецом, сидел рядом со мной и возил ложкой в сахарнице, будто не решаясь зачерпнуть. С чего бы такая стеснительность...

Вначале он вообще забегал чуть ли не каждый день. Я был его прямой противоположностью, я был на Светлой стороне. Но я впускал его в дом, со мной можно было не таиться. Можно было просто поболтать, а можно было нырнуть в сумрак и похвастаться появившимися возможностями. «Антон, а у меня получилось трансформироваться!..» «А у меня клыки стали расти, р-р-р!»

И самое страшное, что все это было нормально. Я хохотал, глядя на попытки вампиренка превратиться в летучую мышь: это задача для высшего вампира, которым он не является и, даст Свет, никогда не станет. Только иногда одергивал: «Костя... вот этого ты никогда не должен делать. Понимаешь?» И это тоже было нормально.

— Костя, я выполнял свою работу.

— Зря.

— Они нарушили закон. Понимаешь? Не наш закон, заметь. Не только Светлые его приняли, а все Иные. Этот парень...

— Я его знал, — неожиданно сказал Костя. — Он веселый был.

Вот черт...

— Он мучился?

— Нет. — Я покачал головой. — Печать убивает мгновенно.

Костя вздрогнул, на миг скосил глаза на грудь. Если перейти в сумрак, то печать увидишь и сквозь одежду, а если не переходить — вообще не обнаружишь. Кажется, он не переходил. Но откуда мне знать, как чувствуют печать вампиры?

— Что я мог поделать? — спросил я. — Он убивал. Убивал ни в чем не повинных людей. Абсолютно беззащитных перед ним. Инициировал девчонку... грубо, насильно, она не должна была стать вампиром. Вчера они чуть не прикончили мальчишку. Просто так. Не от голода.

— Ты знаешь, что такое наш голод? — спросил Костя, помолчав.

А он взрослеет. Прямо на глазах...

— Да. Вчера я... почти стал вампиром.

Тишина, на миг.

— Знаю. Я чувствовал... я надеялся.

Дьявол и преисподняя! Я вел свою охоту. На меня вели свою. Точнее — караулили в засаде, ожидая, что охотник превратится в зверя.

— Нет, — сказал я. — Уж извини.

— Да, он виноват, — упрямо сказал Костя. — Но зачем было убивать? Положено судить. Трибунал, адвокат, обвинение, все как положено...

— Положено не вмешивать людей в наши дела! — рявкнул я. И впервые Костя не отреагировал на такой тон.

— Ты слишком долго был человеком!

— И ничуть о том не жалею!

— Зачем ты его убил?

— Иначе он убил бы меня!

— Инициировал!

— Это еще хуже!

Костя замолчал. Отставил чай, поднялся. Совершенно обычный, нагловатый и при том болезненно моральный юноша.

Вот только вампир.

— Пойду...

— Подожди. — Я шагнул к холодильнику. — Захвати, мне тут выдали, но не понадобилось.

Я вынул стоящие среди бутылок с «боржоми» двухсот-граммовые пузырьки с донорской кровью.

— Не надо.

— Костя, я же знаю, что это вечная ваша проблема. Мне оно не нужно. Бери.

— Купить хочешь?

Я начал злиться.

— Да зачем мне нужно подкупать тебя! Выбрасывать — глупо, вот и все! Это кровь. Люди сдавали ее, чтобы кому-то помочь!

И тогда Костя вдруг ухмыльнулся. Протянул руку, взял один из пузырьков, раскупорил, содрав жестяной колпачок легко и умело. Поднес бутылочку к губам. Опять усмехнулся, сделал глоток.

Я никогда не видел, как они питаются. Да и не стремился.

— Прекрати, — сказал я. — Не паясничай.

Губы у Кости были в крови, тоненькая струйка стекала по щеке. Не просто стекала, а впитывалась в кожу.

— Тебе неприятен наш способ питания?

— Да.

— Значит, тебе неприятен и я сам? Все мы?

Я покачал головой. Мы никогда не касались этого вопроса. Так было легче.

— Костя... чтобы жить, тебе нужна кровь. И хотя бы иног-да — человеческая.

Мы вообще не живем.

— Я беру более общий смысл. Чтобы двигаться, думать, говорить, мечтать...

— Что тебе мечты вампира?

— Мальчик, на свете живет множество людей, которым по-стоянно требуется переливание крови. Их не меньше, чем вас. А еще есть экстренные случаи. Потому существует донорство, потому оно почетно и поощряется... Не улыбайся. Я знаю ваши заслуги в развитии медицины и в пропаганде донорства. Костя, если кому-то для жизни... для существования нужна кровь — это еще не беда. И куда она пойдет, в вены или в желудок, тоже дело десятое. Вопрос в том, как ты ее добудешь.

— Слова. — Костя фыркнул. Мне показалось, что на миг он перешел в сумрак и тут же вынырнул обратно. Растет, растет парень. И сила у него появляется настоящая. — Вчера ты показал свое истинное отношение к нам.

— Ты не прав...

— Да брось... — Он отставил бутылочку, потом, передумав, наклонил ее над раковиной. — Нам не нужны твои...

За спиной раздалось уханье. Я повернулся — сова, про которую я успел начисто забыть, повернула голову к Косте и расправила крылья.

Никогда еще я не видел у него такого лица.

— А... — сказал он. — А...

Сова сложила крылья и прикрыла глаза.

— Ольга, мы разговариваем! — рявкнул я. — Дай нам минутку...

Птица не отреагировала. А вот Костя переводил взгляд с меня на сову и обратно. Потом сел, сложив руки на коленях.

— Что с тобой? — спросил я.

— Можно мне идти?

Он был не просто удивлен или напуган, он был шокирован.

— Иди. Только захвати все же...

Костя стал торопливо собирать бутылочки, рассовывать их по карманам.

— Пакет возьми, дубина! Вдруг кто окажется в подъезде?

Вампир послушно сложил флаконы в пакетик с надписью «Возродим российскую культуру!». Косясь на сову, вышел в прихожую, принялся торопливо обуваться.

— Ты заходи, — сказал я. — Я не враг. Пока ты не перешел грани, я не враг.

Он кивнул и пулей вылетел из квартиры. Пожав плечами, я закрыл дверь. Вернулся на кухню, глянул на сову:

— Ну? Так что произошло?

В янтарно-желтом взгляде ничего нельзя было прочитать. Я всплеснул руками:

— Как нам работать? А? Как мы будем сотрудничать? У тебя есть какие-то средства коммуникации? Я открываюсь, слышишь? Прямой разговор!

Полностью в сумрак я не перешел, потянулся одной лишь мыслью. Не стоит так доверяться незнакомцам, но вряд ли шеф дал бы мне ненадежную напарницу.

Никакого ответа. Даже если Ольга могла общаться телепатически, то делать этого не собиралась.

— Что предпримем? Надо искать ту девчонку. Примешь образ?

Ответа нет. Вздохнув, я наудачу бросил в птицу кусочком своей памяти.

Сова расправила крылья и перепорхнула мне на плечо.

— Вот как? Значит, слышим? А до ответа не снисходим? Хорошо, как знаешь. Что мне делать?

Снова игра в молчанку.

Впрочем, что делать, я знаю. Другой вопрос, что никакой надежды на удачу нет.

— И как я буду бродить по улицам с тобой на плече?

Насмешливый, именно насмешливый взгляд. И птица на моем плече ушла в сумрак.

Вот, значит, как. Невидимый наблюдатель. Не просто наблюдатель — реакция Кости на сову была более чем показательной. Похоже, мне дали напарницу, которую силы Тьмы знают куда лучше, чем рядовые служители Света.

— Договорились, — бодренько сказал я. — Вот только съем чего-нибудь, ага?

Я достал себе йогурт и налил стакан апельсинового сока. От того, чем я кормился последнюю неделю — полусырые бифштексы и мясной сок, немногим отличающийся от крови, — меня уже тошнило.

— А тебе мяска, наверное?

Сова отвернулась.

— Ну как хочешь, — сказал я. — Уверен, что едва ты захочешь есть, то сразу найдешь возможность со мной общаться.

ГЛАВА 3

Я люблю ходить по городу в сумраке. При этом не становишься невидимым, иначе бы на тебя поминутно налетали. Просто сквозь тебя смотрят и не замечают тебя. Но сейчас предстояло работать в открытую.

День — не наше время. Как это ни смешно, но сторонники Света работают ночью, когда активизируются Темные. А сейчас Темные мало на что способны. Вампиры, оборотни. Темные маги днем вынуждены жить, как обычные люди.

В большинстве своем, конечно.

Сейчас я прохаживался вокруг станции «Тульская». Как и посоветовал шеф, я отработал все станции на кольце, где только могла выйти девушка с черной воронкой инферно. За ней должен был остаться след, пусть слабенький, но еще различимый. Теперь я решил пройтись по радиальным веткам.

Дурацкая станция, дурацкий район. Два выхода, разнесенные на порядочное расстояние друг от друга. Рынок, помпезный небоскреб налоговой полиции, огромный жилой дом. Темных эманаций вокруг было столько, что найти след черной воронки становилось проблематичным.

Особенно если она здесь не появлялась.

Я обошел все, вынюхивая ауру девушки, поглядывая порой сквозь сумрак на невидимую птицу, угнездившуюся на моем плече. Сова дремала. Она тоже ничего не чувствовала, а я почему-то был уверен, что ее способности к поиску получше моих.

Один раз у меня проверили документы милиционеры. Дважды приставали безумные молодые люди, желающие совершенно бесплатно, всего лишь за полсотни баксов, подарить мне китайский фен, детскую игрушку и копеечный корейский телефон.

И тут я не сдержался. Отмахнулся от очередного назойливого коммивояжера и провел реморализацию. Легкую, на самой грани допустимого. Может быть, парень начнет искать себе другую работу. А может быть, и нет...

Но в тот же миг меня взяли за локти. Еще мгновение назад рядом никого не было — теперь за спиной стояла парочка. Симпатичная рыжая девчонка и крепкий, с мрачным лицом парень.

— Тихо, — сказала девушка. Она была в паре главной, я это оценил сразу. — Дневной Дозор.

Свет и Тьма!

Пожав плечами, я смотрел на них.

— Назовись, — потребовала девушка.

42

Врать смысла не было, мою ауру они уже давно сняли, и определить личность — лишь вопрос времени.

— Антон Городецкий.

Они ждали.

— Иной, — признал я. — Сотрудник Ночного Дозора.

Руки с моих локтей они убрали. И даже отступили на шаг. Но огорченными никак не выглядели.

— Пошли в сумрак, — велел парень.

Похоже, не вампиры. И то хорошо. Можно надеяться на некоторую объективность. Я вздохнул и перешел из одной реальности в другую.

Первой неожиданностью было то, что парочка оказалась по-настоящему молодой. Девчонка-ведьма лет двадцати пяти и ведьмак лет тридцати, мой ровесник. Я подумал, что даже смогу при необходимости вспомнить их имена, в конце семидесятых ведьм и ведьмаков рождалось мало.

Второй неожиданностью оказалось отсутствие на моем плече совы. Точнее, она там была. Я ощущал когти, мог ее увидеть, но только при некотором напряжении. Похоже было, что птичка одновременно со мной сменила реальности, оказавшись на более глубоком уровне сумрака.

Все интереснее и интереснее!

— Дневной Дозор, — повторила девушка. — Алиса Донникова, Иная.

— Петр Нестеров, Иной, — буркнул парень.

— У вас какие-то проблемы?

Девушка буравила меня фирменным «ведьмовским» взглядом. С каждой секундой она становилась все симпатичнее и обольстительнее. Конечно, я защищен от прямого воздействия, обворожить меня невозможно, но выглядело это эффектно.

— Проблемы не у нас. Антон Городецкий, вы произвели несанкционированный контакт с человеком.

— Да? И какой?

— Вмешательство седьмой степени, — неохотно признала ведьма. — Но факт остается фактом. К тому же вы подтолкнули его к Свету.

— Протокол писать будем? — Меня вдруг развеселила ситуация. Седьмая степень — мелочь. Это воздействие на самой грани магии и обычного разговора.

— Будем.

— И что напишем? Сотрудник Ночного Дозора слегка усилил в человеке неприязнь к обману?

— Тем самым нарушая установленный баланс, — отчеканил ведьмак.

— Неужели? А в чем беда для Тьмы? Если парень вдруг бросит заниматься мелким жульничеством, то его жизнь неизбежно ухудшится. Более моральный, но более несчастный. Согласно комментариям к соглашению о балансе сил — это не считается нарушением баланса.

— Софистика, — бросила девушка. — Вы сотрудник Дозора. То, что простительно обычному Иному, для вас неправомерно.

Она была права. Мелкое нарушение, и все же...

— Он мне мешал. При проведении расследования я имею право на магическое вмешательство.

— Вы на службе, Антон?

— Да.

— А почему днем?

— У меня особое задание. Вы можете направить запрос руководству. Точнее, запрос вправе направить ваше руководство.

Ведьма и ведьмак переглянулись. Как бы ни были противоположны наши цели и наша мораль, но конторам приходилось сотрудничать.

А уж если начистоту, то вмешивать начальство никто не любит.

— Допустим, — неохотно согласилась ведьма. — Антон, мы можем ограничиться устным замечанием.

Я оглянулся. Вокруг, в серой мгле, медленно двигались люди. Обычные, неспособные выйти из своего мирка. Мы — Иные, и пусть я стою на стороне Света, а мои собеседники на стороне Тьмы, но с ними у меня куда больше общего, чем с любым из простых людей.

— Условия?

Нельзя играть с Тьмой в поддавки. Нельзя идти на уступки. А еще опаснее — принимать ее дары. Но правила созданы лишь для того, чтобы их нарушать.

— Никаких.

Надо же!

Я смотрел на Алису, пытаясь найти в ее словах подвох. Петр явно был возмущен поведением напарницы, он злился, ему хотелось уличить адепта Света в преступлении. Значит, его можно в расчет не брать.

В чем же ловушка?

— Это неприемлемо для меня, — сказал я, с облегчением замечая подвох. — Алиса, благодарю за предложение мирного урегулирования. Могу принять его, но обещаю в аналогичной ситуации простить вам мелкое магическое вмешательство, до седьмого уровня включительно.

— Хорошо, Иной, — легко согласилась Алиса. Протянула руку, и я невольно пожал ее. — Личное соглашение заключено.

Сова на моем плече взмахнула крыльями. Прямо в ухо ударил разъяренный клекот. И через мгновение птица материализовалась в сумеречном мире.

Алиса отступила на шаг, зрачки ее стремительно растянулись в вертикальные щелки. Парень-ведьмак принял защитную стойку.

— Соглашение заключено! — угрюмо повторила ведьма.

Что происходит?

Я с запозданием понял, что не стоило идти на соглашение при Ольге. Хотя... ну что страшного в произошедшем? Как будто при мне не заключали таких альянсов, не шли на уступки, не договаривались о сотрудничестве с Темными другие работники Дозора, включая и самого шефа! Да, нежелательно! Но приходится!

Наша цель не уничтожение Темных. Наша цель — поддержание баланса. Темные исчезнут лишь тогда, когда люди победят в себе Зло. Или мы исчезнем, если людям Тьма понравится больше, чем Свет.

— Соглашение принято, — зло сказал я сове. — Уймись. Это мелочь. Это обычное сотрудничество.

Алиса улыбнулась, сделала мне ручкой. Взяла за локоть ведьмака, и они стали отступать. Миг, другой, и, выйдя из сумрака, они пошли по тротуару. Обычная парочка.

— Что ты дергаешься? — спросил я. — Ну? Оперативная работа все время состояла из компромиссов!

— Ты совершил ошибку.

Голос у Ольги был странный, неподходящий к внешности. Мягкий, бархатный, певучий. Так говорят кошки-оборотни, а не птицы.

— Ого. Так, значит, умеешь разговаривать?

— Да.

— А чего раньше молчала?

— Раньше все было нормально.

Вспомнив древний анекдот, я усмехнулся.

— Выйду из сумрака, хорошо? А ты можешь пока объяснить, в чем я ошибся. Небольшие компромиссы с Темными — неизбежная часть работы.

— Ты не имеешь той квалификации, которая позволяет идти на компромиссы.

Мир вокруг обрел краски. Это походило на смену режимов в видеокамере, когда переключаешься с «сепии» или «старого кино» на обычную съемку. Аналогия в чем-то была очень верной: сумрак и есть «старое кино». Старое-престарое, благополучно забытое человечеством. Так ему легче жить.

Я направился к спуску в метро, на ходу огрызнувшись невидимой собеседнице:

— При чем тут квалификация?

— Дозорный высокого ранга способен предугадать последствия компромисса. Будет ли это небольшая двусторонняя уступка, которая взаимно нейтрализуется, или ловушка, в которой ты потеряешь больше, чем найдешь.

— Не думаю, что вмешательство седьмого уровня приведет к беде!

Идущий рядом мужчина удивленно посмотрел на меня. Я уже приготовился сказать что-нибудь вроде «я тихий безобидный псих». Это очень хорошо лечит излишнее любопытство. Но мужчина уже ускорил шаг, видимо, придя к подобному выводу самостоятельно.

— Антон, ты не можешь предугадать последствий. Ты отреагировал на мелкую неприятную ситуацию неадекватно. Твоя маленькая магия привела к вмешательству Темных. Ты пошел с ними на компромисс. Но самое печальное, что вообще не было необходимости в магическом вмешательстве.

46

— Да, да, признаю. И что теперь?

Голос птицы оживал, наполнялся интонациями.

Наверное, она очень долго не говорила.

— Теперь — ничего. Будем надеяться на лучшее.

— Ты сообщишь шефу о случившемся?

— Нет. Пока нет. Мы ведь напарники.

У меня потеплело на душе. Ошибки ошибками, но внезапное улучшение отношений с партнером стоит того.

— Спасибо. Что посоветуешь?

— Ты все делаешь правильно. Ищи след.

Я предпочел бы получить более неординарный совет...

— Поехали.

К двум часам дня вдобавок к кольцу я обшарил всю серую линию. Может быть, я и скверный оперативник, но не заметить вчерашний след, который сам же и снял, не мог. Не выходила здесь девушка, над которой вращался черный вихрь инферно. Видимо, стоило снова начать с той точки, где мы встретились.

На «Курской» я поднялся из метро, прямо на улице из машины купил пластиковое корытце салата и стакан кофе. При взгляде на гамбургеры и сосиски начинало поташнивать, несмотря на все символическое количество в них мяса.

— Будешь что-нибудь? — спросил я невидимую спутницу.

— Нет. Спасибо.

Стоя под мелким снежком, я ковырял крошечной вилкой оливье, прихлебывал горячий кофе. Бомж, явно рассчитывавший, что я возьму пива и ему достанется пустая бутылка, потолкался в сторонке и ушел греться в метро. Больше никому до меня дела не было. Девушка-продавщица обслуживала оголодавших прохожих, безликий поток пешеходов струился от вокзала и к вокзалу. У книжного лотка продавец уныло, без энтузиазма всучивал покупателю какую-то книгу. Покупатель жался.

— У меня, наверное, плохое настроение... — буркнул я.

— Почему?

— Все видится в мрачном свете. Люди — гады и дураки, салат промерз, ботинки отсырели.

Птица на моем плече издала насмешливый клекот.

— Нет, Антон. Дело не в настроении. Ты чувствуешь приближение инферно.

— Я никогда не отличался чувствительностью.

— Вот то-то и оно.

Я глянул на вокзал. Попытался всмотреться в лица. Кое-кто тоже чувствовал. Те из людей, которые стояли на самой грани между человеком и Иным, были напряженными, подавленными. Причины они понять не могли и потому внешне, наоборот, бодрились.

— Тьма и Свет... Что может произойти, Ольга?

— Все что угодно. Ты оттянул прорыв, но зато, когда воронка ударит, последствия станут просто катастрофическими. Эффект удержания.

— Шеф об этом не сказал.

— Зачем? Ты поступил правильно. Сейчас есть хотя бы шанс.

— Ольга, сколько тебе лет? — спросил я. Между людьми этот вопрос мог бы прозвучать оскорбительно. Для нас в возрасте нет особых границ.

— Много, Антон. Например, я помню восстание.

— Революцию?

— Восстание на Сенатской. — Сова издала смешок. Я помолчал. Возможно, Ольга старше самого шефа.

— Какой у тебя ранг, партнерша?

— Никакого. Я лишена всех прав.

— Извини.

— Ничего. Давно смирилась.

Голос у нее оставался бодрым, даже насмешливым. Но что-то подсказывало мне: нет в Ольге никакого смирения.

— Если я не слишком назойлив... Почему тебя загнали в это тело?

— Иного выбора не было. Существовать в теле волка куда сложнее.

— Подожди... — Я бросил недоеденный салат в урну. Посмотрел на плечо, совы не увидел, конечно, для этого пришлось бы уходить в сумрак. — Кто ты? Если оборотень, то почему с нами? Если маг — почему такое странное наказание?

— А вот это уже не относится к делу, Антон. — На миг в голосе прорезалась острая сталь. — Но началось все с того, что я пошла на компромисс с Темными. Маленький компромисс. Мне казалось, что последствия просчитаны, но я ошиблась.

Вот так...

— Ты поэтому заговорила? Решила меня предостеречь, но опоздала?

Молчание.

Будто Ольга уже недовольна своей откровенностью.

— Работаем дальше... — сказал я. И тут в кармане пискнул телефон.

Это оказалась Лариса. С чего бы ей работать две смены подряд?

— Антон, внимание... Поймали след той девушки. Станция «Перово».

— Блин, — только и сказал я. Работать в спальных районах — мучение.

— Да, — согласилась Лариса. Оперативник она совсем никакой... потому и сидит на телефоне, наверное. Но девчонка умная. — Антон, гони в Перово. Туда стягивают всех наших, они идут по следу. И еще... там заметили Дневной Дозор.

— Понятно. — Я сложил трубку.

Ничего мне не было понятно. Неужели Темные уже все знают? И жаждут прорыва инферно? И меня останавливали не случайно...

Ерунда. Катастрофа в Москве не в интересах Тьмы. Правда, останавливать воронку они тоже не станут: для них это противоестественно.

В метро я забираться так и не стал. Поймал машину, это должно было дать выигрыш по времени, пусть и небольшой. Сел рядом с водителем, смуглым горбоносым интеллигентом лет сорока. Машина была новенькая, да и сам водитель производил впечатление человека преуспевающего. Даже странно, что подрабатывает извозом.

...Перово. Большой район. Толпы людей. Свет и Тьма — все скручено в узел. Да еще несколько заведений, кидающих Темные и Светлые пятна во все стороны. Работать там — все равно что искать песчинку на полу переполненной дискотеки при включенных стробоскопах...

Пользы от меня будет мало, а точнее — вообще никакой. Но раз велят ехать — значит надо. Может быть, попросят провести опознание.

— А я почему-то был уверен, что нам повезет, — прошептал я, глядя на стелющуюся дорогу. Мы проехали Лосиный Остров, тоже место неприятное, там собираются на шабаши Темные. И не всегда при этом соблюдаются права обычных людей. Пять ночей в году мы вынуждены терпеть все. Ну или почти все.

— Я тоже так думала... — шепнула Ольга.

— Куда мне тягаться с оперативниками. — Я покачал головой.

Водитель скосил на меня взгляд. С ценой я согласился, не торгуясь, да и маршрут его, видимо, устраивал. Но человек, беседующий сам с собой, всегда вызывает нездоровые ассоциации.

— Дело я одно провалил... — со вздохом сообщил я водителю. — Точнее — плохо выполнил. Думал, что сегодня смогу выслужиться, а справились без меня.

— Потому и спешишь? — полюбопытствовал водитель. Выглядел он не особо говорливым, но моими словами заинтересовался.

— Велели приехать, — кивнул я.

Интересно, за кого он меня принимает?

— А чем занимаешься?

— Программист, — ответил я. Честно ответил, между прочим.

— Колоссально, — заметил водитель, хмыкнул. Что уж он тут нашел колоссального? — На жизнь хватает?

Вопрос был ненужный, уже из-за того, что ехал я не в метро. Но я ответил:

— Вполне.

— Я не просто так спрашиваю, — неожиданно сообщил водитель. — У меня с работы уходит системный администратор...

«У меня...» Надо же.

— Лично я вижу в этом перст судьбы. Подсадил человека, а он оказался программистом. Мне кажется, вы обречены.

Он засмеялся, будто решил сгладить слишком уж уверенные слова.

— С локальными сетями работали?

— Да.

— Сетка на полсотни машин. Надо поддерживать в порядке. Платим хорошо.

Я невольно начал улыбаться. Хорошее дело. Локальная сетка. Приличные деньги. И никто не требует ловить ночами вампиров, пить кровь и вынюхивать следы по морозным улицам...

— Дать визитку? — Одной рукой мужчина ловко полез в карман пиджака. — Подумайте...

— Нет, спасибо. К сожалению, с моей работы сами не уходят.

— КГБ, что ли? — Водитель нахмурился.

— Серьезнее, — ответил я. — Гораздо серьезнее. Но похоже.

— Н-да... — Водитель замолчал. — Жалко. А я уж подумал, что это знак свыше. В судьбу веришь?

На «ты» он перешел легко и непринужденно. Мне это понравилось.

— Нет.

— Почему? — искренне удивился водитель, как будто раньше имел дело исключительное фаталистами.

— Судьбы нет. Это доказано.

— Кем?

— У меня на работе.

Он захохотал.

— Здорово. Что ж, значит — не судьба! Где тебе остановить?

Мы уже ехали по Зеленому проспекту.

Я всмотрелся, проходя сквозь слой обыденной реальности в сумрак. Увидеть ничего толком я не смог, способностей не хватало. Скорее — почувствовал. В серой мгле мерцала кучка неярких огоньков. Чуть ли не вся контора собралась...

— Вон там...

Сейчас, находясь в обычной реальности, я не мог увидеть коллег. Шел по серому городскому снегу к заваленному сугробами скверу между жилыми домами и проспектом. Редкие промерзлые деревца, несколько ниточек следов — то ли детишки резвились, то ли пьяный прошел напрямик.

— Помаши рукой, тебя заметили, — посоветовала Ольга.

Я подумал и выполнил совет. Пусть решат, что я прекрасно умею смотреть из реальности в реальность.

— Совещание, — насмешливо сказала Ольга. — Пятиминутка...

Оглянувшись, больше для порядка, я вызвал сумрак и шагнул в него.

И впрямь — вся контора. Все московское отделение.

В центре стоял Борис Игнатьевич. Легко одетый, в костюме, в легонькой меховой кепке, но почему-то с шарфом. Представляю, как он выбирался из своего «БМВ», в тесном окружении охраны.

Рядом стояли оперативники. Игорь и Гарик — вот уж кто и впрямь подходит на роль боевиков. Морды каменные, плечи квадратные, лица непроницаемо-туповатые. Сразу видно: за плечами восемь классов, училище и спецназ. В отношении Игоря это и впрямь верно. У Гарика два высших образования. При внешнем сходстве и почти одинаковом поведении содержание разнится абсолютно. Илья по сравнению с ними казался рафинированным интеллигентом, но вряд ли кому-то стоит обманываться очками в тонкой оправе, высоким лбом и наивным взглядом. Семен был еще одним утрированным типом: невысокий, кряжистый, с хитроватым взглядом, в какой-то драной нейлоновой куртке. Провинциал, прибывший в Москву-столицу. Причем прибывший откуда-то из шестидесятых годов, из передового колхоза «Поступь Ильича». Абсолютные противоположности. Зато Илью и Семена роднил прекрасный загар и унылое выражение лиц. Их выдернули из Шри-Ланки в середине отпуска, и удовольствия от зимней Москвы они никак не испытывали. Игната, Данилы и Фарида здесь не было, хотя их свежий след я чувствовал. Зато прямо за спиной шефа стояли, вроде бы совсем не маскируясь, но почему-то незаметные на первый взгляд Медведь и Тигренок. Когда я заметил эту парочку, мне стало не по себе. Они не просто боевики. Они очень хорошие боевики. По мелочам их не тягают.

И кабинетных работников было много.

Аналитический отдел, все пятеро. Научная группа — все, кроме Юли, но это неудивительно, ей всего тринадцать лет. Архивной группы не было разве что.

— Привет! — сказал я.

Кое-кто кивнул, кое-кто улыбнулся. Но я понял, что сейчас народу не до меня. Борис Игнатьевич жестом велел подойти поближе, после чего продолжил явно прерванную моим появлением речь:

— ...не в их интересах. И это радует. Никакой помощи оказано нам не будет... и хорошо, и славно...

Ясно. Речь о Дневном Дозоре.

— Искать девушку мы можем беспрепятственно, и Данила с Фаридом уже близки к успеху. Полагаю, минут пять-шесть осталось... Но ультиматум нам все же предъявлен.

Я поймал взгляд Тигренка. Ох нехорошо она улыбается... Да, она. Тигренок — девушка, но прозвище Тигрица к ней не прилипло категорически.

Не любят наши оперативники слова «ультиматум»!

— Черный маг не наш. — Шеф обвел всех собравшихся скучным взглядом. — Ясно? Нам придется его найти, чтобы обезвредить воронку. Но после этого мы передаем мага Темным.

— Передаем? — с любопытством уточнил Илья.

Шеф секунду подумал.

— Да, верное уточнение. Мы его не уничтожаем и не препятствуем общению с Темными. Насколько я понял, они его тоже не знают.

Лица оперативников стремительно становились кислыми. Любой новый черный маг на подконтрольной территории — головная боль. Даже если он зарегистрирован и придерживается договора. А уж маг такой силы...

— Я бы предпочла иное развитие ситуации, — мягко сказала Тигренок. — Борис Игнатьевич, в процессе работы могут возникнуть независящие от нас ситуации...

— Боюсь, что невозможно допустить подобные ситуации, — отрезал шеф. Мимолетно, без напора, он всегда симпатизировал Тигренку. Но девушка сразу сникла.

И я бы тоже сник.

— Вот в общем-то и все... — Шеф взглянул на меня. — Хорошо, что ты прибыл, Антон. Я хотел сказать именно при тебе...

Я невольно напрягся.

— Ты грамотно сработал вчера. Да, действительно, я поручил тебе поиск вампиров лишь с целью проверки. И не только оперативных качеств... ты уже давно находишься в сложной ситуации, Антон. Убить вампира тебе гораздо сложнее, чем любому из нас.

— Вы зря так думаете, шеф, — сказал я.

— Рад, что ошибался. Прими благодарность от всего Ночного Дозора. Ты уничтожил одного вампира, снял след с вампирши. И очень четкий след. Тебе по-прежнему не хватает опыта для розыскной работы. Но фиксировать информацию ты умеешь. Также и с этой девушкой. Ситуация была крайне нестандартная, но ты выбрал гуманное решение... и этим выиграл время. И отпечаток ауры был великолепный. Где ее искать, я понял в первую же минуту.

И вот меня проняло. Никто не улыбался, не подсмеивался, не глядел с ухмылкой. И все же я почувствовал себя оплеванным. Белая сова, которую никто не видел, вздрогнула на моем плече. Я втянул воздух сумрака, прохладный, безвкусный, никакой воздух. Спросил:

— Борис Игнатьевич, чем было вызвано направление меня на кольцо? Если уж вы знали правильный район.

— Я мог ошибаться, — с ноткой удивления отозвался шеф. — Опять же... пойми, что в розыскной работе не следует доверять самому авторитетному вышестоящему мнению. Один в поле воин, если знает, что он один.

— Но я был не один, — тихо сказал я. — И для моей партнерши это задание крайне важно, вы это знаете лучше меня. Отправив нас на проверку заведомо пустых районов... вы лишили ее шанса реабилитироваться.

Лицо у шефа каменное, ничего не прочитаешь, если сам не захочет.

И все же мне показалось, что я попал в цель.

— Ваше задание пока не закончено, — ответил он. — Антон, Ольга... еще остается вампирша, которую надо обезвредить. Здесь никто не в праве нам помешать: она нарушила договор. Остается мальчик, проявивший ненормальную устойчивость к магии. Его надо найти и обратить на сторону Света. Работайте.

54

— А эта девушка?

— Уже локализована. Теперь нейтрализовать воронку попробуют специалисты. Если ничего не выйдет, а так и будет, то выясним, кто наложил проклятие. Игнат, это твоя работа!

Я обернулся — действительно, Игнат уже стоял рядом. Высокий, статный красавец-блондин с фигурой Аполлона и лицом кинозвезды. Передвигался он бесшумно, хотя в обычной реальности это все равно не спасало его от излишнего внимания женского пола.

От абсолютно излишнего внимания.

— Это не мой профиль, — мрачно сказал Игнат. — Не самая симпатичная мне ориентация!

— С кем спать, ты будешь выбирать в нерабочее время, — отрубил шеф. — А на работе я решаю за тебя все. Даже время посещения уборной.

Игнат пожал плечами. Посмотрел на меня, словно ища сочувствия, буркнул под нос:

— Это дискриминация...

— Ты не в Штатах, — повторил шеф, и голос его стал опасно вежливым. — Да, это дискриминация. Использование наиболее удобного работника без учета его личных склонностей.

— А можно это задание мне? — тихонечко спросил Гарик.

Атмосфера разрядилась мигом. То, что Гарик в амурных делах потрясающе невезуч, ни для кого не было секретом. Кто-то засмеялся.

— Игорь, Гарик, вы продолжаете работать на поиске вампирши. — Шеф будто отнесся к предложению серьезно. — Ей нужна кровь. Её остановили в последний момент, сейчас она сходит с ума от голода и возбуждения. В любой миг жди новых жертв! Антон, а вы с Ольгой ищите мальчишку.

Понятно.

Снова — самое пустое и не важное задание.

В городе — назревающий прорыв инферно, в городе — молодая, дикая, голодная вампирша! А я должен искать пацана, потенциально обладающего сильными магическими способностями...

— Разрешите выполнять? — спросил я.

— Да, конечно. — Шеф проигнорировал мой тихий демарш. — Выполняйте.

Я развернулся и, обозначая свой протест, вышел из сумрака. Мир вздрогнул, наполняясь красками и звуками. Теперь я торчал, идиот идиотом, посреди скверика. Для стороннего наблюдателя это выглядело бы дико. А уж отсутствие следов... я стоял в сугробе, а вокруг — нетронутая снежная целина.

Вот так и рождаются мифы. Из нашей неосторожности, из наших рваных нервов, из неудачных шуток и показушных жестов.

— Ничего страшного, — сказал я и пошел напролом к проспекту.

— Спасибо... — тихо и нежно шепнули мне в ухо.

— За что, Оль?

— Что вспомнил обо мне.

— Для тебя и впрямь важно хорошо выполнить задание?

— Очень, — после паузы ответила птица.

— Тогда мы будем очень стараться.

Перепрыгивая через сугробы и какие-то камни — ледник тут прошел, что ли, или кто-то в сад камней играл, — я выбрался на проспект.

— У тебя есть коньяк? — спросила Ольга.

— Коньяк... что? Есть.

— Хороший?

— А он плохим не бывает. Если это коньяк.

Сова фыркнула.

— Пригласите даму на кофе с коньяком.

Представив мысленно сову, пьющую из блюдечка коньяк, я едва не захохотал.

— С удовольствием. Поедем в такси?

— Шутите, парниша! — мгновенно отозвалась Ольга.

Так. Когда же она оказалась запертой в птичье тело? Или это не мешает ей читать книги?

— Существует такая штука, как телевизор, — шепнула птица.

Тьма и Свет! Я был уверен, что мои мысли надежно закрыты!

— А вульгарную телепатию прекрасно заменяет жизненный опыт... большой жизненный опыт, — лукаво продолжила Ольга. — Антон, твои мысли для меня закрыты. К тому же ты мой партнер.

— Да я вовсе... — Я махнул рукой. Глупо отрицать очевидное. — А что с мальчишкой? Или плюнем на это задание? Несерьезно ведь...

— Очень серьезно! — возмущенно отозвалась Ольга. — Антон... шеф признал, что поступил некорректно. И сделал нам поблажку, которой стоит воспользоваться. Вампирша нацелена на мальчика, понимаешь? Он для нее — ненадкушенный бутерброд, вынутый изо рта. И он на поводке. Сейчас она в силах приманить его в свое убежище с любого конца города. Но это плюс и для нас. Нет нужды искать тигра в джунглях, когда можно привязать на поляне козленка.

— В Москве таких козлят...

— Этот мальчик — на поводке. Вампирша неопытна. Налаживать контакт с новой жертвой сложнее, чем притянуть старую. Уж поверь.

Я вздрогнул, прогоняя дурацкое подозрение. Поднял руку, тормозя машину, мрачно сказал:

— Верю. Верю сразу и навсегда.

ГЛАВА 4

Сова вышла из сумрака, едва я переступил порог. Вспорхнула — на миг я почувствовал легкий укол когтей — и устремилась на холодильник.

— Может, тебе насест соорудить? — спросил я, запирая дверь.

Первый раз я увидел, как Ольга разговаривает. Клюв задергался, она выталкивала слова с явным усилием. Честно говоря, все равно не понимаю, как птица способна разговаривать. Да еще и столь человеческим голосом.

— Не надо, а то я примусь откладывать яйца.

Видимо, это была попытка пошутить.

— Если обидел, извини, — на всякий случай предупредил я. — Я тоже пытаюсь снять неловкость.

— Понимаю. Все нормально.

Зарывшись в холодильник, я обнаружил там кое-что из закуски. Сыр, колбаса, соленья... Интересно, как соотнесется сорокалетний коньяк с малосольным огурцом? Наверное, они испытают взаимную неловкость. Как я с Ольгой.

Я достал сыр и колбасу.

— Лимонов нет, извини. — Я понимал всю абсурдность приготовлений, но все же... — Зато коньяк приличный.

Сова молчала.

Из отведенного под бар ящика стола я извлек бутылку «Кутузова».

— Доводилось пробовать?

— Наш ответ «Наполеону»? — Сова издала смешок. — Нет, не пробовала.

Абсурдность происходящего нарастала. Сполоснув два коньячных бокала, я поставил их на стол. С сомнением посмотрел на комок белых перьев. На кривой короткий клюв.

— Ты не сможешь пить из бокала. Может быть, принести блюдечко?

— Отвернись.

Я подчинился. За спиной послышался шорох крыльев. Потом — легкое, неприятное шипение, напоминающее то ли разбуженную змею, то ли подтекающий из баллона газ.

— Ольга, извини, но... — Я обернулся.

Совы больше не было.

Да, я ожидал чего-то подобного. Надеялся, что ей позволено хоть иногда принимать человеческий облик. И мысленно нарисовал портрет Ольги — заточенной в птичье тело женщины, помнящей еще восстание декабристов. Почему-то представлялась княжна Лопухина, убегающая с бала. Только постарше, посерьезнее, с мудростью в глазах, чуть осунувшаяся...

А на табуретке сидела молодая, внешне совсем молодая женщина. Лет двадцати пяти. Коротко, по-мужски стриженная, щеки грязные, словно из пожара выбралась. Красивая, и черты лица аристократически тонкие. Но эта гарь... грубая уродливая стрижка...

Одежда шокировала окончательно.

Грязные армейские штаны образчика сороковых годов, расстегнутый ватник, под ним — серая от грязи гимнастерка. Ноги босые.

— Красивая? — спросила женщина.

— Все-таки да, — ответил я. — Свет и Тьма... почему ты так выглядишь?

— Последний раз я принимала человеческий облик пятьдесят пять лет назад.

Я кивнул:

— Понимаю. Тебя использовали во время войны?

— Меня используют во время всех войн. — Ольга мило улыбнулась. — Во время серьезных войн. В иное время мне запрещено принимать человеческий облик.

— Сейчас войны нет.

— Значит, будет.

На этот раз она не улыбалась. Я сдержал проклятие, лишь сделал знак отрицания беды.

— Хочешь принять душ?

— С удовольствием.

— Женской одежды у меня нет... джинсы и рубашка устроят? Она кивнула. Поднялась — неловко, смешно поведя руками, — с удивлением посмотрела на свои босые ноги. И пошла в ванную, как будто не в первый раз принимала у меня душ.

Я кинулся в спальню. Вряд ли у нее много времени.

Джинсы старые, зато на размер поменьше, чем ношу сейчас. Все равно велики будут... Рубашка? Нет, лучше тонкий свитер. Белье... н-да. Три раза н-да.

— Антон!

Я сгреб одежду в кучу, подцепил чистое полотенце и бросился обратно. Дверь в ванную была открыта.

— Что у тебя за краны?

— Импортные, шаровые... сейчас.

Я вошел. Ольга стояла в ванне, спиной ко мне, обнаженная, задумчиво поворачивала рычаг крана влево и вправо.

— Вверх, — сказал я. — Поднимаешь вверх, это напор. Влево — холодная вода, вправо — горячая.

— Ясно. Спасибо.

Она совершенно меня не стеснялась. Понятное дело, учитывая ее возраст и ранг... пусть даже бывший ранг.

А вот я смутился. И от этого стал циничен.

— Вот тряпки. Может быть, что-то подберешь. Если это нужно, конечно.

— Спасибо, Антон... — Ольга посмотрела на меня. — Не обращай внимания. Я восемьдесят лет провела в птичьем теле. Большую часть времени в спячке. Но все равно мне хватило.

Глаза у нее были глубокие, затягивающие. Опасные глаза.

— Я больше не воспринимаю себя ни человеком, ни Иной, ни женщиной. Совой, впрочем, тоже. Так... злая, старая, бесполая дура, иногда способная говорить.

Из душа ударила вода. Ольга медленно подняла руки, с наслаждением повернулась под тугими струями.

— Смыть копоть для меня куда важнее... чем смущать симпатичного юношу.

Проглотив юношу без всяких пререканий, я вышел из ванной. Покачал головой, взял коньяк, раскупорил бутылку.

По крайней мере ясно одно: она не оборотень. Оборотень не сохранил бы одежду на теле. Ольга — маг. Маг, женщина, возраст около двухсот лет, восемьдесят лет назад была наказана лишением тела, надежда на реабилитацию остается, специалист по силовым взаимодействиям, последний раз привлекалась к работе приблизительно пятьдесят пять лет назад...

Достаточно данных, чтобы поискать в компьютерной базе. К полным файлам у меня доступа нет, не тот уровень. Но, к счастью, высшее начальство и не подозревает, сколько информации может дать косвенный поиск.

Конечно, если я и впрямь хочу выяснить личность Ольги.

Разлив по бокалам коньяк, я стал ждать. Ольга вышла из ванны минут через пять, на ходу вытирая волосы полотенцем. Она надела мои джинсы и свитер.

Нельзя сказать, что полностью преобразилась... и все же стала симпатичнее на порядок.

— Спасибо, Антон. Ты не представляешь, какое это удовольствие...

— Догадываюсь.

— Догадываться мало. Запах, Антон... запах гари. Я почти привыкла к нему за полвека. — Ольга неловко села на табуретку. Вздохнула: — Это плохо, но я рада нынешнему кризису. Пусть даже меня не помилуют, но зато возможность вымыться...

— Ты можешь оставаться в этом облике, Ольга. Я схожу и куплю нормальную одежду.

— Не стоит. У меня лишь полчаса в день.

Скомкав полотенце, Ольга бросила его на подоконник. Вздохнула:

— Следующей возможности вымыться я могу и не дождаться. Так же как возможности выпить коньяка... Твое здоровье, Антон.

— Твое здоровье.

Коньяк был хорош. Я пригубил его с удовольствием, несмотря на полный сумбур в голове. А Ольга выпила залпом, поморщилась, но вежливо сообщила:

— Неплохой.

— Почему шеф не разрешает тебе принимать нормальный облик?

— Это не в его власти.

Ясно. Значит, наказало ее не региональное бюро, а высшие чины.

— Я желаю тебе удачи, Ольга. Что бы ты ни совершила... уверен, что твоя вина давно искуплена.

Женщина пожала плечами.

— Хотела бы верить. Я понимаю, что легко вызываю сочувствие, но наказание справедливо. Впрочем... давай серьезно.

— Давай.

Ольга потянулась ко мне через стол. Сказала таинственным шепотом:

— Скажу честно: мне надоело. У меня крепкие нервы, но так жить нельзя. Мой шанс — выполнить миссию такой важности, что у руководства не будет выхода, кроме как помиловать меня.

— Где взять такую миссию?

— Она уже есть. И состоит из трех этапов. Мальчишка — мы защитим его и перетащим на сторону Света. Вампирша — мы ее уничтожим.

Тон у нее был уверенный, и я вдруг поверил Ольге. Защитим и уничтожим. Без проблем.

— Только это все мелочи, Антон. Тебе подобная акция поднимет уровень, но меня не спасет. Главное — девушка с черной воронкой.

— Ей уже занимаются, Ольга. Меня... нас от задания отстранили.

— Ничего. Им не справиться.

— Да? — с иронией спросил я.

— Не справиться. Борис Игнатьевич — сильный маг. Но в иных областях. — Ольга насмешливо прищурилась. — А я занималась прорывами инферно всю жизнь.

— Вот почему война! — сообразил я.

— Конечно. Таких выплесков ненависти в мирное время не бывает. Гаденыш Адольф... у него было много поклонников, но его спалили бы в первый же военный год. Вместе со всей Германией. У Сталина ситуация была иной, чудовищно много обожания... мощный щит. Антон, я, простая русская женщина... — мимолетная улыбка показала все отношение Ольги к слову «простая», — всю последнюю войну занималась тем, что прикрывала врагов своей страны от проклятий. За одно лишь это я заслужила помилование. Веришь?

— Верю. — Мне показалось, что она захмелела.

— Сволочная работа... всем нам приходится идти против человеческой природы, но заходить настолько далеко... Так вот, Антон. Они — не справятся. Я — могу попробовать. Хотя полной уверенности нет и у меня.

— Ольга, если все так серьезно, ты должна подать рапорт...

Женщина покачала головой, оправила мокрые волосы:

— Не могу. Мне запрещено общаться с кем-либо, кроме Бориса Игнатьевича и партнера по заданию. Ему я сказала все. Теперь могу лишь ждать. И надеяться, что мне удастся справиться — в самый последний момент.

— А шеф этого не понимает?

— Думаю, что, наоборот, понимает.

— Вот оно что... — прошептал я.

— Мы были любовниками. Очень долго. И вдобавок друзьями, что встречается реже... Итак, Антон. Сегодня решаем вопрос с мальчиком и психованной вампиршей. Завтра ждем. Ждем, пока не прорвется инферно. Согласен?

— Мне надо подумать, Ольга.

— Славно. Думай. А сейчас мне пора. Отвернись...

Я не успел. Наверное, Ольга сама виновата в этом. Не рассчитала, сколько времени ей отпущено.

Это действительно выглядело отвратительно. Ольга задрожала, выгнулась дугой. По телу прошла волна: кости изгибались, будто резиновые. Кожа лопалась, обнажая кровоточащие мышцы. Через мгновение женщина превратилась в смятый комок плоти, бесформенный шар. И шар все съеживался и съеживался, обрастая мягкими белыми перьями...

Полярная сова вспорхнула с табуретки с криком полуптичьим-получеловеческим. Метнулась к облюбованному месту на холодильнике.

— Дьявол! — закричал я, забывая все правила и наставления. — Ольга!

— Красиво? — Голос женщины был задыхающимся, еще искаженным болью.

— Почему? Почему именно так?

— Это часть наказания, Антон.

Я протянул руку, коснулся расправленного, трепещущего крыла.

— Ольга, я согласен.

— Тогда за работу, Антон.

Кивнув, я вышел в прикожую. Распахнул шкаф со снаряжением, перешел в сумрак — иначе просто не увидишь ничего, кроме одежды и старого хлама.

Легкое тельце опустилось на мое плечо:

— Что у тебя есть?

— Ониксовый амулет я разрядил. Ты можешь его наполнить?

— Нет. Я лишена почти всех сил. Оставлено лишь то, что необходимо для нейтрализации инферно. И память, Антон... еще оставлена память. Как собираешься убить вампиршу?

— Она без регистрации, — сказал я. — Только народными средствами.

Сова издала хохочущий клекот.

— Осинка до сих пор в ходу?

— У меня ее нет.

— Понятно. Из-за твоих друзей?

— Да. Я не хочу, чтобы они вздрагивали, переступая порог.

— Тогда что?

Из выдолбленного в кирпичах гнезда я достал пистолет. Покосился на сову — Ольга внимательно изучала оружие.

— Серебро? Для вампира очень болезненно, но не смертельно.

— Там разрывные пули. — Я выщелкнул из «Desert Eagle» обойму. — Разрывные серебряные пули. Калибр ноль сорок четыре. Три попадания нашпигуют вампира так, что он станет беспомощным.

— А далее?

— Народные средства.

— Я не верю в технику, — с сомнением отозвалась Ольга. — Я видела, как восстановился оборотень, разорванный на клочки снарядом.

— И быстро он восстановился?

— За трое суток.

— А я о чем говорю?

— Хорошо, Антон. Если ты не доверяешь своим собственным силам...

Она осталась недовольна, я это понимал. Но я не оперативник. Я штабной работник, которому поручили поработать в поле.

— Все будет хорошо, — успокоил я. — Поверь. Давай сосредоточимся на поисках приманки.

— Пошли.

— Вот здесь все и произошло, — сообщил я Ольге. Мы стояли в подворотне. Разумеется, в сумраке.

Порой мимо проходили люди, смешно огибая меня, пусть и невидимого.

— Здесь ты убил вампира. — Тон Ольги был донельзя деловым. — Так... понимаю, друг мой. Зачистил мусор плохо... впрочем, не важно...

На мой взгляд, никаких следов от упокоившегося вампира не осталось. Но я не спорил.

— Тут была вампирша... здесь ты ее чем-то ударил... нет, плеснул водкой... — Ольга тихонько засмеялась. — Она ушла...

64

Наши оперативники совсем потеряли хватку. След четкий до сих пор!

— Она обернулась, — мрачно ответил я.

— В летучую мышь?

— Да. Гарик сказал, что она успела в последний момент.

— Плохо. Вампирша сильнее, чем я надеялась.

— Она же дикая. Она пила живую кровь и убивала. Опыта у нее нет, а вот сил — хоть отбавляй.

— Уничтожим, — жестко сказала Ольга.

Я промолчал.

— А вот и след мальчишки. — В голосе Ольги послышалось одобрение. — А и впрямь... хороший потенциал. Пошли посмотрим, где он живет.

Мы вышли из подворотни, двинулись по тротуару. Двор был большой, окруженный домами со всех сторон. Я тоже чувствовал ауру мальчишки, хотя очень слабую и спутанную: он тут ходил регулярно.

— Вперед, — командовала Ольга. — Сверни налево. Дальше. Направо. Постой...

Я остановился перед какой-то улицей, по которой медленно полз трамвай. Из сумрака я так и не выходил.

— В этом доме, — сообщила Ольга. — Вперед. Он там.

Дом был чудовищный. Плоский, высоченный да вдобавок еще стоящий на каких-то ножках-опорах. При первом взгляде он казался исполинским памятником спичечному коробку. При втором — воплощением болезненной гигантомании.

— В таком доме хорошо убивать, — сказал я. — Или сходить с ума.

— Займемся и тем, и другим, — согласилась Ольга. — Знаешь, у меня в этом большой опыт.

Егор не хотел выходить из дома. Когда родители ушли на работу, когда хлопнула дверь, он немедленно почувствовал страх. И в то же время знал: за пределами пустой квартиры страх превратится в ужас.

Спасения не было. Нигде и ни в чем. Но дом создавал хотя бы иллюзию безопасности.

Мир сломался, мир рухнул вчера ночью. Егор всегда честно признавал, ну, не при всех, а для себя самого, что он не храбрец. Но и трусом, пожалуй, тоже не был. Были вещи, которых можно и нужно бояться: шпана, маньяки, террористы, катастрофы, пожары, войны, смертельные болезни. Все в одной куче, и все одинаково далеко. Все это реально существовало и в то же время оставалось за гранью повседневного. Соблюдай простые правила, не броди по ночам, не лезь в чужие районы, мой руки перед едой, не прыгай на рельсы. Можно бояться неприятностей и в то же время понимать, что шанс в них влипнуть весьма невелик.

Теперь все изменилось.

Существовали явления, от которых невозможно спрятаться. Явления, которых нет и не может существовать в мире.

Существовали вампиры.

Все помнилось четко, он не лишился памяти от ужаса, на что смутно надеялся вчера, когда бежал домой, против обыкновения перебегая улицу без оглядки. И робкие чаяния, что к утру случившееся покажется сном, тоже не оправдались.

Все было правдой. Невозможной правдой. Но...

Это случилось вчера. Это случилось с ним.

Он возвращался поздно, да, но ему случалось приходить домой еще позднее. Даже родители, которые, по твердому убеждению Егора, до сих пор не понимали, что ему почти тринадцать лет, относились к этому спокойно.

Когда он с ребятами вышел из бассейна... да, уже было десять. Все вместе они завалились в «Макдоналдс» и просидели там минут двадцать. Это тоже было обычно, все, кому позволяли финансы, шли после тренировки в «Мак». Потом... потом они все вместе дошли до метро. Недалеко. По светлой улице. Ввосьмером.

Тогда еще все было нормально.

В метро он почему-то начал волноваться. Глядел на часы, озирался на окружающих. Но ничего подозрительного не было.

Разве что Егор услышал музыку.

И началось то, чего быть не может.

Он зачем-то свернул в темную, вонючую подворотню. Подошел к девушке и парню, которые ждали его. Которые его подманили. И сам подставил девушке шею под тонкие, острые, нечеловеческие зубы.

Даже сейчас, дома, в одиночестве, Егор ощущал холодок — сладкий, манящий, щекоткой пробегающий по коже. Он ведь хотел! Боялся, но хотел касания сверкающих клыков, короткой боли, за которой... за которой... за которой что-то будет... наверное...

И никто в целом мире не мог помочь. Егор помнил взгляд той женщины, что выгуливала собак. Взгляд, прошедший сквозь него, настороженный, но вовсе не равнодушный. Она не испугалась, она просто не видела происходящего... Егора спасло лишь появление третьего вампира. Того бледного парня с плеером, что увязался за ним еще в метро. Они схватились из-за него, как матерые и голодные волки грызутся над загнанным, но еще не убитым оленем.

Вот тут все путалось, слишком быстро произошло. Крики о каком-то дозоре, о каком-то сумраке. Вспышка синего света — и один вампир начал рассыпаться на глазах, как в кино. Вой вампирши, которой что-то плеснули в лицо.

И его паническое бегство...

И понимание, страшное, еще страшнее случившегося: никому и ничего нельзя говорить. Не поверят. Не поймут.

Вампиров нет!

Нельзя смотреть сквозь людей и не замечать их!

Никто не сгорает в вихре голубого огня, превращаясь в мумию, скелет, горстку пепла!

— Нсправда, — сказал Егор самому себе. — Есть. Можно. Бывает!

Даже себе поверить было трудно...

Он не пошел в школу, но зато убрался в квартире. Хотелось что-то делать. Несколько раз Егор подходил к окну и пристально оглядывал двор.

Ничего подозрительного.

А сумеет ли он увидеть их?

Они придут. Егор не сомневался ни на секунду. Они знают, что он помнит о них. Теперь его убьют как свидетеля.

Да и не просто убьют! Выпьют кровь и превратят в вампира.

Мальчик подошел к книжному шкафу, где половина полок была заполнена видеокассетами. Наверное, можно поискать совета. «Дракула, мертвый, недовольный»... Нет, это комедия. «Однажды укушенный». Совсем ерунда... «Ночь страха»... Егор вздрогнул. Этот фильм он помнил. И теперь уже никогда не рискнет пересмотреть. Как там говорилось... «Крест помогает, если в него веришь».

А чем ему крест поможет? Он даже некрещеный. И в Бога не верит. Раньше не верил.

Теперь, наверное, надо?

Если есть вампиры, то, значит, есть и дьявол, если есть дьявол, то есть и Бог?

Если есть вампиры, то есть и Бог?

Если есть Зло, то есть и Добро?

— Ничего нет, — сказал Егор. Засунул руки в карманы джинсов, вышел в прихожую, посмотрел в зеркало. Он в зеркале отражался. Может быть, слишком мрачный, но вполне обычный мальчишка. Значит, пока все нормально. Его укусить не успели.

На всякий случай он все же покрутился, пытаясь рассмотреть затылок. Нет, ничего. Никаких следов. Тощая и, пожалуй, не совсем чистая шея...

Идея пришла неожиданно. Егор кинулся на кухню, спугнув по пути кота, устраивавшегося на стиральной машине. Стал рыться среди пакетов с картошкой, луком и морковью.

Вот и чеснок.

Торопливо очистив одну головку, Егор принялся жевать. Чеснок был злой, рот обжигало. Егор налил стакан чая, стал запивать каждый зубчик. Помогало слабо, язык горел, чесались десны. Но ведь это должно помочь?

Кот заглянул в кухню. Недоуменно уставился на мальчика, издал разочарованный мяв и удалился. Он не понимал, как можно есть подобную гадость.

Последние два зубчика Егор разжевал, выплюнул на ладонь и стал натирать шею. Ему самому было смешно то, что он делал, но остановиться он уже не мог.

Шею тоже защипало. Хороший чеснок. Любой вампир сдохнет от одного запаха.

Кот недовольно завопил в прихожей. Егор насторожился и выглянул из кухни. Нет, ничего. Дверь закрыта на три замка и цепочку.

— Не ори, Грэйсик! — строго велел он. — А то и тебя чесноком накормлю.

Оценив угрозу, кот умчался в родительскую спальню. Что бы еще сделать? Серебро, кажется, помогает. Повторно вспугнув кота, Егор прошел в спальню, открыл шифоньер, из-под простыней и полотенец достал шкатулку, где мама хранила украшения. Достал серебряную цепочку, надел. Будет вонять чесноком, да и все равно придется снять к вечеру. Может быть, опустошить копилку и купить себе цепочку? С крестиком. И носить, не снимая. Сказать, что поверил в Бога. Бывает же такое, что человек не верил, не верил, а потом вдруг стал верить!

Он прошел через зал, уселся с ногами на диване, окинул комнату задумчивым взглядом. Есть у них в доме осина? Вроде бы нет. А как она вообще выглядит, осина? Пойти в ботанический сад и вырезать себе из сучка кинжал?

Это все хорошо, конечно. Вот только поможет ли? Если снова зазвучит музыка... тихая, манящая музыка... Вдруг он сам скинет цепочку, сломает осиновый кинжал и вымоет измазанную чесноком шею?

Тихая, тихая музыка... Невидимые враги. Может быть, они уже рядом. Просто он их не видит. Не умеет смотреть. А вампир сидит рядом и усмехается, глядя на наивного пацана, готовящегося к обороне. И не страшна им осина, не пугает чеснок. Как воевать с невидимкой?

— Грэйсик! — позвал Егор. На «кис-кис» кот не откликался, у него был сложный характер. — Иди сюда, Грэйсик!

Кот стоял на пороге спальни. Шерсть у него топорщилась, глаза горели. Он смотрел мимо Егора, в угол, на кресло у журнального столика. На пустое кресло...

Мальчик почувствовал, как по телу пробежал уже привычный холодок. Он рванулся так резко, что слетел с дивана и упал на пол. Кресло было пустым. Квартира была пустой и запертой. Вокруг потемнело, словно солнечный свет за окном померк...

Рядом кто-то был.

— Нет! — закричал Егор, отползая. — Я знаю! Я знаю! Вы здесь!

Кот издал хриплый звук и метнулся под кровать.

— Я вижу! — крикнул Егор. — Не трогай меня!

* * *

Подъезд и без того оказался мрачным и грязноватым. А уж глядя из сумрака — настоящая катакомба. Бетонные стены, в обычной реальности просто грязные, в сумраке оказались поросшими темно-синим мхом. Гадость. Ни одного Иного тут не живет, чтобы вычистить дом... Я поводил ладонью над особо густым комком — мох зашевелился, пытаясь отползти от тепла.

— Гори, — велел я.

Не люблю паразитов. Пусть даже особого вреда они не причиняют, всего лишь пьют чужие эмоции. Предположение, что крупные колонии синего мха способны раскачивать человеческую психику, вызывая то депрессии, то необузданное веселье, никем так и не доказано. Но я всегда предпочитал перестраховываться.

— Гори! — повторил я, посылая в ладонь немножко силы.

Пламя, прозрачное и жаркое, охватило спутанный синий войлок. Через миг пылал весь подъезд. Я отступил к лифту, надавил кнопку, вошел в кабину. Кабинка была почище.

— Девятый этаж, — подсказала Ольга. — Зачем тратишь силы?

— Копейки...

— Тебе может понадобиться все, что ты имеешь. Пускай бы рос.

Я промолчал. Лифт медленно полз вверх, сумеречный лифт, двойник обычного, по-прежнему стоявшего на первом этаже.

— Как знаешь, — решила Ольга. — Молодость... бескомпромиссность...

Двери разошлись. На девятом этаже огонь уже прошел, синий мох горит, как порох. Было тепло, куда теплее, чем обычно в сумраке. Слегка пахло гарью.

— Вот эта дверь... — сказала Ольга.

— Вижу.

Я действительно почувствовал ауру мальчика у двери. Он даже не рискнул сегодня выйти из дома. Прекрасно. Козленок привязан за крепкую веревочку, остается дождаться тигра.

— Войду, наверное, — решил я. И толкнул дверь.

Дверь не открылась.

Да не может такого быть!

70

В реальности двери могут быть закрыты на все замки. У сумрака свои законы. Только вампиры нуждаются в приглашении, чтобы войти в чужой дом, это их плата за излишнюю силу и гастрономический подход к людям.

Чтобы запереть дверь в сумраке, надо по меньшей мере уметь в него входить.

— Страх, — сказала Ольга. — Вчера мальчишка был в ужасе. И только что побывал в сумеречном мире. Он закрыл за собой дверь... и, не заметив того, сделал это сразу в двух мирах.

— И что делать?

— Иди глубже. Иди за мной.

Я посмотрел на плечо — никого не было. Вызвать сумрак, находясь в сумраке, — непростая игра. Я поднимал свою тень с пола несколько раз, прежде чем она обрела объем и заколыхалась напротив.

— Давай-давай, у тебя получается, — шепнула Ольга.

Я вошел в тень, и сумрак сгустился. Пространство наполнилось густым туманом. Краски исчезли вовсе. Из звуков осталось лишь биение моего сердца, тяжелое и медленное, раскатистое, словно лупили в барабан на дне ущелья. Да свистел ветер — это воздух вползал в легкие, медленно расправляя бронхи. На моем плече возникла белая сова.

— Долго тут не выдержу, — шепнул я, открывая дверь. На этом уровне она, конечно же, не была заперта.

Под ноги метнулся темно-серый кот. Для котов не существует обычного мира и сумрака, они живут во всех мирах сразу. Как хорошо, что у них нет настоящего разума.

— Кис-кис-кис, — прошептал я. — Не бойся, котик...

Скорее для пробы собственных сил я запер за собой дверь. Вот так, мальчик, теперь ты защищен чуть лучше. Но поможет ли это, когда ты услышишь Зов?

— Выходи, — сказала Ольга. — Ты очень быстро теряешь силы. На этом уровне сумрака тяжело даже опытному магу. Пожалуй, и я выйду повыше.

Я с облегчением шагнул наружу. Да, я не оперативник, умеющий гулять по всем трем слоям сумрака. В общем-то у меня и нужды в этом не было.

Мир стал немножко поярче. Я огляделся — квартира была уютная и не особо загаженная порождениями сумеречного мира. Несколько полосок синего мха у двери... не страшно, сами сдохнут, раз основная колония уничтожена. Возникли и звуки, кажется, из кухни. Я заглянул туда.

Мальчишка стоял у стола и ел чеснок, запивая его горячим чаем.

— Свет и Тьма... — прошептал я.

Сейчас паренек казался еще младше и беззащитнее, чем вчера. Худой, нескладный, хотя и слабым его не назовешь, видимо, занимается спортом. В линялых голубых джинсах и синей футболке.

— Бедолага, — сказал я.

— Очень трогательно, — согласилась Ольга. — Распустить слух о магических свойствах чеснока — это был удачный ход со стороны вампиров. Говорят, сам Брэм Стокер это и придумал...

Мальчишка сплюнул на руку пережеванной кашицей и стал натирать шею чесночным пюре.

— Чеснок — полезная штука, — сказал я.

— Да. И защищает. От вирусов гриппа, — добавила Ольга. — Ох! Как легко умирает истина, как живуча ложь... Но мальчик и впрямь силен. Ночному Дозору не помешает новый оперативник.

— Он наш?

— Пока он ничей. Несформированная судьба, сам видишь.

— А к чему тяготеет?

— Не понять. Пока не понять. Слишком напуган. Сейчас он готов сделать все что угодно, лишь бы спастись от вампиров. Готов стать Темным, готов стать Светлым.

— Не могу осуждать его за это.

— Конечно. Пойдем.

Сова вспорхнула, полетела по коридору. Я пошел следом. Мы сейчас двигались раза в три быстрее, чем люди, один из основных признаков сумрака — изменение хода времени.

— Будем тут ждать, — велела Ольга, очутившись в гостиной. — Тепло, светло и уютно.

Я сел в мягкое кресло возле столика. Покосился на газету, валяющуюся на столике.

Ничего нет более веселого, чем читать прессу через сумрак. «Прибыли от кредитов падают», — гласил заголовок.

В реальности фраза выглядит иначе. «На Кавказе растет напряженность».

Можно взять сейчас газету и прочитать правду. Настоящую. То, что думал журналист, сляпавший статью на заданную тему. Те крохи информации, что он получил из неофициальных источников. Правду о жизни и правду о смерти.

Зачем только?

Давным-давно я научился плевать на человеческий мир. Он — наша основа. Наша колыбель. Но мы — Иные. Мы ходим сквозь закрытые двери и храним баланс Добра и Зла. Нас убийственно мало, и мы не умеем размножаться... дочь мага вовсе не обязательно станет волшебницей, сын оборотня совсем не обязательно научится перевоплощаться лунными ночами.

Мы не обязаны любить обыденный мир.

Мы храним его лишь потому, что паразитируем на нем. Ненавижу паразитов!

— О чем ты задумался? — спросила Ольга. В гостиной показался мальчишка. Метнулся в спальню, очень быстро, учитывая, что он в обыденном мире. Стал рыться в шкафу.

— Да так. Грустно.

— Бывает. В первые годы бывает со всеми. — Голос Ольги стал совсем человеческим. — Потом привыкаешь.

— О том и грущу.

— Радовался бы, что мы еще живы. В начале века популяция Иных упала до критического минимума. Ты в курсе, что дискутировался вопрос об объединении Темных и Светлых? Что разрабатывались евгенические программы?

— Да, я знаю.

— Наука нас едва не убила. В нас не верили, не хотели верить. Пока считали, что наука способна изменить мир к лучшему.

Мальчик вернулся в гостиную. Уселся на диван, стал поправлять на шее серебряную цепочку.

— Что есть лучшее? — спросил я. — Мы вышли из людей. Мы научились ходить в сумрак, научились менять природу вещей и людей. Что изменилось, Ольга?

— Хотя бы то, что вампиры не охотятся без лицензии.

— Скажи это человеку, у которого пьют кровь...

На пороге появился кот. Уставился на нас. Завопил, гневно глядя на сову.

— Он на тебя реагирует, — сказал я. — Ольга, уйди глубже в сумрак.

— Уже поздно, — ответила Ольга. — Извини... я потеряла бдительность.

Мальчик соскочил с дивана. Куда быстрее, чем возможно двигаться в человеческом мире. Неловко, он еще и сам не понимал, что с ним происходит, вошел в свою тень и сейчас падал на пол, глядя на меня. Уже из сумрака.

— Ухожу... — шепнула сова, исчезая. Когти больно впились в плечо.

— Нет! — закричал мальчик. — Я знаю! Я знаю! Вы здесь!

Я начал вставать, разводя руки.

— Я вижу! Не трогай меня!

Он был в сумраке. Все. Случилось. Без всякой помощи со стороны, без курсов и стимуляторов, без руководства мага-куратора мальчишка пересек грань между обыденным и сумеречным мирами.

От того, как ты впервые войдешь в сумрак, что ты увидишь, что почувствуешь, — во многом от этого зависит, кем ты станешь.

Темным или Светлым.

«На Темную сторону мы его отпускать не вправе, баланс по Москве рухнет окончательно».

Мальчик, ты на самом краю.

И это пострашнее, чем неопытная вампирша.

Борис Игнатьевич вправе принимать решения о ликвидации.

— Не бойся, — сказал я, не двигаясь с места. — Не бойся. Я друг и не причиню тебе вреда.

Мальчишка дополз до угла и замер. Он не отрывал от меня взгляда и явно не понимал, что перешел в сумрак. Для него все выглядело так, будто в комнате внезапно стемнело, нахлынула тишина и из ниоткуда появился я...

— Не бойся, — повторил я. — Меня зовут Антон. Как тебя зовут?

Он молчал. Часто-часто глотал. Потом прижал руку к шее, нащупал цепочку и, кажется, немного успокоился.

— Я не вампир, — сказал я.

— Кто вы? — Пацан кричал. Хорошо, что в обыденном мире этот пронзительный крик услышать невозможно.

— Антон. Работник Ночного Дозора.

У него расширились глаза, резко, как от боли.

— Моя работа заключается в том, чтобы охранять людей от вампиров и прочей нечисти.

— Неправда...

— Почему?

Он пожал плечами. Хорошо. Пытается оценивать свои действия, аргументировать мнение. Значит, не совсем лишился разума от страха.

— Как тебя зовут? — повторил я. Можно было надавить на мальчика, снять страх. Но это было бы вмешательством, и причем запрещенным.

— Егор...

— Хорошее имя. А меня зовут Антон. Понимаешь? Я Антон Сергеевич Городецкий. Работник Ночного Дозора. Вчера я убил вампира, который пытался напасть на тебя.

— Одного?

Прекрасно. Завязывается разговор.

— Да. Вампирша ушла. Сейчас ее ищут. Не бойся, я здесь, чтобы тебя охранять... чтобы уничтожить вампиршу.

— Почему вокруг так серо? — вдруг спросил мальчик.

Молодец. Нет, какой молодец!

— Я объясню. Только давай договоримся, что я тебе не враг. Хорошо?

— Посмотрим.

Он держался за свою нелепую цепочку, словно она могла от чего-то спасти. Мальчик, мальчик, если бы все было так просто в этом мире. Не спасает ни серебро, ни осина, ни святой крест. Жизнь против смерти, любовь против ненависти... и сила против силы, потому что сила не имеет моральных категорий. Все очень просто. Я это понял за каких-то два-три года.

— Егор. — Я медленно пошел к нему. — Выслушай, что я скажу...

— Стойте!

Командовал он так резко, будто у него было в руках оружие. Я вздохнул, остановился.

— Хорошо. Слушай тогда. Кроме обычного, человеческого мира, который доступен глазу, есть еще теневой, сумеречный мир.

Он думал. Несмотря на страх, а боялся он дико — меня обдавало волнами удушливого ужаса, — мальчишка пытался понять. Бывают люди, которых страх парализует. А бывают те, кому он только придает силы.

Я очень хотел бы надеяться, что и я из вторых.

— Параллельный мир?

Ну вот. Пошла в ход фантастика. Пускай, что уж тут, в именах нет ничего, кроме звука.

— Да. И в этот мир могут попасть лишь те, кто обладает сверхъестественными способностями.

— Вампиры?

— Не только. Еще оборотни, ведьмы, черные маги... белые маги, целители, пророки.

— Это все есть на самом деле?

Он был мокрый как мышь. Волосы слиплись, футболка прилипла к телу, по щекам ползли бисеринки пота. И все же мальчик не отрывал от меня взгляда и готовился дать отпор. Словно это ему по силам.

— Да, Егор. Иногда среди людей появляются те, кто умеет входить в сумеречный мир. Они становятся на сторону Добра или Зла. Света или Тьмы. Они — Иные. Так мы называем друг друга — Иные.

— Вы — Иной?

— Да. И ты тоже.

— Почему?

— Ты в сумеречном мире, малыш. Погляди вокруг, вслушайся. Краски стерлись. Звуки умерли. Секундная стрелка на часах еле ползет. Ты вошел в сумеречный мир... ты захотел увидеть опасность и перешел грань между мирами. Здесь медленнее идет время, здесь все иное. Это мир Иных.

— Я не верю. — Егор быстро обернулся, снова посмотрел на меня. — А почему Грэйсик здесь?

— Кот? — Я улыбнулся. — У животных свои законы, Егор. Коты живут во всех пространствах сразу, для них нет никакой разницы.

— Не верю. — У него дрожал голос. — Это все сон, я знаю! Когда свет меркнет... Я сплю. У меня такое было.

— Тебе снилось, что ты включаешь свет, а лампочка не загорается? — Я знал ответ и уж тем более прочел его в глазах мальчишки. — Или загорается, но слабо-слабо, как свечка? И ты идешь, а вокруг колышется Тьма, а протягиваешь руку — не можешь различить пальцев?

Он молчал.

— Это бывает со всеми нами, Егор. Каждому Иному снятся такие сны. Это сумеречный мир вползает в нас, зовет, напоминает о себе. Ты — Иной. Пусть еще маленький, но Иной. И только от тебя зависит...

Я не сразу понял, что у него закрыты глаза, голова клонится набок.

— Идиот, — прошипела с плеча Ольга. — Он первый раз самостоятельно вошел в сумрак! У него нет на это сил! Вытаскивай его, быстро, или он останется тут навсегда!

Сумеречная кома — болезнь новичков. Я почти забыл о ней, мне не приходилось работать с молодыми Иными.

— Егор! — Я подскочил к нему, встряхнул, подхватил за подмышки. Он был легкий, совсем легкий, в сумеречном мире меняется не только ход времени. — Очнись!

Он не реагировал. Мальчик и так сотворил то, на что другим требуются месяцы тренировок, — сам вошел в сумрак. А сумеречный мир обожает пить силы.

— Тащи! — Ольга взяла командование на себя. — Тащи его, живо! Он не очнется сам!

И это было труднее всего. Я проходил курсы неотложной помощи, но вытаскивать из сумрака по-настоящему мне еще никого не приходилось.

— Егор, приди в себя! — Я похлопал его по щекам. Вначале слабо, потом перешел на полновесные оплеухи. — Ну же, парень? Ты уходишь в сумеречный мир! Очнись!

Он становился все легче и легче, истаивал у меня в руках. Сумрак пил его жизнь, вытягивал последние силенки.

Сумрак менял его тело, превращал в своего обитателя. Что же я натворил!

— Закрывайся! — Голос Ольги был холодным, отрезвляющим. — Закрывайся вместе с ним... дозорный!

Обычно я создавал сферу больше минуты. Сейчас справился секунд за пять. Вспышка боли — будто в голове взорвался крошечный заряд. Я запрокинул голову, когда сфера отрицания вышла из моего тела и окутала меня радужным мыльным пузырем. Пузырь рос, надувался, неохотно вбирая в себя и меня, и мальчишку.

— Все, теперь держи. Я ничем не могу тебе помочь, Антон. Держи сферу!

Ольга была не права. Она помогала уже одними советами. Наверное, я и сам сообразил бы создать сферу, но мог потерять еще несколько драгоценных секунд.

Вокруг стало светлеть. Сумрак все еще пил наши силы, у меня — с трудом, у мальчишки — вволю, но теперь в его распоряжении было лишь несколько кубических метров пространства. Здесь нет обычных физических законов, но есть их аналоги. Сейчас в сфере создавалось равновесие между нашими живыми телами и сумраком.

Либо сумрак растворится и выпустит добычу, либо мальчишка превратится в обитателя сумеречного мира. Насовсем. Такое бывает с магами, выложившимися до конца, по неосторожности или по необходимости. Такое бывает с новичками, не умеющими толком защищаться от сумрака и отдающими ему больше, чем следует.

Я посмотрел на Егора: его лицо серело на глазах. Он уходил в бесконечные просторы теневого мира.

Перекинув мальчишку на правую руку, я левой вынул из кармана перочинный нож. Зубами открыл лезвие.

— Это опасно, — предупредила Ольга.

Я не ответил. Просто полоснул себя по запястью.

Сумрак зашипел, как раскаленная сковорода, когда брызнула кровь. У меня помутилось в глазах. Дело было не в потере крови, вместе с ней уходила сама жизнь. Я нарушил свою собственную защиту от сумрака.

Зато он получил такую порцию энергии, которую был не в состоянии проглотить.

Мир посветлел, моя тень прыгнула на пол, и я переступил через нее. Радужная пленка сферы отрицания лопнула, выпуская нас в обыденный мир.

ГЛАВА 5

Кровь тоненькой струйкой брызгала на палас. Мальчик, сникший у меня на руках, был еще без сознания, но лицо его уже начинало розоветь. Кот вопил из другой комнаты, будто его резали.

Я опустил Егора на диван. Сел рядом. Попросил:

— Ольга, бинт...

Сова сорвалась с моего плеча, белым росчерком унеслась на кухню. Видимо, по пути она вошла в сумрак, потому что вернулась уже через несколько секунд с бинтом в клюве.

Егор открыл глаза как раз в тот миг, когда я взял у совы бинт и принялся перевязывать свою руку. Спросил:

— Это кто?

— Сова. Не видишь разве?

— Что со мной было? — спросил он. Голос почти не дрожал.

— Ты потерял сознание.

— Почему? — Его взгляд испуганно пробежал по следам крови на полу и на моей одежде. Егора я ухитрился не испачкать.

— Кровь моя, — объяснил я. — Порезался случайно. Егор, в сумрак надо входить осторожно. Это чужая среда, даже для нас, Иных. Находясь в сумеречном мире, мы должны постоянно тратить силы, подпитывать его живой энергией. Понемножку. А если не контролировать процесс — сумрак высосет из тебя все живое. Ничего не поделаешь, это плата.

— Я заплатил больше, чем был должен?

— Больше, чем имел. И едва не остался в сумеречном мире навсегда. Это не смерть, но, может быть, это хуже смерти.

— Давайте помогу... — Мальчишка сел, на миг сморщился: видимо, закружилась голова. Я протянул руку — он стал бинтовать запястье, неумело, но старательно. Аура мальчишки не изменилась, по-прежнему была переливчатой, нейтральной. Он уже входил в сумрак, но тот еще не успел наложить свою печать.

— Веришь, что я друг? — спросил я.

— Не знаю. Не враг, наверное. Или не можете ничего мне сделать!

Протянув руку, я потрогал мальчишку за шею — он сразу напрягся. Расстегнул и снял с него цепочку.

— Понял?

— Значит, вы не вампир. — Голос чуть просел.

— Да. Но вовсе не потому, что смог коснуться чеснока и серебра. Егор, это не помеха для вампира.

— Во всех фильмах...

— А еще во всех фильмах хорошие парни побеждают плохих. Мальчик, суеверия опасны, они внушают лживые надежды.

— А надежды бывают правдивыми?

— Нет. По сути своей. — Я встал, потрогал повязку. Ничего, держалась крепко и наложена достаточно туго. Через полчаса можно будет заговорить рану, но пока слишком мало сил.

Мальчик смотрел на меня с дивана. Да, он немножко успокоился. Но еще мне не доверял. Забавно было то, что на белую сову, с невинным видом задремавшую на телевизоре, он и внимания не обращал. Похоже, Ольга все-таки вмешалась в его сознание. Оно и к лучшему: объяснять, кто такая белая говорящая сова, было бы крайне трудно.

— У тебя найдется еда? — спросил я.

— Какая?

— Да любая. Чай с сахаром. Кусок хлеба. Я тоже потратил много сил.

— Найдется. А как вы поранились?

Я не стал уточнять, но не стал и врать.

— Нарочно. Так было нужно, чтобы вытащить тебя из сумрака.

— Спасибо. Если эта правда.

Наглость у него была, но мне это понравилось.

— Не за что. Сгинь ты в сумраке — и с меня начальство снимет голову.

Мальчик хмыкнул, встал. Он все-таки старался держаться подальше от меня.

— А какое начальство?

— Строгое. Ну, ты нальешь мне чая?

— Для хорошего человека ничего не жалко. — Да, он продолжал бояться. И прятал страх за развязной хамоватостью.

— Сразу уточняю — я не человек. Я — Иной. И ты Иной.

— А в чем разница? — Егор демонстративно окинул меня взглядом. — На вид и не скажешь!

— Пока не напоишь чаем, буду молчать. Тебя учили принимать гостей?

— Незваных? А как вы вошли?

— Через дверь. Я покажу. Позже.

— Пойдемте. — Кажется, меня все-таки решили угостить чаем. Я пошел следом за мальчиком, невольно морщась. Не выдержал и попросил:

— Только знаешь, Егор... вымой вначале шею.

Не оборачиваясь, мальчик замотал головой.

— Это по меньшей мере глупо, защищать одну лишь шею. На человеческом теле есть пять точек, куда может укусить вампир.

— Да ну?

— Ну да. Разумеется, я имею в виду мужское тело.

У него даже затылок покраснел.

Я всыпал в кружку пять полных ложек сахара. Подмигнул Егору:

— Налейте стакан чая с двумя ложками сахара... хочу перед смертью попробовать.

Видимо, он не знал этого анекдота.

— А мне сколько сыпать?

— Ты сколько весишь?

— Не помню.

Я прикинул на глаз.

— Сыпь четыре. Начальную гипогликемию снимешь.

Шею он все-таки вымыл, хотя полностью от чесночного запаха не избавился. Попросил, жадно глотая чай:

— Объясняйте!

Да, не так я все планировал. Совсем не так. Проследить за пацаном, когда его настигнет Зов. Убить или схватить вампиршу. И отвести благодарного мальчика к шефу — уж тот сумеет хорошо объяснить.

— В давние времена. — Я поперхнулся чаем. — Похоже на начало сказки, верно? Только это не сказка.

— Я слушаю.

— Ладно. Начну с другого. Есть человеческий мир. — Я кивнул на окно, на крошечный дворик и ползущие по дороге машины. — Вот он. Вокруг нас. И большинство не может выйти за его пределы. Так было всегда. Но иногда появляемся мы. Иные.

— И вампиры?

— Вампиры — тоже Иные. Правда, они другие Иные, их способности определены заранее.

— Не понимаю. — Егор помотал головой.

Ну да, я не куратор. Не умею, да и не люблю объяснять прописные истины...

— Два шамана, наевшись ядовитых грибов, колотят в свои бубны, — сказал я. — Давным-давно, еще в первобытные времена. Один из шаманов честно морочит головы охотникам и вождю. Другой видит, как его тень, дрожащая на полу пещеры в свете костра, обретает объем и поднимается в полный рост. Он делает шаг и входит в тень. Входит в сумрак. И дальше начинается самое интересное. Понимаешь?

Егор молчал.

— Сумрак меняет вошедшего. Это иной мир, и он делает из людей Иных. А вот кем ты станешь — зависит лишь от тебя. Сумрак — бурная река, которая течет во все стороны сразу. Решай, кем ты хочешь стать в сумеречном мире. Но решай быстро, у тебя не так уж много времени.

Вот теперь он понял. У мальчишки сузились зрачки, чуть побледнела кожа. Хорошая стрессовая реакция, и впрямь годится в оперативники...

— Кем я могу стать?

— Ты — кем угодно. Ты еще не определился. И знаешь, какой выбор лежит в основе? Добро и Зло. Свет и Тьма.

— И ты — добрый?

— Прежде всего я — Иной. Различие Добра и Зла лежит в отношении к обычным людям. Если ты выбираешь Свет — ты не будешь применять свои способности для личной выгоды. Если ты выбрал Тьму — это станет для тебя нормальным. Но даже черный

82

маг способен исцелять больных и находить пропавших без вести. А белый маг может отказывать людям в помощи.

— Тогда я не понимаю, в чем разница?!

— Ты поймешь. Поймешь, когда встанешь на ту или иную сторону.

— Никуда я не буду вставать!

— Поздно, Егор. Ты был в сумраке, и ты уже меняешься. День-другой — и выбор будет сделан.

— Если ты выбрал Свет... — Егор встал, налил себе еще чая. Я заметил, что он впервые повернулся ко мне спиной без опаски. — То кто ты? Маг?

— Ученик мага. Я работаю в офисе Ночного Дозора. Это тоже нужно.

— А что ты можешь делать? Покажи, я хочу проверить!

Ну вот, все как по учебнику. Он был в сумраке, но это его не убедило. Мелкие балаганные фокусы куда более впечатляющи.

— Смотри.

Я протянул к нему руку. Егор остановился, пытаясь понять, что происходит. Потом посмотрел на чашку.

От чая уже не шел пар. Чай похрустывал, превратившись в цилиндрик мутно-коричневого льда со вмороженными чаинками.

— Ой, — сказал мальчик.

Термодинамика — самая простая часть управления материей. Я позволил броуновскому движению восстановиться, и лед вскипел. Егор вскрикнул, роняя чашку.

— Извини. — Я вскочил, схватил с раковины тряпку. Присел, вытирая с линолеума лужу.

— От магии сплошные неприятности, — сказал мальчик. — Чашку жалко.

— Сейчас.

Тень прыгнула мне навстречу, я вошел в сумрак и посмотрел на осколки. Они еще помнили целое, и чашке вовсе не суждено было разбиться так быстро.

Оставаясь в сумраке, я сгреб рукой горстку осколков. Несколько самых мелких, отлетевших под плиту, охотно подкатились поближе.

Я вышел из сумрака и поставил белую чашку на стол.

— Только чай наливай заново.

— Круто. — Кажется, этот маленький фокус произвел на мальчика сильное впечатление. — А так с любой вещью можно?

— С вещью — почти с любой.

— Антон... а если что-то разбилось неделю назад?

Я невольно улыбнулся.

— Нет. Извини, уже слишком поздно. Сумрак дает шанс, но его надо использовать быстро, очень быстро.

Егор помрачнел. Интересно, что он разбил неделю назад?

— Теперь веришь?

— Это магия?

— Да. Самая примитивная. Ей почти не нужно учиться.

Наверное, я сказал это зря. В глазах у мальчика появился огонек. Он уже оценивал свои перспективы. Выгоду.

Свет и Тьма...

— А опытный маг, он может и другие вещи делать?

— Даже я могу.

— А управлять людьми?

Свет и Тьма...

— Да, — сказал я. — Да, можем.

— И вы это делаете? А почему террористы захватывают заложников? Ведь можно незаметно прокрасться через сумрак и застрелить их. Или заставить застрелиться! А почему люди умирают от болезней? Маги ведь могут лечить, вы сами сказали?

— Это будет Добро, — сказал я.

— Конечно! Так вы же Светлые маги!

— Если мы совершим любое безусловно доброе действие — Темные маги получают право на действие злое.

Егор удивленно смотрел на меня. На него слишком многое вывалилось в последние сутки. Он еще неплохо справлялся.

— К сожалению, Егор, Зло сильнее по своей природе. Зло — деструктивно. Оно разрушает куда легче, чем Добро созидает.

— А что вы тогда делаете? Вот этот ваш Ночной Дозор... Вы воюете с Темными магами?

Мне нельзя было отвечать. Я понимал это с той же убийственной ясностью, с которой знал: вообще не стоило открываться перед мальчиком. Надо было его усыпить. Уйти в сумрак глубже. Но не давать, не давать никаких объяснений!

84

Я ничего не смогу доказать!

— Вы с ними воюете?

— Не совсем, — сказал я. Правда была хуже лжи, но я не имел права на ложь. — Мы следим друг за другом.

— Готовитесь воевать?

Я смотрел на Егора и думал о том, что он очень, очень неглупый мальчик. Но именно мальчик. И если сказать ему сейчас, что близится великая битва Добра и Зла, что он может стать новым джедаем сумеречного мира, то он будет наш.

Правда, ненадолго.

— Нет, Егор. Нас очень мало.

— Светлых? Меньше, чем Темных?

Вот сейчас он готов бросить дом, маму с папой, надеть сверкающие доспехи и пойти умирать за дело Добра...

— Вообще — Иных. Егор... битвы Добра и Зла шли тысячи лет с переменным успехом. Порой Свет побеждал, но если бы ты знал, сколько людей, даже не подозревающих про сумеречный мир, при этом гибли. Иных мало, но ведь каждый Иной способен повести за собой тысячи обычных людей. Егор... если сейчас начнется война Добра и Зла — погибнет половина человечества. Потому почти полвека назад был подписан договор. Великий договор между Добром и Злом, Тьмой и Светом.

У него округлились глаза.

Я вздохнул и продолжил:

— Это короткий договор. Сейчас я прочту его — в официальном переводе на русский язык. Ты уже вправе знать.

Прикрыв глаза, я посмотрел в темноту. Сумрак ожил, заклубился под веками. И развернулось серое полотно, испещренное пылающими красными буквами. Договор нельзя произносить на память, его можно лишь читать:

Мы — Иные,
Мы служим разным силам,
Но в сумраке нет разницы между отсутствием
тьмы и отсутствием света.
Наша борьба способна уничтожить мир.
Мы заключаем Великий Договор о перемирии.
Каждая сторона будет жить по своим законам,

Каждая сторона будет иметь свои права.
Мы ограничиваем свои права и свои законы.
Мы — Иные.
Мы создаем Ночной Дозор,
Чтобы силы Света следили за силами Тьмы.
Мы — Иные.
Мы создаем Дневной Дозор,
Чтобы силы Тьмы следили за силами Света.
Время решит за нас.

У Егора округлились глаза.

— Свет и Тьма живут в мире?

— Да.

— Вот... вампиры... — Он снова и снова возвращался к этой теме. — Они Темные?

— Да. Это люди, полностью перерожденные сумеречным миром. Они получают огромные возможности, но теряют саму жизнь. И поддерживать свое существование могут лишь чужой энергией. Кровь — самая удобная форма для ее перекачивания.

— И они убивают людей!

— Они могут существовать на донорской крови. Это как сублимированные продукты, мальчик. Невкусно, но тоже питательно. Если бы вампиры позволили себе охотиться...

— Но на меня нападали!

Он думал сейчас лишь о себе... Плохо.

— Некоторые вампиры нарушают законы. Для того и нужен Ночной Дозор: следить за соблюдением договора.

— А так, так вот просто вампиры на людей не охотятся?

Мою щеку обдало ветром от невидимых крыльев. Коготки вцепились в плечо.

— Что ты ему ответишь, дозорный? — шепнула Ольга из глубин сумрака. — Ты рискнешь сказать правду?

— Охотятся, — сказал я. И добавил то, что когда-то, пять лет назад, ударило меня страшнее всего. — По лицензии. Иногда... иногда им нужна живая кровь.

Он спросил не сразу. Я читал в его глазах все, что мальчик думал, все, что хотел спросить. И знал, что отвечать придется на все вопросы.

— А вы?

— А мы предотвращаем браконьерство.

— Так на меня могли напасть... по этому вашему договору? По лицензии?

— Да, — сказал я.

— И выпили бы кровь? А вы прошли бы мимо и отвернулись?

Свет и Тьма...

Я закрыл глаза. Договор пылал в сером тумане. Чеканные строки, за которыми стояли тысячелетия войны и миллионы жизней.

— Да.

— Уходите...

Мальчишка сейчас был взведен как пружина. На грани истерики, на краю безумия.

— Я пришел защитить тебя.

— Не надо!

— Вампирша свободна. Она попытается напасть...

— Уходите!

Ольга вздохнула:

— Доигрался, дозорный?

Я поднялся. Егор вздрогнул, отодвигаясь подальше вместе с табуреткой.

— Ты поймешь, — сказал я. — У нас нет иного выхода...

Я и сам не верил в свои слова. И спорить сейчас было бесполезно. А за окнами темнело, и вот-вот наступит время охоты...

Мальчик шел следом, будто стараясь убедиться, что я выйду из квартиры, а не спрячусь в шкафу. Больше я ничего не говорил. Открыл дверь, вышел на лестницу. Дверь хлопнула за спиной.

Поднявшись на пролет выше, я сел на корточки у лестничного окна. Ольга молчала, молчал и я.

Правду нельзя открывать так резко. Человеку нелегко признать сам факт нашего существования. А уж примириться с Договором...

— Мы ничего не могли сделать, — сказала Ольга. — Недооценили паренька, его способности и его страх. Были обнаружены. Вынуждены были отвечать на вопросы, и отвечать правдиво.

— Сочиняешь рапорт? — спросил я.

— Знал бы ты, сколько подобных рапортов я писала...

Воняло гнилью из мусоропровода. За окном шумел проспект, медленно погружающийся в сумерки. Уже начинали мерцать фонари. Я сидел, крутил в руках сотовый телефон и размышлял, звонить сейчас шефу или подождать его звонка. Наверняка Борис Игнатьевич наблюдает за мной.

Наверняка.

— Не переоценивай возможностей руководства, — сказала Ольга. — У него сейчас по уши проблем с черной воронкой.

Телефон в моих руках заверещал.

— Угадайте, кто? — спросил я, открывая трубку.

— Вуди Вудпекер. Или Вупи Голдберг.

Мне было не до шуток.

— Да?

— Где находишься, Антон?

Голос шефа был усталый, замученный. Таким я его не знал.

— На лестничной площадке уродского многоэтажного дома. Рядом с мусоропроводом. Здесь довольно тепло и уже почти уютно.

— Нашел мальчишку? — без всякого интереса спросил шеф.

— Нашел...

— Хорошо. Я пошлю к тебе Тигренка и Медведя. Здесь им делать все равно нечего. А ты приезжай в Перово. Немедленно.

Я полез было в карман, и шеф немедленно уточнил:

— Если нет с собой денег... впрочем, пускай даже есть. Останови милицейскую машину, и пусть довезут тебя с ветерком.

— Так серьезно? — только и спросил я.

— Весьма. Можешь выехать немедленно.

Я посмотрел в темноту за окном.

— Борис Игнатьевич, не стоит оставлять парня одного. Он и впрямь потенциально силен...

— Да знаю я... Ладно. Ребята уже едут. С ними мальчику ничего не грозит. Дождись — и немедленно сюда.

Застучали гудки. Сложив трубку, я покосился на плечо:

— И что ты скажешь, Ольга?

— Странно.

— Почему? Ты сама сказала, что им не справиться.

— Странно, что он позвал тебя, а не меня... — Ольга задумалась. — Может быть... да нет. Не знаю.

Я глянул сквозь сумрак — и на самом горизонте обнаружил два пятнышка. Оперативники мчались с такой скоростью, что могли быть на месте минут через пятнадцать.

— Он даже адреса не спросил, — мрачно заметил я.

— Времени не хотел терять. А ты не почувствовал, как он взял координаты?

— Нет.

— Тренируйся больше, Антон.

— Я не работаю в поле!

— Теперь работаешь. Пошли вниз. Зов мы услышим.

Поднявшись — местечко на лестнице и впрямь уже казалось насиженным и уютным, — я побрел вниз. На душе был осадок — скверный, тоскливый. За спиной хлопнула дверь. Я обернулся.

— Мне страшно, — сказал Егор без всяких церемоний.

— Все в порядке. — Я стал подниматься обратно. — Мы тебя охраняем.

Он кусал губы, смотрел то на меня, то на полумрак лестницы. Впускать меня в квартиру ему тоже не хотелось, но и одному оставаться уже сил не было.

— Мне кажется, на меня смотрят, — сказал он наконец. — Это вы делаете?

— Нет. Скорее всего это вампирша.

Мальчишка не вздрогнул. Ничего нового я ему не сообщил.

— Как она нападет?

— Войти в дверь без приглашения она не сможет. Особенность вампиров, о ней сказки не врут. Тебе захочется выйти самому. Впрочем, ты уже хочешь выйти.

— Я не выйду!

— Когда она применит Зов — выйдешь. Будешь понимать, что происходит, но все равно выйдешь.

— Вы... вы мне можете посоветовать? Что-нибудь?

Егор сдался. Он хотел помощи, любой возможной помощи.

— Могу. Доверься нам.

Его колебания длились секунду.

— Входите. — Егор отступил от двери. — Только... сейчас мама придет с работы.

— Ну и что?

— Вы спрячетесь? Или что мне сказать?

— Это ерунда, — отмахнулся я. — Но мне...

Открылась дверь соседней квартиры, осторожненько приоткрылась, на цепочке. Выглянуло морщинистое старушечье личико.

Я коснулся ее сознания — легонько, на миг, как можно осторожнее, чтобы не повредить и без того расшатанный разум...

— А, это ты... — Старуха расплылась в улыбке. — Ты, ты...

— Антон, — любезно подсказал я.

— Я уж думала, кто чужой ходит, — снимая цепочку и выдвигаясь на лестничную площадку, сообщила бабулька. — Время-то такое, сплошные безобразия, творят, что хотят...

— Ничего, — сказал я. — Все будет хорошо. Вы лучше посмотрите телевизор, там сейчас новая серия идет.

Старуха закивала и, послав мне еще один дружелюбный взгляд, скрылась в квартире.

— Какая серия? — спросил Егор.

Я пожал плечами:

— Да не знаю. Какая-нибудь. Мало ли мыльных опер?

— А откуда вы нашу соседку знаете?

— Я? Ее? Да ниоткуда.

Мальчик молчал.

— Вот так, — пояснил я. — Мы — Иные. А входить я не буду, мне надо сейчас уезжать.

— Как?

— Тебя будут охранять другие, Егор. И не беспокойся: они профессионалы куда лучше меня.

Я глянул сквозь сумрак: два ярких оранжевых огня приближались к подъезду.

— Я... я не хочу. — Мальчишка сразу запаниковал. — Лучше вы!

— Не могу. У меня другое задание.

Внизу в подъезде хлопнула дверь, застучали шаги. Лифтом боевики пренебрегли.

— Я не хочу! — Егор схватился за дверь, будто решил закрыться. — Я им не верю!

— Или ты доверяешь всему Ночному Дозору, или не доверяешь никому, — жестко отрезал я. — Мы не супермены-одиночки в красно-синих плащах. Мы наемные работники. Полиция сумеречного мира. Мои слова — слова Ночного Дозора.

— А кто они? — Мальчик уже сдавался. — Маги?

— Да. Только узкоспециализированные.

Внизу, на изгибе лестницы, появилась Тигренок.

— Привет, мальчиши! — жизнерадостно воскликнула девушка, одним прыжком преодолевая пролет.

Прыжок был нечеловеческий, Егор даже съежился и отступил, настороженно глядя на Тигренка. Я покачал головой: девушка явно балансировала на грани трансформации. Ей это нравилось, а сейчас к тому же имелись все основания порезвиться.

— Как там? — спросил я.

Тигренок шумно вздохнула, потом улыбнулась:

— Ой... весело. Все в панике. Иди, тебя ждут, Антошка... А ты мой подопечный, да?

Мальчишка молчал, разглядывая ее. Честно говоря, шеф сделал прекрасный выбор, послав на охрану именно Тигренка. Она внушала доверие и симпатию всем, от детей до стариков. Говорят, даже Темные иногда подкупались на ее поведение. Впрочем, они-то как раз были не правы...

— Я не подопечный, — ответил наконец мальчик. — Меня Егор зовут.

— А я Тигренок. — Девушка уже вошла в квартиру, дружелюбно обняла мальчишку за плечи. — Давай показывай плацдарм! Начнем готовить оборону!

Я пошел вниз, на ходу качая головой. Минут через пять Тигренок будет демонстрировать мальчику, за что получила свое имя.

— Привет, — буркнул идущий навстречу Медведь.

— Привет. — Мы обменялись короткими рукопожатиями. Из всех сотрудников Дозора Медведь вызывал у меня самые странные и смешанные эмоции.

Медведь был чуть выше среднего роста, крепкий и с совершенно непроницаемым лицом. Говорить много не любил. Как он проводит нерабочее время, где живет — не знал никто, кроме, разве что, Тигренка. Ходили слухи, что он был даже не магом, а оборотнем. Рассказывали, что вначале он работал в Дневном Дозоре, а потом, во время какой-то миссии, вдруг перекинулся на нашу сторону. Все это была полнейшая чушь, Светлые не становятся Темными, а Темные не превращаются в Светлых. Но что-то, порождающее невольную оторопь, в Медведе крылось.

— Машина тебя ждет, — не останавливаясь, сказал оперативник. — Водитель — ас. Доедешь с ветерком.

Медведь чуть заикался и потому строил короткие фразы. Он не спешил, Тигренок уже заступила на дежурство. А вот мне медлить не стоило.

— Там тяжело? — ускоряя шаг, спросил я. Сверху донеслось:

— Там уже никак.

Перепрыгивая через ступеньки, я выскочил из подъезда. Машина и впрямь стояла — я на миг залюбовался ею, приостановившись. Роскошный темно-багровый «БМВ» последней модели, с небрежно прилепленной на крыше мигалкой. Обе дверцы со стороны подъезда были открыты, водитель, у которого под полой пиджака угадывалась кобура, торопливо курил, высунувшись из машины. У задней дверцы стоял совершенно монументального вида немолодой мужчина в очень дорогом костюме, на лацкане которого блестел депутатский значок, в расстегнутом пальто. Мужчина говорил по сотовому:

— Да кто он такой? Когда смогу — приеду! Что? Какие, твою мать, девки? Умом тронулся? Шагу ступить сами не можете?

Покосившись на меня, депутат, не прощаясь, прервал разговор и полез в машину. Водитель жадно затянулся, откинул сигарету и схватился за руль. Мотор мягко завыл, я едва успел сесть на переднее сиденье, как машина тронулась. По дверце со скрипом прошлись обледенелые ветки.

— Ослеп, что ли? — рявкнул депутат на шофера, хотя вина в случившемся была лишь моя. Но стоило хозяину машины повернуться ко мне, как тон изменился: — В Перово тебя?

Еще ни разу меня не подвозили представители власти. Да еще, ко всему, не то милицейские чины, не то бандитские авторитеты. Умом я понимал, что перед возможностями дозорного все едино, но экспериментировать никогда не пытался.

— Да, туда же, откуда ребята приехали. И побыстрее бы...

— Слышишь, Володька? — обратился депутат к водителю. — Жми!

Володька поднажал. Да так резво, что мне стало не по себе, и я глянул в сумрак: доедем ли вообще?

Выходило, что доедем. Но не только из-за мастерства водителя или коэффициента удачи, у меня, как у любого дозорного, искусственно повышенного. Похоже было, что кто-то прошелся по вероятностному полю, вычищая оттуда все аварии, пробки и слишком уж ревностных гаишников.

В нашем отделе такое мог сотворить лишь сам шеф. Вот только зачем?

— Мне тоже жутковато... — шепнула с плеча невидимая птица. — Когда мы с графом...

Она замолкла, будто поймав себя на излишней откровенности.

Машина прошла перекресток на красный свет, по немыслимой кривой, увертываясь от легковушек и каких-то фургонов. С остановки кто-то показал в нашу сторону рукой.

— Глотнешь? — дружелюбно вопросил депутат. Протянул маленькую бутылочку «Рем и Мартен» и пластиковый одноразовый стаканчик. Это выглядело настолько смешно, что я, не колеблясь, налил себе тридцать граммов. Даже на такой скорости и на разбитой дороге машина шла мягко, коньяк не расплескивался.

Я вернул бутылку, кивнул, вытянул из кармана наушники плеера, надел, включил диск. Выпала старая-престарая песня «Воскресения», моя любимая.

> Тот городок был мал, как детская игрушка,
> Не знал он с давних пор болезней и нашествий.
> На башне крепостной ржавела молча пушка,
> И стороной ушли маршруты путешествий.
> И так за годом год, без праздников и будней —
> Весь город спал.
> Во сне он видел земли городов безлюдных
> И мертвых скал...

Мы вышли на трассу. Машина все наращивала скорость, я еще никогда не ездил в Москве так быстро. Да и не только в Москве... Если бы не вычищенное вероятностное поле, заставил бы сбросить ход, а так — просто страшновато.

Среди холодных скал музыка звучала,
А город спал...
Куда она звала?
Кого она искала?
Никто не знал...

Я невольно вспомнил о том, что Романов — сам Иной. Только неинициированный. Его заметили слишком поздно... Предложение было сделано, но он отказался.

Это тоже выбор.

Интересно, как часто он слышал эту музыку в ночи?

Кто в духоте ночной не закрывал окна —
Того уж нет.
Ушли искать страну, где жизнью жизнь полна,
За песней вслед...

— Еще хочешь? — Депутат был сама благожелательность. Интересно, что ему внушили Медведь и Тигренок? Что я — его лучший друг? Что он — мой вечный должник? Что я — внебрачный, но любимейший сын президента?

Какая ерунда все это. Существуют сотни способов вызвать в людях доверие, симпатию и желание помочь. У Света есть свои методы, жаль только, что и у Тьмы их немало. Ерунда это.

Вопрос в другом: зачем же я потребовался шефу?

ГЛАВА 6

У дороги меня ждал Илья. Стоял, засунув руки в карманы, с отвращением глядя в небо, сыплющее мелким снежком.

— Долго, — только и сказал он, когда я, за руку распрощавшись с депутатом, выбрался из машины. — Шеф заждался.

— Что тут происходит?

Илья ухмыльнулся. Но обычной жизнерадостности в этой улыбке не было.

— Сейчас увидишь... идем.

Мы зашагали по утоптанной дорожке, обгоняя бредущих от супермаркета женщин с сумками. Как странно, супермаркеты у нас появились, совсем как настоящие. А вот походка у людей осталась прежней, словно они только что отстояли часовую очередь за синими куриными трупиками...

— Далеко? — спросил я.

— Было бы далеко, взяли бы машину.

— А что наш сексуальный гигант? Не справился?

— Игнат старался, — только и ответил Илья. Почему-то я испытал короткое и мстительное удовольствие, будто провал красавца Игната был в моих интересах. Обычно, если требовало задание, он оказывался в чужой постели через час-другой после получения задания.

— Шеф объявил готовность к эвакуации, — вдруг сказал Илья.

— Что?

— Полная готовность. Если воронка не стабилизируется, то Иные покидают Москву.

Он шел впереди, и я не мог заглянуть в его глаза. Но зачем бы Илье врать...

— А воронка по-прежнему... — начал я. И замолчал. Я увидел.

Впереди, над унылой девятиэтажкой, на фоне темного снежного неба медленно вращался черный смерч.

Его уже нельзя было назвать воронкой или вихрем. Именно смерч. Он тянулся не из этого здания, а из следующего, еще скрытого. И, учитывая угол темного конуса, смерч шел почти от самой земли.

— Дьявол... — прошептал я.

— Не накликай! — оборвал Илья. — Вполне пролезет.

— В ней метров тридцать...

— Тридцать два. И продолжает расти.

Я торопливо посмотрел на свое плечо и увидел Ольгу. Она вышла из сумрака.

Вы когда-нибудь видели испуганную птицу? Испуганную по-человечьи?

Сова казалась взъерошенной. Неужели перья могут вставать дыбом? Глаза горели желто-оранжевым янтарным огнем.

Моя несчастная куртка была изодрана на плече в мелкую лапшу, а когти все скребли и скребли, будто намеревались добраться до тела.

— Ольга!

Илья обернулся, кивнул:

— Вот-вот... Шеф говорит, что в Хиросиме воронка была ниже.

Сова взмахнула крыльями, взмыла в воздух, беззвучно, плавно. За спиной вскрикнула женщина — я обернулся, увидел растерянное лицо, изумленные глаза, провожающие птицу.

— Ворона летит, — негромко, вполоборота взглянув на женщину, сообщил Илья. Реакция у него была куда быстрее моей. Через миг случайная свидетельница уже обогнала нас, что-то недовольно ворча об узкой тропинке и любителях заслонять дорогу.

— Быстро растет? — кивнув на смерч, спросил я.

— Рывками. Но сейчас идет стабилизация. Шеф вовремя отозвал Игната. Пошли...

Сова, по широкому кругу обогнув смерч, снизилась и полетела над нами. Какое-то самообладание Ольга сохранила, но неосторожный выход из сумрака явно показывал ее растерянность.

— А что он натворил?

— Да ничего... кроме излишней самоуверенности. Завязал знакомство. Стал форсировать и добился роста воронки... да еще какого роста.

— Не понимаю, — растерянно сказал я. — Такой рост может идти при энергичном подпитывании со стороны мага, вызвавшего инферно...

— О чем и речь. Кто-то отследил Игната и подбросил в топку уголька. Сюда...

Мы вошли в подъезд того здания, что заслоняло нас от вихря. Сова в последний миг влетела следом. Я недоуменно посмотрел на Илью, но спрашивать ничего не стал. Впрочем, тут же стало ясно, зачем мы здесь.

На первом этаже в одной из квартир был развернут оперативный штаб. Могучая стальная дверь, в человеческом мире срочно закрытая, в сумраке была распахнута настежь. Илья, не останавливаясь, нырнул в сумрак и прошел, я несколько секунд провозился, поднимая свою тень, и последовал за ним.

Большая квартира, комнаты четыре, все очень уютно. При этом — шумно, жарко и накурено.

Здесь было больше двадцати Иных. И оперативники, и мы, конторские крысы. На мой приход даже внимания не обратили, на Ольгу поглядывали. Я понял, что старые работники Дозора ее знают, но никто даже не попытался поздороваться или улыбнуться белой сове.

Что же ты натворила?

— В спальню, шеф там, — бросил Илья, сам сворачивая на кухню. На кухне гремели бокалами. Может быть, пили чай, а может, и чего покрепче. Бросив беглый взгляд, я убедился, что прав. Игната отпаивали коньяком. Наш сексуальный террорист выглядел совершенно убитым и раздавленным, на его долю давно не доставались такие неудачи.

Я прошел дальше, толкнул первую попавшуюся дверь, заглянул.

Это была детская. На маленькой кровати спал ребенок лет пяти, на ковре рядом — его родители и девочка-подросток. Все понятно. Хозяев квартиры погрузили в сладкий и здоровый сон, чтобы не путались под ногами. Можно было развернуть весь штаб в сумеречном пространстве, но к чему зря тратить силы?

Меня похлопали по плечу. Я обернулся — это оказался Семен.

— Шеф — там, — коротко сообщил он. — Давай...

Похоже, все в курсе, что меня ждут.

Я вошел в другую комнату и на миг оторопел.

Нет ничего нелепее, чем оперативный штаб Ночного Дозора, развернутый в жилой квартире.

Над туалетным столиком, обильно заставленным косметикой и заваленным бижутерией, висел магический шар средних размеров. Шар транслировал вид на вихрь сверху. Рядом на пуфике сидела Лена, наш лучший оператор, молчаливая и сосредоточенная. Глаза у нее были закрыты, но при моем появлении она чуть приподняла руку в приветствии.

Ладно, это дело обычное. Оператор шара видит пространство в комплексе, от него невозможно укрыться.

На кровати, обложившись подушками, полулежал шеф. Был он в пестром халате, мягких восточных туфлях и тюбетейке. Сладкий дымок переносного кальяна наполнял помещение. Белая сова сидела перед ним. Судя по всему, они общались невербально.

Тоже нормальное дело. В минуты особого напряжения шеф всегда обращается к привычкам, перенятым в Средней Азии. Он там работал на рубеже девятнадцатого-двадцатого века, маскируясь вначале под муфтия, потом — под предводителя басмачей, затем — под красного комиссара, а под конец лет десять прослужил секретарем райкома.

У окна стояли Данила и Фарид. Даже моих способностей хватало, чтобы заметить пурпурное мерцание магических жезлов, спрятанных в их рукавах.

Вполне заурядная раскладка. Без охраны в такие минуты штаб не оставляют. Данила и Фарид бойцы не самые сильные, но опытные, а это зачастую куда важнее грубой силы.

Но вот как относиться к еще одному Иному, находящемуся в комнате?

Он сидел в уголке, на корточках, скромно и незаметно. Худой как щепка, щеки впалые, черные волосы коротко, по-военному, пострижены, глаза большие, печальные. Возраст совсем непонятен, может, тридцать лет, а может, и триста. Темная одежда. Свободный костюм и серая рубашка хорошо гармонировали с обликом. Человек, наверное, принял бы незнакомца за члена маленькой секты. И в чем-то был бы прав.

Это был Темный маг. Причем маг высочайшего уровня. Когда он вскользь взглянул на меня, я почувствовал, как скорлупа защиты — не мной, между прочим, поставленная! — затрещала и начала прогибаться.

Я невольно сделал шаг назад. Но маг уже опустил глаза в пол, словно показывая: зондирование было случайным, мимолетным...

— Борис Игнатьевич. — Я почувствовал, что голос мой слегка хрипит.

Шеф коротко кивнул, потом повернулся к Темному магу. Тот сразу же уставился на шефа.

— Выдай ему амулет, — отрывисто велел шеф.

Голос Темного оказался грустным и тихим, как у человека, удрученного всеми бедами мира сразу:

— Я не делаю ничего запрещенного Договором...

— И я не делаю. Мои сотрудники должны быть иммунны к наблюдателям.

Вот как! В нашем штабе — наблюдатель со стороны Темных. Значит, рядом развернут полевой штаб Дневного Дозора, и там сидит кто-то из наших.

Темный маг опустил руку в карман пиджака, порылся, достал резной костяной медальончик на медной цепочке. Протянул мне.

— Бросай, — сказал я.

Маг слегка улыбнулся, все так же меланхолично и сочувственно, взмахнул рукой. Я поймал медальон. Шеф одобрительно кивнул.

— Имя? — спросил я.

— Завулон.

Я не слышал раньше этого имени. Либо он не слишком известен, либо стоит у самых верхов Дневного Дозора.

— Завулон... — повторил я, посмотрев на амулет. — У тебя нет больше власти надо мной.

Медальон потеплел в ладони. Я надел его поверх рубашки, кивнул Темному магу и подошел к шефу.

— Такие дела, Антон, — сказал шеф чуть неразборчиво, не выпуская из губ мундштук кальяна. — Такие дела. Видишь?

Посмотрев в окно, я кивнул.

Черный вихрь вырастал из такой же девятиэтажки, как та, в которой мы находились. Тонкий гибкий черенок вихря кончался где-то на уровне первого этажа, и, потянувшись сквозь сумрак, я смог точно локализовать квартиру.

— Как это могло случиться? — спросил я. — Борис Игнатьевич, это ведь уже не кирпич на голову... и не взрыв газа в подъезде...

— Мы делаем все, что можем. — Шеф будто счел нужным отчитаться передо мной. — Все ракетные шахты под нашим контролем, то же самое уже сделано в Америке и Франции, заканчивается работа в Китае. Труднее с тактическим ядерным оружием. Никак не можем выявить все работоспособные лазерные спутники. Бактериологической гадости в городе полно... час назад едва не прошла утечка в НИИ вирусологии.

— Судьбу не обманешь, — осторожно сказал я.

— Именно. Мы затыкаем пробоины в днище корабля. А корабль уже разламывается пополам.

Я вдруг заметил, что все — и Темный маг, и Ольга, и Лена, и боевики — смотрят на меня. Стало неуютно.

— Борис Игнатьевич?

— Ты на нее завязан.

— Что?

Шеф вздохнул, выпустил трубочку, холодный опиумный дымок потек к полу.

— Ты, Антон Городецкий, программист, холост, способности средние, завязан на девушку, над которой висит эта черная гадость.

Темный маг в углу едва слышно вздохнул. Ничего лучшего, чем спросить «почему?», я не нашел.

— Не знаю. Мы направили к ней Игната, тот сработал чисто. Ты же знаешь, он может обольстить кого угодно.

— А с ней не вышло?

— Вышло. Вот только воронка стала расти. Они общались полчаса, воронка выросла с полутора метров до двадцати пяти. Пришлось отзывать... срочно.

Я покосился на Темного мага. Завулон вроде бы смотрел в пол, но тут же приподнял голову. На этот раз защита не отреагировала: амулет надежно прикрывал меня.

— Нам это не нужно, — тихо сказал он. — Только дикарь способен убить слона, чтобы позавтракать кусочком мяса.

Сравнение меня покоробило. Но, похоже, он не врал.

— Подобный размах разрушений бывает нужен нам нечасто, — добавил Темный маг. — Сейчас у нас нет проектов, требующих выброса энергии такого масштаба.

— Очень надеюсь... — чужим, скрипучим голосом произнес шеф. — Завулон, ты должен понимать, если катастрофа все-таки произойдет... мы тоже выжмем из нее максимум.

На лице Темного мага появилась тень улыбки.

— Количество людей, которые ужаснутся произошедшему, прольют слезы и посочувствуют горю, будет велико. Но больше, неизмеримо больше окажется тех, кто жадно прильнет к экрану телевизора, кто будет наслаждаться чужой бедой, радоваться, что она миновала их город, сострит по поводу третьего Рима, который постигло наказание... наказание свыше. Ты знаешь это, враг мой.

Он не злорадствовал, у Темных высшего ранга нет столь примитивной реакции. Он информировал.

— И все же мы готовы, — сказал Борис Игнатьевич. — Ты знаешь.

— Знаю. Но мы в более выигрышном положении. Если ты не держишь в рукаве пару тузов, Борис.

— Ты знаешь, у меня всегда каре.

Шеф повернулся ко мне, будто утратив к Темному магу малейший интерес:

— Антон, воронку питает не Дневной Дозор. С ней работает одиночный автор. Неизвестный Темный маг чудовищной силы. Он почувствовал Игната и стал форсировать события. Теперь вся надежда на тебя.

— Почему?

— Я же говорю: вы связаны. Антон, в вероятностном поле три вилки.

Шеф повел рукой, и в воздухе развернулось белая плоскость экрана. Завулон сморщился, наверное, его слегка задело выбросом энергии.

— Первая линия развития событий, — сказал шеф. По белому полотнищу, висящему посреди комнаты без всякой опоры, прошла черная полоса. Расплылась безобразной кляксой, выходящей за пределы экрана.

— Наиболее вероятный путь. Воронка достигает максимума, и прорывается инферно. Миллионы жертв. Глобальный катаклизм — ядерный, биологический, падение астероида, землетрясение в двенадцать баллов. Все что угодно.

— А прямой выход инферно? — осторожно спросил я. Покосился на Темного мага: его лицо осталось безучастным.

— Нет. Вряд ли. Порог еще далеко. — Шеф покачал головой. — Иначе, я полагаю, Дневной и Ночной Дозоры уже истребили бы друг друга. Второй путь...

Тонкая линия, отходящая от черной полосы. Оборванная.

— Уничтожение цели. Вихрь рассосется, если цель погибнет... самостоятельно.

Завулон шевельнулся. И любезно произнес:

— Я готов помочь в этой маленькой акции. Ночной Дозор не может осуществить ее самостоятельно, не так ли? Мы к вашим услугам.

Повисла тишина. Потом шеф засмеялся.

— Как угодно. — Завулон пожал плечами. — Повторяю, пока мы предлагаем свои услуги. Нам не нужна глобальная катастрофа, которая единомоментно уничтожит миллионы людей. Пока не нужна.

— Третий путь, — сказал шеф, глядя на меня. — Смотри внимательно.

Еще одна линия, ветвящаяся от общего корня. Истончающаяся, сходящая на нет.

— Это — если в игру вступаешь ты, Антон.

— Что мне надо сделать? — спросил я.

— Не знаю. Вероятностный прогноз никогда не давал точных указаний. Известно одно: ты можешь снять воронку.

В голове пронеслась нелепая мысль, что проверка продолжается. Испытание в поле... вампира я убил, а теперь... Да нет. Не может быть. Не с такими ставками!

— Я никогда не снимал черных воронок. — Голос почему-то стал чужим, не то чтобы испуганным, скорее удивленным. Темный маг Завулон захихикал — противно, по-бабьи.

Шеф кивнул:

— Знаю, Антон.

Он поднялся, запахнул халат, подошел ко мне. Выглядел он нелепо, во всяком случае, в обстановке нормальной московской квартиры его восточное облачение казалось неудачной карикатурой.

— Таких воронок еще никто и никогда не снимал. Ты будешь первым, кто попытается.

Я молчал.

— И учти, Антон, если ты напортишь... хоть самую малость, хоть в чем-то... ты сгоришь первым. Ты даже не успеешь уйти в сумрак. Знаешь, что бывает со Светлыми, когда они попадают под прорыв инферно?

В горле пересохло. Я кивнул.

— Простите, любезный враг мой, — насмешливо сказал Завулон. — А вы не даете своим сотрудникам права выбора? Даже на войне в подобных случаях вызывали... желающих.

— Вызывали добровольцев, — не оборачиваясь бросил шеф. — Мы все добровольцы, давным-давно. И никакого выбора у нас нет.

— А у нас — есть. Всегда. — Темный маг опять хихикнул.

— Когда мы признаем право выбора за людьми, мы отнимаем его у себя. Завулон, — Борис Игнатьевич покосился на Темного мага, — ты стараешься перед чужой аудиторией. Не мешай.

— Молчу. — Завулон опустил голову, съежился.

— Попытайся, — сказал шеф. — Антон, не могу дать совета. Попробуй. Прошу тебя, попробуй. И... забудь все, чему тебя учили. Не верь тому, что говорил я, не верь тому, что ты писал в конспектах, не верь своим глазам, не верь чужим словам.

— Чему тогда верить, Борис Игнатьевич?

— Если бы я знал, Антон, то вышел бы из штаба... и сам вошел в тот подъезд.

Мы синхронно посмотрели в окно. Черный вихрь кружился, покачиваясь из стороны в сторону. Какой-то человек, шедший по тротуару, вдруг свернул на снег и стал огибать черенок вихря по широкой дуге. Я заметил, что по обочине уже протоптана тропинка: люди не могли видеть рвущееся на землю Зло, но они чувствовали его приближение.

— Я буду прикрывать Антона, — вдруг сказала Ольга. — Прикрывать и обеспечивать связь.

— Снаружи, — согласился шеф. — Только снаружи... Антон... иди. Мы постараемся максимально закрыть тебя от любого наблюдения.

Белая сова взлетела с кровати, села мне на плечо.

Бросив взгляд на друзей, на Темного мага — тот словно в спячку впал, я вышел из комнаты. И сразу почувствовал, как стихает шум в квартире.

Меня провожали в полной тишине, без ненужных слов, без похлопываний по плечам и советов. Ведь на самом деле я не делал ничего особенного. Просто шел умирать.

Тихо было.

Как-то неправильно тихо, даже для спального московского района и в этот поздний час. Будто все забились по домам, погасили свет, укрылись с головой одеялами и молчат. Именно молчат, а не спят. Лишь синевато-красные пятна дрожали на окнах — всюду работали телевизоры. Это уже стало привычкой, когда страшно, когда тягостно — включать телевизор и смотреть все что угодно, от телешопа до новостей. Люди не видят сумеречного мира. Но они способны чувствовать его приближение.

— Ольга, что скажешь об этой воронке? — спросил я.

— Непреодолимо.

Сказала как отрезала.

Я стоял перед подъездом, глядя на гибкий, будто слоновый хобот, черенок вихря. Заходить пока не хотелось.

— Когда... при каком размере воронки ты сможешь ее погасить?

Ольга подумала:

— Метров пять в высоту. Еще есть шанс. При трех метрах — наверняка.

— А девчонка при этом спасется?

— Возможно.

Что-то не давало мне покоя. В этой ненормальной тишине, когда даже машины старались огибать обреченный район стороной, какие-то звуки все же оставались...

Потом я понял. Скулили собаки. По всем квартирам, во всех домах вокруг — тихо, жалобно, беспомощно жаловались своим хозяевам несчастные псы. Они видели близящееся инферно.

— Ольга, информацию о девушке. Всю.

— Светлана Назарова. Двадцать пять лет. Врач-терапевт, работает в поликлинике номер семнадцать. В поле наблюдения Ночного Дозора не попадала. В поле наблюдения Дневного Дозора не попадала. Магические способности не выявлены. Родители и младший брат живут в Братеево, контакты с ними эпизодические, в основном телефонные. Четыре подруги, проверяются, пока все чисто. Отношения с окружающими ровные, резкой неприязни не замечено.

— Врач, — задумчиво сказал я. — Ольга, а ведь это ниточка. Какой-нибудь старик или старуха... недовольные лечением. В последние годы жизни обычно происходит всплеск латентных магических способностей...

— Проверяется, — ответила Ольга. — Пока таких данных нет.

Да уж. Глупо бросаться в догадки, полдня с девушкой работали люди поумнее меня.

104

— Что еще?

— Группа крови — первая. Серьезных заболеваний нет, временами легкие кардиалгии. Первый сексуальный контакт в семнадцать лет, со сверстником, из любопытства. Четыре месяца была замужем, два года как разведена, с бывшим мужем отношения остались ровными. Детей нет.

— Способности мужа?

— Нулевые. У его новой жены — тоже. Проверено в первую очередь.

— Враги?

— Две недоброжелательницы на работе. Два отвергнутых поклонника по месту работы. Школьный товарищ полгода назад пытался получить фальшивый больничный лист.

— И?

— Отказала.

— Надо же. Как у них с магией?

— Практически никак. Уровень недоброжелательности — бытовой. Магические способности у всех слабые. На такой вихрь они не способны.

— Смерть пациентов? За последнее время?

— Не было.

— Так откуда же взялось проклятие? — задал я риторический вопрос. Да, теперь понятно, почему Дозор попал в тупик. Светлана оказалась просто-напросто паинькой. Пять врагов в двадцать пять лет — можно лишь гордиться.

Ольга промолчала.

— Надо идти, — сказал я. Обернулся на окно, где виднелись силуэты ребят. Кто-то из охраны помахал мне рукой. — Оля, а как работал Игнат?

— Стандартно. Знакомство на улице, по варианту «неуверенный интеллигент». Кофе в баре. Разговоры. Уровень симпатии объекта быстро повышался, Игнат перешел к форсированному знакомству. Купил шампанское и ликер, они пришли сюда.

— Дальше.

— Вихрь стал расти.

— Повод?

— Никакого. Игнат ей понравился, более того, она стала испытывать сильное влечение. Но в этот момент пошел рост воронки, катастрофически быстрый. Игнат сменил три стиля поведения, добился однозначного предложения остаться на ночь, после чего воронка перешла в стадию взрывного роста. Был отозван. Воронка стабилизировалась.

— Как его отозвали?

Я уже замерз, и в ботинках чувствовалась противная сырость. И я еще не готов был действовать.

— «Больная мама». Звонок по сотовому, разговор, извинения, обещание позвонить завтра. Все было чисто, подозрений у объекта не возникло.

— И воронка стабилизировалась?

Ольга помолчала, видимо, связывалась с аналитиками.

— Даже несколько присела. На три сантиметра. Но это может быть обычным откатом после прекращения подпитки.

Что-то во всем этом было. Вот только я никак не мог сформулировать невнятные подозрения.

— Где ее участок, Ольга?

— Здесь, вокруг. Включая этот самый дом. К ней частенько заходят больные.

— Прекрасно. Тогда я пойду как пациент.

— Тебе требуется помощь с наложением ложной памяти?

— Справлюсь.

— Шеф одобряет, — через паузу ответила Ольга. — Работай. Твоя маска — Антон Городецкий, программист, холост, наблюдается три года, диагноз — язвенная болезнь желудка, проживает в этом же доме, квартира шестьдесят четыре. Она сейчас пустая, в случае необходимости обеспечим тыл.

— Три года я не потяну, — признался я. — Год. Максимум год.

— Хорошо.

Я посмотрел на Ольгу, она на меня, своим немигающим птичьим взглядом, в котором все же было что-то от той грязной аристократичной женщины, пившей коньяк у меня на кухне.

— Удачи, — пожелала Ольга. — Попытайся снизить воронку. Хотя бы десяток метров... тогда я рискну.

Птица взлетела и мгновенно ушла в сумрак, куда-то в самые глубокие слои.

Вздохнув, я пошел к подъезду. Хобот вихря заколебался, пытаясь коснуться меня. Я протянул навстречу ладони, сложив их в Ксамади, знаке отрицания.

Вихрь дрогнул и откатился. Без страха, скорее принимая правила игры. При таких размерах рвущееся инферно уже должно обрести разум, стать не тупой самонаводящейся ракетой, а скорее свирепым и опытным камикадзе. Смешно звучит: опытный камикадзе, но в отношении Тьмы этот термин оправдан. Вломившись в человеческий мир, вихрь инферно обречен погибнуть, но это не более чем гибель одной осы из огромного роя.

— Твой час еще не настал, — сказал я. Инферно все равно не ответит, но мне хотелось это сказать.

Я прошел мимо черенка. Вихрь казался сделанным из иссиня-черного стекла, обретшего резиновую гибкость. Внешняя поверхность его была почти неподвижна, а вот в глубине, где темная синева переходила в непроглядную тьму, угадывалось бешеное вращение.

Может быть, я и не прав. Может быть, час как раз таки настал...

Подъезд оказался даже бсз кодового замка, точнее, замок был, но разломанный и выпотрошенный. Нормально. Маленький привет от Тьмы. Я уже разучился обращать внимание на ее мелкие пятнышки, замечать надписи и следы грязных подошв на стенах, битые лампочки и загаженные лифты. Но сейчас я был на взводе.

Узнавать адрес нужды не было. Я чувствовал девушку — вряд ли стоит отказывать ей в праве называться девушкой на основании замужества, это скорее категория возраста, — я знал, куда идти, я уже видел ее квартиру, точнее, не видел, а воспринимал всю целиком.

Единственное, чего я не понимал, как мне убирать эту проклятую воронку...

Я остановился перед дверью, обычной, не стальной, что очень странно на первом этаже, да еще с выломанным в подъезде замком. Глубоко вздохнул и позвонил. Одиннадцать. Поздновато, конечно.

Послышались шаги. Никакой звукоизоляции...

ГЛАВА 7

О на открыла дверь сразу.

Никакого вопроса, и в глазок не посмотрела, и цепочку не накинула. Это в Москве! Ночью! Одна в квартире! Вихрь пожирал последние остатки ее осторожности, той самой, что позволила девушке продержаться несколько дней. Вот так обычно они и погибают — люди, на которых наложено проклятие...

А внешне Светлана пока оставалась нормальной. Разве что тени под глазами, но мало ли как она ночь провела. И одета... юбка, нарядная кофточка, туфельки, словно ждала кого-то или почти собралась уходить.

— Добрый вечер, Светлана, — сказал я, уже замечая в глазах намек на узнавание. Конечно, она смутно запомнила меня со вчерашнего дня. И этот миг, когда она уже поняла, что мы знакомы, но еще не вспомнила как, надо было использовать.

Я потянулся сквозь сумрак. Бережно, потому что вихрь как приклеенный висел над головой девушки, и реакция могла последовать в любую секунду. Бережно, потому что мне не хотелось обманывать.

Даже желая ей только добра.

Это интересно и смешно только в первый раз. Потому что, если интересно будет и дальше, тебе не место в Ночном Дозоре. Одно дело — менять моральные императивы, причем всегда в сторону Добра. Другое — вмешиваться в память. Это неизбежно, это приходится делать, это часть Договора, и сам процесс нашего входа-выхода в сумрак вызывает у окружающих секундную амнезию.

Но если однажды ты получишь удовольствие от игры с чужой памятью — тебе пора уходить.

— Добрый вечер, Антон. — Ее голос слегка поплыл, когда я заставил ее вспомнить то, чего никогда не было. — У тебя что-то стряслось?

Я, кисло улыбнувшись, похлопал себя по животу. В памяти Светланы сейчас бушевал ураган. Не такой я мастер, чтобы наложить ей сконструированную ложную память. К счастью, тут можно было дать лишь два-три намека, а дальше она обманывала себя сама. Она собирала мой образ из какого-то давнего знакомого, с которым мы были похожи внешне, другого, еще более давнего и недолгого, но симпатичного ей характером, из двух десятков пациентов моего возраста, из каких-то соседей по дому. Я лишь легонько подталкивал процесс, подводя Светлану к целостному образу. Хороший человек... неврастеник... и впрямь часто болеет... слегка флиртует, но только слегка — очень неуверен в себе... живет в соседнем подъезде.

— Боли? — Она чуть собралась. Действительно, хороший врач. Врач по призванию.

— Немного. Выпил вчера. — Всем своим видом я выражал раскаяние.

— Антон, я же вас предупреждала... проходите...

Я вошел, закрыл дверь — девушка этим даже не озаботилась. Раздеваясь, быстренько огляделся, и в обычном мире, и в сумраке.

Дешевые обои, истрепанный коврик под ногами, старые сапожки, лампа под потолком, в простом стеклянном абажуре, радиотелефон на стене — паршивая китайская трубка. Небогато. Чисто. Обычно. И дело тут даже не в том, что профессия участкового врача много денег не приносит. Скорее — в ней самой нет потребности в уюте. Плохо... очень плохо.

В сумрачном мире квартира производила чуть лучшее впечатление. Никакой гнусной флоры, никаких следов Тьмы. Кроме черной воронки, конечно. Она царила... я видел ее всю, от черенка, крутящегося над головой девушки, до раскинувшегося на тридцатиметровой высоте соцветия.

Вслед за Светланой я прошел в единственную комнату. Тут все-таки было уютнее. Теплым оранжевым пятном светился диван, причем не весь, а уголок у старомодного торшера. Две стены были закрыты книжными полками, поставленными одна на другую, семь полок в высоту... Понятно.

Я начинал ее понимать. Уже не как объект работы, не как возможную жертву неведомого Темного мага, не как невольную причину катастрофы, а как человека. Книжный ребенок, замкнутая и закомплексованная, с кучей смешных идеалов и детской верой в прекрасного принца, который ее ищет и непременно найдет. Работа врачом, несколько подруг, несколько друзей и очень-очень много одиночества. Добросовестный труд, напоминающий кодекс строителя коммунизма, редкие походы в кафе и редкие влюбленности. И вечера, похожие один на другой, на диване, с книжкой, с валяющимся рядом телефоном, с бормочущим что-нибудь мыльно-успокоительное телевизором.

Как много вас до сих пор, девочек и мальчиков неопределенного возраста, воспитанных родителями-шестидесятниками. Как много вас, несчастных и не умеющих быть счастливыми. Как хочется вас пожалеть, как хочется вам помочь. Коснуться сквозь сумрак — чуточку, совсем несильно. Добавить немножко уверенности в себе, капельку оптимизма, грамм воли, зернышко иронии. Помочь вам, чтобы вы смогли помочь другим.

Нельзя.

Каждое действие Добра — соизволение проявить активность Злу. Договор! Дозоры! Равновесие мира?

Терпи или сходи с ума, нарушай закон, иди сквозь толпу, раздавая людям непрошеные подарки, ломая судьбы и ожидая, за каким поворотом выйдут навстречу бывшие друзья и вечные враги, чтобы отправить тебя в сумрак. Навсегда...

— Антон, как ваша мама?

Ах да. У меня, пациента Антона Городецкого, есть старушка мама. У мамы остеохондроз и полный комплект болезней пожилого возраста. Она тоже пациентка Светланы.

— Ничего, все нормально. Это я что-то...

— Ложитесь.

Я задрал рубашку и свитер, лег на диван. Светлана присела рядом. Пробежала теплыми пальцами по животу, зачем-то пропальпировала печень.

— Больно?

— Нет... сейчас нет.

— Сколько вы выпили?

Я отвечал на вопросы, выискивая ответы в памяти девушки. Вовсе не стоило выглядеть умирающим. Да... боли тупые, несильные... После еды... Вот сейчас чуточку заныло...

— Пока гастрит, Антон... — Светлана убрала руки. — Порадоваться нечему, сами понимаете. Я сейчас выпишу рецепт...

Она поднялась, пошла к двери, сняла с вешалки сумочку.

Все это время я следил за воронкой. Ничего не происходило, мой приход не вызвал усиления инферно, но и ослабить его не смог...

— *Антон...* — Голос шел сквозь сумрак, и я узнал Ольгу. — *Антон, воронка уменьшилась на три сантиметра. Ты где-то сделал правильный ход. Думай, Антон.*

Верный ход? Когда? Я ведь ничего не совершил, просто нашел повод для визита!

— Антон, у вас еще остался *омез?* — Светлана, присевшая за стол, посмотрела на меня. Заправляя рубашку, я кивнул:

— Да, несколько капсул.

— Сейчас придете домой, выпьете одну. А завтра купите еще. Будете пить две недели, перед сном.

Светлана явно была из тех врачей, что верят в таблетки. Меня это не смущало, я тоже в них верил. Мы, Иные, испытываем перед наукой иррациональный трепет даже в тех случаях, когда достаточно элементарного магического воздействия, тянемся за анальгином или антибиотиками.

— Светлана... простите, что спрашиваю. — Я виновато отвел глаза. — У вас неприятности?

— С чего вы взяли, Антон? — Она не перестала писать и даже не взглянула на меня. Но напряглась.

— Мне так кажется. Вас кто-то обидел?

Девушка отложила ручку, посмотрела на меня — с любопытством и легкой симпатией.

— Нет, Антон. Что вы. Это зима, наверное. Слишком долгая зима.

Она натянуто улыбнулась, и воронка инферно качнулась над ней, хищно повела черенком...

— Небо серое, мир серый. И делать ничего не хочется... все смысл утратило. Устала я, Антон. Вот весна наступит — все пройдет.

— У вас депрессия, Светлана, — ляпнул я, прежде чем сообразил, что вытянул диагноз из ее же памяти. Но девушка не обратила на это внимания.

— Наверное. Ничего, вот солнышко выглянет... Спасибо, что беспокоитесь, Антон.

На этот раз улыбка была более искренняя, хотя все равно вымученная.

Сквозь сумрак раздался шепот Ольги:

— *Антон, минус десять сантиметров! Воронка приседает! Антон, аналитики работают, продолжай общение!*

Что я делаю правильно?

Этот вопрос — он пострашнее, чем «что я делаю неправильно». Если ты ошибаешься — достаточно резко сменить линию поведения. Вот если попал в цель, сам того не понимая, — кричи караул. Тяжело быть плохим стрелком, случайно угодившим в яблочко, пытающимся вспомнить движение рук и прищур глаз, силу пальца, давящего спуск... и не признавая, что пулю направил в цель порыв безалаберного ветра.

Я поймал себя на том, что сижу и смотрю на Светлану. А она на меня, молча, серьезно.

— Простите, — сказал я. — Светлана, простите, ради Бога. Ввалился вечером, лезу не в свое дело...

— Ничего. Мне даже приятно, Антон. Хотите, я напою вас чаем?

— *Минус двадцать сантиметров, Антон! Соглашайся!*

Даже эти сантиметры, на которые уменьшается вихрь обезумевшего инферно, подарок судьбы. Это человеческие жизни. Десятки или даже сотни жизней, вырванные у неминуемой катастрофы. Не знаю, как это происходит, но я повышаю сопротивляемость Светланы к инферно. И воронка начинает таять.

— Спасибо, Светлана. С удовольствием.

Девушка встала, пошла на кухню. Я — следом. В чем же дело?

— *Антон, готов предварительный анализ...*

Мне показалось, что в прикрытом шторами окне мелькнул белый птичий силуэт — пронесся вдоль стены, следуя за Светланой.

— *Игнат работал согласно общей схеме. Комплименты, интерес, обожание, влюбленность. Это ей нравилось, но вызвало рост воронки. Антон, ты идешь другим путем — сочувствие. Причем сочувствие бездеятельное.*

Рекомендаций не последовало, значит, никаких выводов аналитики еще не сделали. Но по крайней мере я знал, как мне поступать дальше. Грустно смотреть, сочувственно улыбаться, пить чай и говорить: «У тебя усталые глаза, Света...»

Мы ведь перейдем на «ты», верно? Обязательно перейдем. Не сомневаюсь.

— Антон?

Я слишком долго на нее смотрел. Светлана застыла у плиты с тяжелым, матовым от водяной мороси чайником. Не то чтобы она испугалась, это чувство уже было ей недоступно, выпито черной воронкой дочиста. Скорее девушка смутилась.

— Что-то не так?

— Да. Мне неудобно, Светлана. Явился среди ночи, вывалил свои жалобы и еще остался чаевничать...

— Антон, я вас прошу остаться. Знаете, такой странный день выдался, что быть одной... Давайте, это будет моим гонораром за прием? То, что вы посидите и поговорите со мной, — торопливо уточнила Светлана.

Я кивнул. Любое слово могло стать ошибкой.

— *Воронка снизилась еще на пятнадцать сантиметров. Антон, ты выбрал верную тактику!*

Да ничего я не выбирал, как они не понимают, аналитики фиговые! Я воспользовался способностями Иного, чтобы войти в чужой дом, влез в чужую память, чтобы продлить свое пребывание там... а теперь просто плыву по течению.

И надеюсь, что река вынесет меня туда, куда надо.

— Хотите варсньс, Антон?

— Да...

Безумное чаепитие. Куда там Кэрроллу! Самые безумные чаепития творятся не в кроличьей норе, за столом с безумным шляпником, ореховой соней и мартовским зайцем. Маленькая кухня маленькой квартиры, утренний чай, долитый кипяточком, малиновое варенье из трехлитровой банки — вот она, сцена, на которой непризнанные актеры играют настоящие безумные чаепития. Здесь, и только здесь говорят слова, которые иначе не скажут никогда. Здесь жестом фокусника извлекают из темноты маленькие гнусные тайны, достают из буфета фамильные скелеты, находят в сахарнице пригоршню-другую цианистого калия. И никогда не найдется повода встать и уйти, потому что тебе вовремя подольют чая, предложат варенья и пододвинут поближе открытую сахарницу...

— Антон, я вас уже год знаю...

Тень — короткая тень растерянности в глазах девушки. Память услужливо заполняет провалы, память подсовывает объяснения, почему я, такой симпатичный и хороший человек, остаюсь для нее лишь пациентом.

— Пусть только по работе, но сейчас... Мне почему-то хочется с вами поговорить... как с соседом. Как с другом. Ничего?

— Конечно, Света.

Благодарная улыбка. Мое имя трудно сократить до уменьшительного, Антошка — это уже перебор, слишком широкий шаг.

— Спасибо, Антон. Знаешь... я и впрямь сама не своя. Уже дня три.

Конечно. Трудно оставаться собой, когда над тобой занесен меч Немезиды. Ослепшей, рассвирепевшей, вышедшей из-под власти мертвых богов Немезиды...

— Вот сегодня... да ладно...

Она хотела мне рассказать про Игната. Она не понимает, что с ней происходило, почему случайное знакомство едва не дошло до постели. Ей кажется, что она сходит с ума. Всем людям, попавшим в сферу деятельности Иных, приходит подобная мысль.

— Светлана, может быть, вы... может быть, ты с кем-то поссорилась?

Это грубый ход. Но я спешу, спешу, сам не понимая почему. Воронка пока стабильна и даже имеет тенденцию к снижению. Но я спешу.

— Почему ты так думаешь?

Светлана не удивлена и не считает вопрос слишком уж личным. Я пожимаю плечами и пытаюсь объяснить:

— У меня так часто бывает.

— Нет, Антон. Ни с кем я не ссорилась. Не с кем, да и незачем. Во мне самой что-то...

Ты не права, девочка. Ты даже не представляешь, насколько не права. Над тобой висит черная воронка таких размеров, что возникают раз в столетие. И это значит, что кто-то ненави-

114

дит тебя с такой силой, какая редко отпущена человеку... или Иному.

— Наверное, надо отдохнуть, — предположил я. — Куда-нибудь уехать... в глушь...

Я сказал это и вдруг подумал, что решение проблемы есть. Пусть неполное, пусть по-прежнему смертельное для самой Светланы. В глушь. В тайгу, в тундру, на Северный полюс. И там произойдет извержение вулкана, упадет астероид или крылатая ракета с ядерными боеголовками. Инферно прорвется, но пострадает лишь сама Светлана.

Как хорошо, что подобное решение для нас столь же невозможно, как предложенное Темным магом убийство.

— О чем думаешь, Антон?

— Света, что у тебя случилось?

— *Антон, слишком резко! Уводи разговор, Антон!*

— Неужели так заметно?

— Да.

Светлана опустила глаза. Я все ждал крика Ольги о том, что черный вихрь начал свой последний, катастрофический рост, что я все испортил, сломал и на совести моей отныне — тысячи человеческих жизней... Ольга молчала.

— Я предала...

— Что?

— Предала свою мать.

Она смотрела серьезно, без всякой гнусной рисовки человека, совершившего подлость и кичащегося этим.

— Не понимаю. Света...

— Моя мать больна, Антон. Почки. Требуется регулярный гемодиализ... но это полумера. В общем... мне предложили... пересадку.

— Почему тебе? — Я еще не понимал.

— Мне предложили отдать одну почку. Матери. Почти наверняка она приживется, я даже анализы прошла... потом отказалась. Я... я боюсь.

Я молчал. Уже все стало понятно. Что-то и впрямь сработало, что-то нашлось во мне такое, расположившее Светлану к столь полной откровенности. Мать.

Мать!

— *Антон, ты молодец. Ребята выехали.* — Голос Ольги был ликующим. Еще бы — мы нашли Темного мага! — *Надо же... а при первом контакте никто ничего не ощутил, сочли пустышкой... Молодец. Успокаивай ее, Антон, говори, утешай...*

В сумраке уши не заткнешь. Слушай, что говорят.

— Светлана, такого никто не вправе требовать...

— Да. Конечно. Я рассказала маме... и она велела забыть про это. Сказала, что с собой покончит, если я на такое решусь. Что ей... все равно умирать. А мне калечиться не стоит. Не надо было ничего говорить. Надо было отдать почку. Пусть бы потом узнала, после операции. Даже рожать с одной почкой можно... были прецеденты.

Почки. Какая глупость. Какая мелочь. Час работы для настоящего белого мага. Но нам не позволено лечить, каждое настоящее исцеление — индульгенция Темному магу на проклятие, на сглаз. И вот мать... родная мать, сама того не понимая, в секундном порыве эмоций, говоря на словах одно, запрещая дочери даже думать об операции, проклинает ее.

И вспухает чудовищный черный вихрь.

— Я теперь не знаю, что и делать, Антон. Глупости какие-то творю. Сегодня чуть не прыгнула в постель с незнакомым человеком. — Светлана все же решилась это сказать, хотя, наверное, сил потребовалось не меньше, чем на рассказ о матери.

— Света, можно что-то придумать, — начал я. — Понимаешь, главное не опускать руки, не казниться понапрасну...

— Я же специально сказала, Антон! Я знала, что она ответит! Я хотела, чтобы мне запретили! Ей проклясть меня надо, дуру чертову!

Светлана, ты не знаешь, насколько права... Никто не знает, какие механизмы тут задействованы, что происходит в сумраке и какая разница между проклятием незнакомого человека и проклятием любимого, проклятием сына, проклятием матери. Вот только материнское проклятие — страшнее всего.

— *Антон, спокойно.*

Голос Ольги отрезвил меня вмиг.

— *Слишком просто, Антон. Ты работал с материнскими проклятиями?*

116

— Нет, — сказал я. Сказал вслух, отвечая сразу и Светлане, и Ольге.

— Я виновата. — Светлана покачала головой. — Спасибо, Антон, но я и впрямь виновата.

— *Я работала,* — донеслось из сумрака. — *Антон, милый, это не так выглядит! Материнский гнев — яркая черная вспышка и большая воронка. Но рассеивается она вмиг. Почти всегда.*

Может быть. Я не стал спорить. Ольга специалист по проклятиям, и она повидала всякое. Да, конечно, родному ребенку не пожелают зла... уж надолго — не пожелают. Однако бывают исключения.

— *Исключения возможны,* — согласилась Ольга. — *Сейчас ее мать проверят полностью. Но... я не стала бы рассчитывать на быструю удачу.*

— Светлана, — спросил я. — А иного выхода нет? По-другому помочь твоей матери? Кроме трансплантации?

— Нет. Я врач, я знаю. Медицина не всесильна.

— А если не медицина?

Она замешкалась:

— О чем ты, Антон?

— Неофициальная медицина, — сказал я. — Народная.

— Антон...

— Я понимаю, Светлана, трудно поверить, — торопливо начал я. — Полно шарлатанов, аферистов, психически больных людей. Но неужели все — ложь?

— Антон, покажи мне человека, который вылечил действительно тяжелую болезнь. — Светлана с иронией посмотрела на меня. — Только не рассказывай про него, а покажи? Самого человека и его пациентов, желательно — до и после лечения. Тогда поверю, во все поверю. В экстрасенсов, в хилеров, в магистров белой и черной магии...

Я непроизвольно поежился. Над девушкой висело роскошнейшее доказательство существования «черной» магии, хоть в учебники вставляй.

— Могу показать, — сказал я. И вспомнил, как однажды в офис притащили Данилу. Это была обычная стычка... не самая рядовая, но и не слишком уж тяжелая. Ему просто не повезло. Брали семью оборотней, по какому-то мелкому нарушению Договора. Оборотни могли сдаться, и все закончилось бы коротким разбирательством между Дозорами.

Оборотни предпочли сопротивляться. Наверное, за ними тянулся след... кровавый след, о котором Ночной Дозор не знал и теперь уже никогда не узнает. Данила шел первым, и его серьезно порвали. Левое легкое, сердце, глубокое ранение в печень, одну почку вырвали начисто.

Чинил Данилу шеф, помогал почти весь персонал Дозора, все, у кого в тот момент были силы. Я стоял в третьем круге, нашей задачей было не столько подпитывать энергией шефа, сколько отражать внешнее влияние. И все-таки я временами поглядывал на Данилу. Он погружался в сумрак то один, то вместе с шефом. При каждом появлении в реальности раны уменьшались. Это было не столько сложно, сколько эффектно, ведь раны были свежие и не предопределенные судьбой. Но никаких сомнений в том, что шеф способен вылечить мать Светланы, я не испытывал. Даже если ее судьба обрывается в ближайшем будущем, если она непременно умрет. Вылечить — возможно. Смерть наступит по другим причинам...

— Антон, а тебе не страшно говорить такие вещи?

Я пожал плечами. Светлана вздохнула:

— Дарить надежду — это ведь ответственность. Антон, я не верю в чудеса. Но сейчас готова поверить. Ты этого не боишься?

Я посмотрел ей в глаза.

— Нет, Светлана. Я боюсь многих вещей. Но других.

— *Антон, снижение воронки на двадцать сантиметров. Антон, шеф просит передать — ты молодец.*

Мне что-то не понравилось в ее тоне. Разговор через сумрак не похож на обычный, и все-таки эмоции чувствуются.

— *Что случилось?* — спросил я сквозь мертвую серую пелену.

— *Работай, Антон.*

— *Что случилось?*

— Мне бы такую уверенность, — оказала Светлана. Посмотрела в окно: — Ты не слышал? Шорох какой-то...

— Ветер, — предположил я. — Или прошел кто-то.

— *Ольга, говори!*

— *Антон, с воронкой все нормально. Медленное снижение. Ты каким-то образом повышаешь ее внутреннюю сопротивляемость.*

По расчетам, к утру воронка снизится до условно безопасной ве-
личины. Я смогу приступить к работе.

— *Тогда в чем проблемы? Ольга, они есть, я чувствую!*
Она молчала.

— *Ольга, мы партнеры?*
Это подействовало. Я не видел сейчас белой совы, но знал,
что ее глаза сверкнули, и она на миг посмотрела на окна поле-
вого штаба. В лица шефу и наблюдателю от Темных.

— *Антон, проблемы с мальчиком.*

— *С Егором?*

— Антон, о чем ты думаешь? — спросила Светлана. Тяжело общаться одновременно и в реальном, и в сумеречном
мире...

— О том, что хорошо бы уметь раздваиваться.

— *Антон, у тебя гораздо более важная миссия.*

— *Ольга, говори.*

— Я не понимаю, Антон. — Это снова Светлана.

— Знаешь, я понял, что у одного моего знакомого — неприятности. Крупные неприятности. — Я посмотрел ей в глаза.

— *Вампирша. Она взяла мальчишку.*
Я ничего не ощутил... Никаких эмоций, ни жалости, ни
ярости, ни печали. Только внутри стало холодно и пусто.
Наверное, я этого ждал. Непонятно почему, но ждал.

— *Там же Медведь и Тигренок!*

— *Так получилось.*

— *Что с ним?*
Только бы не инициация! Смерть, только лишь смерть. Вечная смерть — страшнее.

— *Он жив. Она взяла его в заложники.*

— *Что?*
Такого не было. Просто никогда такого не случалось. Заложники — это человеческие игры.

— *Вампирша требует переговоров. Она хочет суда... надеет-*
ся выпутаться.
Мысленно я поставил вампирше пять с плюсом — за со-
образительность. Шансов уйти у нее нет и не было. А вот
свалить всю вину на уже уничтоженного товарища, который
ее инициировал... Ничего не знаю, ведать не ведаю. Укуси-

ли. Стала такой, какой стала. Правил не знала. Договора не читала. Буду нормальной, законопослушной вампиршей...

А ведь может и получиться! Особенно если Ночной Дозор пойдет на какие-то уступки. А мы пойдем... у нас нет выхода, любая человеческая жизнь должна быть защищена.

Я даже обмяк от облегчения. Казалось бы, что мне этот пацан на самом-то деле? Выпадет на него жребий — он превратится в законную добычу вампиров и оборотней. Такова жизнь. И я пройду мимо. И даже без жребия, сколько раз Ночной Дозор не успевал, сколько людей погибли от Темных... Но странная вещь: я уже ввязался в схватку за него, я вступил в сумрак и пролил кровь. И теперь мне не все равно. Совсем не все равно...

Темп общения в сумраке куда быстрее, чем разговор в человеческом мире. И все-таки мне приходилось разрываться между Ольгой и Светланой.

— Антон, не забивай себе голову моими проблемами.

Несмотря ни на что, мне захотелось засмеяться. Ее проблемами были сейчас забиты сотни голов, а Светлана об этом думать не думала и ведать не ведала. Но стоило упомянуть о чужих проблемах, таких крошечных на фоне черной воронки инферно, как девушка моментально перенесла их на себя.

— Знаешь, есть такой закон, — начал я. — Закон парных случаев. У тебя неприятности, но я говорил не о них. У другого человека тоже — крупные проблемы. Его личные проблемы, но от этого не легче.

Она поняла. И, что мне понравилось, не смутилась. Только уточнила:

— Мои проблемы тоже личные.

— Не совсем, — сказал я. — Мне так кажется.

— А тому человеку — ты можешь ему помочь?

— Ему помогут без меня, — сказал я.

— Ты уверен? Спасибо, что выслушал, но мне-то и впрямь помочь невозможно. Это судьба такая дурацкая.

— *Она меня прогоняет?* — спросил я сквозь сумрак. Мне не хотелось сейчас касаться ее сознания.

— *Нет,* — отозвалась Ольга. — *Нет... Антон, она чувствует.*

Неужели у нее есть способности Иной? Или это лишь случайный всплеск, вызванный тянущимся инферно?

— *Что чувствует?*

— *Что ты нужен там.*

— *Почему я?*

— *Эта сумасшедшая кровососущая стерва... она требует на переговоры именно тебя. Того, кто убил ее партнера.*

И вот тут мне стало по-настоящему плохо. У нас был факультативный курс по антитеррористическим мерам, скорее для того, чтобы не приходилось прибегать к способностям Иного, влипнув в человеческие разборки, чем для реальных рабочих потребностей. Психологию террористов мы проходили, и в ее рамках вампирша действовала вполне логично. Я был первым работником Дозора, попавшимся ей на пути. Я убил ее наставника, ранил ее саму. Для нее во мне сконцентрировался образ противника.

— *Давно требует?*

— *Около десяти минут.*

Я посмотрел в глаза Светлане. Сухие, спокойные, ни слезинки. Труднее всего, когда боль спрятана под спокойным лицом.

— Света, если я сейчас уйду?

Она пожала плечами.

— Все так глупо... — сказал я. — Мне кажется, что тебе сейчас нужна помощь. Хотя бы кто-то, кто умеет слушать. Или согласен сидеть рядом и пить остывший чай.

Слабая улыбка и едва заметный кивок.

— Но ты права... еще одному человеку нужна помощь.

— Антон, ты странный.

Я покачал головой:

— Не странный. Очень странный.

— У меня такое чувство... ведь я тебя давно знаю, а кажется, впервые вижу. И еще — словно ты одновременно и со мной разговариваешь, и с кем-то другим.

— Да, — сказал я. — Так и есть.

— Может быть, я схожу с ума?

— Нет.

— Антон... ты ведь не случайно пришел ко мне.

Я не ответил. Ольга шепнула что-то и замолчала. Медленно вращалась над головой исполинская воронка.

— Не случайно, — сказал я. — Чтобы помочь.

Если Темный маг, наложивший проклятие, следит за нами... Если это все-таки не случайное, «материнское проклятие», а нацеленный профессионалом удар...

В это облако Тьмы над головой довольно влить еще одну каплю ненависти. Волю Светланы к жизни достаточно ослабить на самую-самую малость. И последует прорыв. В центре Москвы проснется вулкан, спятит электроника на боевом спутнике, мутирует вирус гриппа...

Мы молча смотрели друг на друга.

Мне казалось, я уже почти понимаю, что происходит на самом деле. Вот она разгадка, рядом, и все наши версии — глупость и чушь, следование старым правилам и схемам, которые просил отбросить шеф. Но для этого надо было подумать, надо было хоть на секунду отрешиться от происходящего, уставиться на голую стену или в бездумный телеэкран, не разрываться между желанием помочь одному маленькому человечку и десяткам, сотням тысяч людей. Не колыхаться в этой убийственной трясине подлого выбора, который при любом раскладе останется подлым, и всей разницей для меня будет — быстро я погибну, перейдя под ударом инферно в серые просторы сумеречного мира, или медленно и мучительно, разжигая в собственном сердце тусклый огонек презрения к себе...

— Света, я должен идти, — сказал я.

— *Антон!* — Это не Ольга, это шеф. — *Антон...*

Он запнулся, он ничего не мог мне приказать, ситуация зашла в этический тупик. Видимо, вампирша стояла на своем и ни с кем другим вести переговоры не желала. Приказывая мне остаться, шеф убивал мальчишку-заложника... и потому даже не мог приказать. Даже просить не мог.

— *Мы организуем твой отход...*

— *Лучше сообщите упырихе, что я еду.*

Светлана протянула руку, легонько коснулась моей ладони:

— Ты уходишь насовсем?

— До утра, — сказал я.

— Я не хочу, — просто сказала девушка.

— Знаю.

— Кто ты?

122

Экспресс-посвящение в тайны мироздания? Дубль два?

— Я расскажу утром. Хорошо?

— *Ты сошел с ума,* — донесся голос шефа.

— Тебе действительно надо уходить?

— *Только этого не говори!* — крикнула Ольга. Она почувствовала мои мысли.

Но я сказал:

— Света, когда тебе предложили искалечить себя, но продлить жизнь матери, когда ты отказалась... Это было правильно и разумно, так ведь? Но сейчас тебе плохо. Так плохо, что лучше было бы поступить неразумно.

— Если ты сейчас не уйдешь, плохо будет тебе?

— Да.

— Тогда иди. Только вернись, Антон.

Я встал из-за стола, оставив остывший чай. Вихрь инферно покачивался над нами.

— Обязательно приду, — сказал я. — И... поверь, еще не все потеряно.

Больше мы не сказали друг другу ни слова. Я вышел, начал спускаться по ступенькам. Светлана закрыла за мной дверь. Какая тишина... мертвая тишина, даже собаки устали скулить в эту ночь.

Неразумно. Я поступаю неразумно. Если нет этически правильного выхода, поступай неразумно. Мне это кто-то говорил? Или вспомнилась строка из старых конспектов, фраза из лекции? Или я подбираю себе оправдания?

— *Воронка...* — прошептала Ольга. Голос был почти незнакомый, севший. Захотелось вжать голову в плечи.

Я толкнул подъездную дверь, выскочил на обледенелый тротуар. Белая сова комком пуха кружила над головой.

Вихрь инферно уменьшился, присел. Ненамного по сравнению с общей высотой, но уже заметно для глаз, метра на полтора-два.

— *Ты знал, что это произойдет?* — спросил шеф.

Покачав головой, я взглянул на вихрь. Да в чем же тут дело? Почему на появление Игната, специалиста по приведению людей в благостное расположение духа, инферно отреагировало усилением, почему мой сумбурный разговор и неожиданный уход снизили воронку?

— *Группу аналитиков пора разгонять*, — сказал шеф. Я понял, что это уже было сказано всем, не мне одному. — *Когда у нас будет рабочая версия происходящего?*

Машина вынырнула откуда-то с Зеленого проспекта, обдала меня лучами фар, скрипнула шинами, неуклюже переваливаясь через бугры разбитого асфальта, остановилась у подъезда. Приземистый спортивный кабриолет теплого оранжевого цвета был нелеп среди унылых панельных многоэтажек в городе, где лучшим видом транспорта по-прежнему оставался джип.

Семен высунулся с места водителя, кивнул:

— Садись. Приказано доставить тебя с ветерком.

Я оглянулся на Ольгу, и та почувствовала взгляд.

— Моя работа здесь. Езжай.

Обойдя машину, я сел на переднее сиденье. Сзади развалился Илья, видимо, шеф счел нужным усилить пару Тигренок—Медведь.

— *Антон*, — догнал меня сквозь сумрак голос Ольги. — *Помни... ты сегодня задолжал. Держи это в памяти, каждый миг держи...*

Я не сразу понял, о чем она говорит. Ведьмочка из Дневного Дозора? Да при чем тут она?

Машина рванула, задевая днищем ледяные надолбы. Семен вкусно выругался, крутя руль, с негодующим ревом двигателя машина поползла к проспекту.

— У какого полудурка вы взяли тачку? — спросил я. — В такую погоду на ней...

Илья хихикнул:

— Тс-с! Борис Игнатьевич одолжил тебе свой автомобиль.

— Правда, что ли? — только и спросил я, оборачиваясь. На работу шефа возил служебный «БМВ». Вот уж не замечал в нем тяги к непрактичной роскоши...

— Правда. Антошка, как ты его? — Илья кивнул в сторону высящегося над домами вихря. — Не замечал у тебя подобных способностей!

— Я его не трогал. Только с девушкой говорил.

— Говорил? А трахнуть — трахнул?

Это была обычная манера общения Ильи, когда он от чего-то напрягался. А уж поводов для волнения у нас сейчас было хоть отбавляй. И все же я поморщился. То ли нарочитость какую-то поймал в словах... то ли просто резануло.

— Нет. Илья, не надо так.

— Извини, — легко согласился он. — Так что ты сделал?

— Просто поговорил.

Машина наконец-то вырвалась на проспект.

— Держитесь, — коротко велел Семен. Меня вжало в кресло. Сзади возился Илья, доставая и раскуривая сигарету.

Секунд через двадцать я понял, что предыдущая поездка была неторопливой увеселительной прогулкой.

— Семен, вероятность аварии убрана? — крикнул я. Машина неслась через ночь, будто пыталась обогнать свет своих фар.

— Я семьдесят лет за рулем, — презрительно бросил Семен. — Я по Дороге Жизни грузовики в Ленинград водил!

Сомневаться в его словах не приходилось, и все же я подумал, что те поездки были менее опасными. Скорости не те, предугадать падение бомбы для Иного — не проблема. Машины сейчас попадались пусть нечасто, но попадались, дорога была, мягко говоря, отвратительной, наш спортивный автомобиль для подобных условий никак не предназначался...

— Илья, что там произошло? — пытаясь оторвать взгляд от увиливающего с нашего пути грузовика, спросил я. — Ты в курсе?

— С вампиршей и пацаном, что ли?

— Да.

— Глупость наша, вот что произошло. — Илья выругался. — Хотя и глупость относительная... Все было нормально сделано. Тигренок и Медведь представились родителям мальчишки дальними, но любимыми родственниками.

— «Мы с Урала»? — спросил я, вспомнив курс по общению с людьми и варианты знакомства.

— Да. Все шло нормально. Застолье, пьянка, поедание уральских деликатесов... из ближайшего супермаркета...

Я вспомнил увесистую сумку Медведя.

— В общем, время они проводили хорошо. — В голосе Ильи была не зависть, а скорее полное одобрение товарищей. — Светло, тепло и мухи не кусают. Пацан то с ними сидел, то в своей комнате... Откуда было знать, что он уже способен входить в сумрак?

Меня обдало холодом.

И впрямь — откуда?

Я же не сказал. Ни им, ни шефу. Никому. Удовлетворился тем, что вытащил мальчишку из сумрака, пожертвовав толикой своей крови. Герой. Один в поле воин.

Илья продолжал, ни о чем не подозревая.

— Вампирша зацепила его Зовом. Очень прицельно, ребята не почувствовали. И крепко... пацан даже не пикнул. Вошел в сумрак и выбрался на крышу.

— Как?

— По балконам до крыши было всего три этажа. Вампирша уже ждала там. Причем знала, что парень с охраной, едва схватила — сразу же раскрылась. Теперь родители спят крепким здоровым сном, вампирша стоит с мальчишкой в обнимку. Тигренок и Медведь рядом с ума сходят.

Я молчал. Нечего тут было говорить.

— Глупость наша, — все-таки заключил Илья. — И роковое стечение обстоятельств. Мальчишку ведь даже никто не иницировал... Кто знал, что он может войти в сумрак?

— Я знал.

Может быть, это были воспоминания. Может быть, страх перед бешеной гонкой автомобиля по трассе. Но я посмотрел в сумрак.

Как хорошо людям, они не видят этого — никогда! Как им плохо — им не дано увидеть!

Глубокое серое небо, в котором нет и не было звезд, небо вязкое как кисель, светящееся тусклым, мертвенным светом. Все силуэты смягчились, растаяли — и дома, по стенам которых растекся ковер синего мха, и деревья, ветви которых в сумраке колышутся совсем не по воле ветра, и уличные фонари, над которыми кружат, едва шевеля короткими крыльями, сумеречные птицы. Едут навстречу машины — медленно-медленно, шагают люди — едва переставляя ноги. Все сквозь серый светофильтр, все сквозь ватные пробки в ушах. Немое чернобелое кино, изыск пресыщенного режиссера. Мир, где мы черпаем свою силу. Мир, который пьет нашу жизнь. Сумрак. Каким в него войдешь, таким и выйдешь. Серая мгла растворит скорлупу, которая нарастала на тебе всю жизнь, вытащит то ядрышко, что люди называют душой, и попробует на зуб. И вот когда ты почувствуешь, как хрустишь в челюстях сумрака, ощутишь пронизывающий холодный ветер, едкий, как змеиная слюна... тогда ты станешь Иным.

И выберешь, на чью сторону встать.

— Мальчик еще в сумраке? — спросил я.

— Они все в сумраке... — Илья нырнул вслед за мной. — Антон, почему же ты не сказал?

— Не подумал. Не придал значения. Я не оперативный работник, Илья.

Он покачал головой.

Мы не умеем, почти не умеем упрекать друг друга. Особенно если кто-то и в самом деле виноват. В этом нет нужды, наше наказание всегда вокруг нас. Сумрак дает нам силы, недоступные людям, дает жизнь, по человеческим понятиям — почти вечную. И он же отбирает все, когда приходит час.

В каком-то смысле все мы живем взаймы. Не только вампиры и оборотни, которым надо убивать, чтобы продлить свое странное существование. Темные не могут позволить себе добра. Мы — наоборот.

— Если я не справлюсь... — Я не закончил фразу. И так все было ясно.

ГЛАВА 8

Сквозь сумрак это было даже красиво. На крыше, плоской крыше нелепого «дома на ножках», горели разноцветные блики. Единственное, что здесь имеет цвет, — наши эмоции. Их сейчас было предостаточно.

А самым ярким был дырявящий небо столб багрового пламени — страх и ярость вампирши.

— Сильна, — коротко сказал Семен, взглянув на крышу и пинком захлопывая дверь машины. Вздохнул и стал раздеваться.

— Ты что? — спросил я.

— Пойду-ка я туда по стене... по балконам. И тебе советую, Илья. Только ты иди в сумраке, легче.

— А ты как собрался?

— Обычно. Меньше шансов, что заметит. Да не беспокойтесь... я шестьдесят лет альпинизмом занимался. Фашистский флаг с Эльбруса скидывал.

Семен разделся до рубашки, кидая одежду на капот. Мимолетное охранное заклятие легло следом, прикрыв и тряпки, и саму щегольскую тачку.

— Уверен? — поинтересовался я.

Семен ухмыльнулся, поежился, сделал несколько приседаний, покрутил руками, будто физкультурник на разминке. И неспешной рысцой побежал к зданию. Легкий снежок падал ему на плечи.

— Заберется? — спросил я Илью. Как подняться по стене здания в сумраке, я знал. Теоретически. А вот восхождение в обычном мире, да без всякого снаряжения...

— Должен, — без особой убежденности подтвердил Илья. — Когда он десять минут плыл по подземному руслу Яузы... я тоже думал, что не выберется.

— Тридцать лет занятий подводным плаванием, — мрачно сказал я.

— Сорок... Пойду я, Антон. Ты как — лифтом?

— Да.

— Ну давай... не тяни.

Он перешел в сумрак и побежал вслед за Семеном. Наверное, они будут подниматься по разным стенам, но я даже не хотел выяснять, кто по какой. Меня ждал свой путь, и скорее всего, что он не будет легче.

— И зачем ты меня встретил, шеф... — прошептал я, подбегая к подъезду. Снег хрустел под ногами, в ушах стучала кровь. На бегу я достал из кобуры пистолет, снял с предохранителя. Восемь разрывных серебряных пуль. Должно хватить. Только бы попасть. Только бы найти тот миг, когда у меня будет шанс попасть, опередить вампиршу и не зацепить мальчика.

— *Рано или поздно тебя бы встретили, Антон. Если не мы, то Дневной Дозор. А у них тоже были все шансы получить тебя.*

Я не удивился, что он следит за мной. Во-первых, дело было серьезное. Во-вторых, он все-таки мой первый наставник.

— *Борис Игнатьевич, если что...* — Я расстегнул куртку, засунул пистолет за спину, воткнул ствол под ремень. — *О Светлане...*

— *Ее мать проверили до конца, Антон. Нет. Она не способна на проклятие. Никаких способностей.*

— *Нет, я о другом. Борис Игнатьевич... я вот что подумал. Я ее не жалел.*

— *И что это значит?*

— *Не знаю. Но я ее не жалел. Не делал комплиментов. Не оправдывал.*

— *Понятно.*

— *А теперь... исчезните, пожалуйста. Это моя работа.*

— *Хорошо. Извини, что погнал тебя в поле. Удачи, Антон.*

На моей памяти шеф не извинялся ни перед кем и никогда. Но мне некогда было удивляться, наконец-то подошел лифт.

Я нажал кнопку последнего этажа и машинально взял болтающиеся на шнуре пуговки наушников. Странно, но они играли. Когда я включил плеер?

И что мне выкинет случай?
Все решится потом, для одних он никто,
Для меня — господин,
Я стою в темноте, для одних я как тень,
Для других — невидим.

Обожаю «Пикник». Интересно, а Шклярского проверяли на принадлежность к Иным? Стоило бы... А может, и не надо. Лучше пусть поет.

Я танцую не в такт, я все сделал не так,
Не жалея о том.
Я сегодня похож на несбывшийся дождь,
Не расцветший цветок.
Я, я, я — я невидим.
Я, я, я — я невидим.
Наши лица как дым, наши лица как дым,
И никто не узнает, как мы победим...

Можно считать последнюю фразу добрым предзнаменованием?

Лифт остановился.

Выскочив на площадку последнего этажа, я посмотрел на люк в потолке. Замок был сорван, именно сорван — дужка расплющена и растянута. Вампирше это ни к чему, она на крышу скорее всего прилетела. Мальчишка поднялся по балконам.

Значит, Тигренок или Медведь. Скорее всего Медведь, Тигренок выбила бы люк.

Я стащил куртку, кинул на пол вместе с бормочущим плеером. Потрогал пистолет за спиной — тот держался крепко. Значит, технические средства — ерунда? Посмотрим, Ольга, посмотрим.

Свою тень я отбросил вверх, спроецировал на воздух. Подтянулся и рывком скользнул в нее. Войдя в сумрак, я полез по лесенке. Синий мох, густо облепивший железные прутья, пружинил под пальцами и пытался отползти.

— Антон!

Я выскочил на крышу и даже пригнулся немного: такой здесь был ветер. Безумный, шквальный, ледяной. То ли отголосок ветра из человечьего мира, то ли причуда сумрака. Пока меня прикрывала от него бетонная коробка лифтовой шахты, выдающаяся над крышей, но стоило сделать шаг, и пробрало до костей.

— Антон, мы здесь!

Тигренок стояла метрах в десяти. Я посмотрел на нее и на миг позавидовал: уж она-то холода точно не чувствовала.

Откуда оборотни и маги берут массу для трансформации тела, я не знал. Вроде бы не из сумрака, но и не из человеческого мира. В человеческом облике девушка весила килограммов пятьдесят, может быть, чуть больше. В молодой тигрице, стоящей в боевой стойке на обледенелой крыше, было центнера полтора. Аура ее пылала оранжевым, по шерсти стекали медленные, неторопливые искорки. Хвост размеренно стегал налево-направо, правая передняя лапа размеренно царапала битум. В этом месте крыша была продрана до бетона... кого-то по весне зальет...

— Подходи ближе, Антон, — рявкнула тигрица, не оборачиваясь. — Вон она!

Медведь держался к вампирше ближе, чем Тигренок. Выглядел он еще более грозно. В этот раз для трансформации он выбрал облик белого медведя, причем в отличие от реальных обитателей Арктики был снежно-белым, как на картинках в детских книгах. Нет, наверное, он все-таки маг, а не перевоспитавшийся оборотень. Оборотни скованы одним, максимум двумя обликами, а я видел Медведя и в образе косолапого бурого медведя, это когда мы устраивали карнавал для американской делегации Дозора, и в обличье гризли — это на показательных занятиях по перевоплощению.

Вампирша стояла у самого края крыши.

Она сдала, ощутимо сдала с нашей первой встречи. Лицо еще больше заострилось, щеки впали. На начальном этапе перестройки организма вампирам почти непрерывно нужна свежая кровь. Но обманываться внешностью не стоило: ее истощение лишь внешнее, причиняет ей муки, но сил не лишает. Ожог на лице почти прошел, след от него едва угадывался.

— Ты! — Голос вампирши был торжествующим. Удивительно торжествующим — будто не на переговоры меня позвала, а на заклание.

— Я.

Егор стоял перед вампиршей, она заслонялась им от оперативников. Мальчик был в сумраке, порожденном упырихой, и потому сознания не терял. Стоял молча, не двигаясь, смотрел то на меня, то на Тигренка. Очевидно, полагался на нас больше всего. Одной рукой вампирша охватила мальчишку поперек груди, прижимая к себе, другую — с выпущенными когтями, держала у его горла. Оценить ситуацию было нетрудно. Пат. Причем взаимный.

Попытайся Тигренок или Медведь напасть на упыриху — та одним взмахом руки снесет мальчику голову. А это не лечится... даже с нашими возможностями. С другой стороны, стоит ей убить пацана — ничто нас сдерживать не будет.

Нельзя загонять врага в угол. Особенно если идешь убивать.

— Ты хотела, чтобы я пришел. Я пришел. — Я поднял руки, демонстрируя, что в них ничего нет. Пошел вперед.

131

Когда оказался между Тигренком и Медведем, вампирша оскалила клыки:

— Стой!

— У меня нет ни осины, ни боевых амулетов. Я не маг. И ничего не смогу тебе сделать.

— Амулет! На твоей шее амулет!

Вот оно что...

— Он не имеет к тебе никакого отношения. Это защита от того, кто неизмеримо выше тебя.

— Сними!

Ой как нехорошо... как плохо... Я подцепил цепочку, сорвал амулет и бросил под ноги. Теперь, при желании, Завулон может попытаться воздействовать на меня.

— Снял. Теперь говори. Чего ты хочешь?

Вампирша крутанула головой — ее шея легко сделала оборот на триста шестьдесят градусов. Ого! Я про такое даже не слышал... и наши боевики, вероятно, тоже: Тигренок зарычала.

— Кто-то крадется! — Голос у вампирши оставался человеческим — визгливый истеричный голос молодой глупой девчонки, случайно обретшей силу и власть. — Кто? Кто?

Левую руку, где она отрастила когти, она вдавила в шею мальчишки. Я вздрогнул, представив, что будет, если выступит хоть капелька крови. Упыриха же потеряет контроль над собой! Другой рукой, нелепым обвиняющим жестом, заставляющим вспомнить Ленина на броневике, вампирша указала на край крыши.

— Пусть он выйдет!

Я вздохнул и позвал:

— Илья, выходи...

В обрез крыши вцепились пальцы. Через миг Илья перемахнул низенькое ограждение, встал рядом с Тигренком. Где он там прятался? На козырьке балкона? Или висел, вцепившись в плети синего мха?

— Я знала! — торжествующе сказала вампирша. — Обман!

Семена она, похоже, не чувствовала. Может быть, наш флегматичный друг лет сто занимался ниндзютсу?

— Не тебе говорить об обмане.

— Мне! — На миг в глазах вампирши мелькнуло что-то человеческое. — Я умею обманывать! Вы — нет!

Хорошо. Хорошо, ты умеешь, а мы — нет. Верь и надейся. Если ты считаешь, что понятие «ложь во спасение» годится лишь для проповедей, — верь. Если ты думаешь, что «добро должно быть с кулаками» лишь в старых стихах осмеянного поэта, — надейся.

— Чего ты хочешь? — спросил я.

Она замолчала на миг, будто и не задумывалась раньше об этом:

— Жить!

— С этим опоздала. Ты уже мертва.

Вампирша вновь оскалилась:

— Правда? А мертвые умеют отрывать головы?

— Да. Только это они и умеют.

Мы смотрели друг на друга, и это было так странно, так театрально-напыщенно, и весь разговор был нелеп, ведь нам никогда не понять друг друга. Она мертва. Ее жизнь — чужая смерть. Я жив. Но с ее стороны — все наоборот.

— В этом нет моей вины. — Ее голос вдруг стал спокойнее, мягче. И рука на шее Егора чуть расслабилась. — Вы, вы, называющие себя Ночным Дозором... те, кто не спит по ночам, кто решил, что он вправе хранить мир от Тьмы... Где вы были, когда пили мою кровь?

Медведь сделал шажок вперед. Крошечный шажок, будто и не переступил могучими лапами, а просто скользнул под напором встра. Я подумал, что он будет так скользить еще десяток минут, как скользил весь этот час, пока длилось противостояние. Да тех пор, пока не сочтет шансы достаточными. Тогда он прыгнет... и если повезет, мальчишка будет вырван из рук вампирши, отделавшись парой сломанных ребер.

— Мы не можем уследить за всеми, — сказал я. — Просто не можем.

Вот что страшно... я начинал ее жалеть. Не мальчишку, влипшего в игры Света и Тьмы я жалел, не девушку Светлану, над которой нависло проклятие, не ни в чем не повинный город, который ударит этим проклятием... Вампиршу я жалел. Потому что и впрямь — где мы были? Мы, называющие себя Ночным Дозором...

— В любом случае у тебя был выбор, — сказал я. — И не говори, что это не так. Инициация проходит лишь по обоюдному согласию. Ты могла умереть. Честно умереть. Как человек.

— Честно? — Вампирша мотнула головой, рассыпая волосы по плечам. Где же Семен... неужели так трудно взобраться на крышу двадцатаэтажного дома? — Я бы хотела... честно. А тот... кто ставил подписи на лицензии... кто предназначил меня в пищу? Он поступал честно?

Свет и Тьма...

Она не просто жертва взбесившегося вампира. Она была назначена добычей, выбрана слепым жребием. И не было у нее никакой судьбы, кроме как отдать свою жизнь для продления чужой смерти. Вот только тот парень, что рухнул мне под ноги пригоршней праха, сожженный печатью, он полюбил. Действительно полюбил... и не высосал чужую жизнь, а превратил девушку в равную себе.

Мертвые умеют не только отрывать головы, но и любить. Беда лишь в том, что даже их любовь требует крови.

Он вынужден был ее скрывать, ведь он превратил девушку в вампира незаконно. Он должен был ее кормить, и тут годилась лишь живая кровь, а не склянки, сданные наивными донорами.

И началось браконьерство на улицах Москвы, и мы, хранители Света, доблестный Ночной Дозор, отдающие людей в жертву Темным, встрепенулись.

Самое страшное в войне — понять врага. Понять — значит простить. А мы не имеем на это права... с сотворения мира не имеем.

— И все-таки у тебя был выбор, — сказал я. — Был. Чужое предательство — не оправдание собственного.

Она тихонько засмеялась.

— Да, да... добрый слуга Света... Конечно. Ты прав. И ты можешь тысячу раз повторить, что я мертва. Что душа моя сгорела, растворилась в сумраке. Только объясни мне, подлой и злой, в чем между нами разница? Объясни так... чтобы я поверила.

Вампирша склонила голову, посмотрела в лицо Егору. Сказала доверительно, почти по-дружески:

— А вот ты... мальчик... ты меня понимаешь? Ответь. Ответь честно, не обращай внимания... на когти. Я не обижусь.

Медведь скользнул вперед. Еще чуть-чуть. И я почувствовал, как напрягаются его мышцы, как он готовится к прыжку.

А за спиной вампирши, беззвучно, плавно и в то же время быстро — как он ухитряется так стремительно двигаться в человеческом мире? — появился Семен.

— Малыш, проснись! — весело сказала упыриха. — Ответь! Только честно! И если ты думаешь, что он прав, а я не права... если ты действительно в это веришь... я отпущу тебя.

Я поймал взгляд Егора.

И понял, что он ответит.

— Ты тоже... права.

Пусто. Холодно. Нет сил на эмоции. Пусть выходят, пусть пылают костром, что не виден людям.

— Чего ты хочешь? — спросил я. — Существовать? Хорошо... сдавайся. Будет суд, совместный суд Дозоров...

Вампирша посмотрела на меня. Покачала головой:

— Нет... Я не верю в ваш суд. Ни Ночному Дозору... ни Дневному.

— Тогда зачем ты звала меня? — спросил я. Семен двигался к вампирше, он был все ближе и ближе...

— Чтобы отомстить, — просто сказала вампирша. — Ты убил моего друга. Я убью твоего... на твоих глазах. Потом... попробую... убить тебя. Но даже если не выйдет... — Она улыбнулась. — Тебе хватит осознания, что ты не спас мальчика. Ведь верно? Дозорный? Вы подписываете лицензии, не глядя в лица людей. Но стоит вам посмотреть... и выползает наружу мораль... вся ваша фальшивая, дешевая, подлая мораль...

Семен прыгнул.

И одновременно с ним — Медведь.

Это было красиво, и это было быстрее любой пули, любого заклятия, потому что, в конце концов, всегда остается лишь тело, наносящее удар, и умение, которое постигали двадцать, сорок, сто лет...

И все же я вырвал из-за спины пистолет и рванул спуск, зная, что пуля будет двигаться лениво и медленно, «рапидной» съемкой из дешевого боевика, оставляя вампирше шанс увернуться и шанс убить.

Семен распластался в воздухе, будто налетев на стеклянную стену, сполз по невидимой преграде, одновременно переходя в сумрак. Медведя отшвырнуло — он был куда массивнее. Пуля, с грацией стрекозы ползущая к вампирше, полыхнула лепестком пламени и исчезла.

Если бы не глаза упырихи, медленно расширяющиеся, недоуменные, то я решил бы, что защитный колпак опустила она сама... Хоть это и является привилегией лишь высших магов...

— Они под моей охраной... — раздалось из-за спины.

Я обернулся — и встретил взгляд Завулона.

Удивительно, что вампирша не впала в панику. Удивительно, что не убила Егора. Неудачная атака и появление Темного мага стали для нее куда большей неожиданностью, чем для нас, потому что я ждал... ждал чего-то подобного, едва снял амулет.

Меня не удивляло, что он прибыл так быстро. У Темных — свои дороги. Вот только почему Завулон, наблюдатель от Темных, предпочел эту маленькую разборку пребыванию в нашем штабе? Утратил интерес к Светлане и нависшему над ней вихрю? Понял что-то, до чего мы никак не можем дойти?

Проклятая привычка просчитывать! Оперативники ее лишены по самой сути своей работы. Их стихия — немедленная реакция на опасность, схватка, победа или поражение.

Илья уже достал магический жезл. Его бледно-сиреневое свечение было слишком ярким для мага третьей ступени и слишком уж ровным, чтобы поверить в неожиданный всплеск сил. Скорее всего жезл заряжал сам шеф.

Значит, предполагал?

Значит, ждал появления кого-то, по силе соизмеримого с ним?

Ни Тигренок, ни Медведь менять облик не стали. Их магия не нуждалась в приспособлениях и уж тем более — в человеческих телах. Медведь по-прежнему смотрел на вампиршу, начисто игнорируя Завулона. Тигренок встала рядом со мной. Семен, потирая поясницу, медленно обходил вампиршу, демонстративно показываясь ей на глаза. Темного мага он тоже предоставлял нам.

— Они? — прорычала Тигренок.

Я даже не сразу понял, что ее смутило.

— Они под моей охраной, — повторил Завулон. Он кутался в бесформенное черное пальто, его голову покрывал мятый берет из темного меха. Руки маг прятал в карманы, но я был почему-то уверен — нет там ничего, ни амулетов, ни пистолетов.

— Кто ты? — закричала вампирша. — Кто ты?

— Твой защитник и покровитель. — Смотрел Завулон на меня, даже не на меня — немножко вскользь, мимо. — Твой хозяин.

Он что, с ума сошел? Вампирша ничего толком не понимает в расстановке сил. Она на взводе. Она собралась умереть... прекратить существование. Сейчас у нее появился шанс уцелеть, но такой тон...

— У меня нет хозяев! — Девушка, чья жизнь стала чужой смертью, засмеялась. — Кто бы ты ни был — из Света, из Тьмы — запомни! У меня нет и не будет хозяев!

Она начала отступать к краю крыши, волоча за собой Егора. По-прежнему одной рукой придерживая, другую держа у горла. Заложник... хороший ход против сил Света.

А может быть, и против сил Тьмы?

— Завулон, мы согласны, — сказал я. Опустил руку на напрягшуюся спину Тигренка. — Она твоя. Забирай ее — до суда. Мы чтим Договор.

— Я забираю их... — Завулон слепо смотрел вперед. Ветер хлестал его в лицо, но немигающие глаза мага были широко раскрыты, будто их отлили из стекла. — Женщина и мальчик наши.

— Нет. Только вампирша.

Он наконец-то удостоил меня взгляда:

— Адепт Света, я беру лишь свое. Я чту Великий Договор. Женщина и мальчик — наши.

— Ты сильнее любого из нас, — сказал я. — Но ты один, Завулон.

Темный маг покачал головой и улыбнулся, печально, сочувственно.

— Нет, Антон Городецкий.

Они вышли из-за лифтовой шахты, юноша и девушка. Знакомые мне. Увы, знакомые.

Алиса и Петр. Ведьма и ведьмак из Дневного Дозора.

— Егор! — негромко позвал Завулон. — Ты понял различие между нами? Чья сторона представляется тебе более предпочтительной?

Мальчик молчал. Но, может быть, лишь потому, что когти вампирши касались его горла.

— У нас проблема? — мурлычущим голосом спросила Тигренок.

— Ага, — подтвердил я.

— Ваше решение? — спросил Завулон. Его дозорные пока молчали, не вмешивались в происходящее.

— Мне не нравится, — сказала Тигренок. Она чуть подалась к Завулону, и ее хвост нещадно стегал меня по колену. — Мне очень не нравится точка зрения Дневного Дозора... на происходящее...

Это, очевидно, было их общее с Медведем мнение: когда они работали в паре, то высказывался кто-то один. Я посмотрел на Илью: тот крутил жезл в пальцах и улыбался, нехорошо, мечтательно. Как ребенок, который вместо пластмассового автомата притащил в компанию заряженный «узи». Семену явно было все равно. Чихал он на мелочи. Он семьдесят лет занимается бегом по крышам.

— Завулон, ты говоришь от Дневного Дозора? — спросил я.

И секундная тень колебания мелькнула в глазах Темного мага. Что же происходит... Почему Завулон покинул наш штаб, пренебрегая возможностью выследить и привлечь к Дневному Дозору неизвестного мага чудовищной силы? Такой возможностью не пренебрегают, даже ради вампирши и паренька с потенциально большими способностями. Почему Завулон идет на конфликт?

И почему, почему он не хочет — я ведь вижу это, тут нет сомнений! — выступать от имени всего Дневного Дозора?

— Я говорю как частное лицо, — сказал Завулон.

— Тогда у нас небольшие личные разногласия, — ответил я.

— Да.

Он не хочет вмешивать Дозоры. Сейчас мы — просто Иные, пусть и состоящие на службе, пусть и занятые на заданиях. Но Завулон предпочитает не доводить конфликт до официального противостояния. Почему? Так верит в свои силы или так боится появления шефа?

Ничего не понимаю.

А самое главное: почему он бросил штаб и охоту. За чародеем, наложившим проклятие на Светлану? Темные добивались того, чтобы чародея отдали им. А теперь с легкостью отказываются?

Что известно Завулону? Что неизвестно нам?

— Ваши жалкие... — начал Темный маг. Он не успел закончить — свой ход совершила жертва.

Я услышал рык Медведя, недоуменный, растерянный рык, и обернулся.

Егор, вот уже полчаса пребывающий в роли заложника, прижатый к вампирше, растворялся, исчезал.

Мальчишка уходил глубже в сумрак.

Вампирша сжала руки, пытаясь не то удержать его, не то убить. Взмах когтистой лапы был стремителен, но уже не встретил живой плоти. Вампирша ударила сама себя — под левую грудь, в сердце.

Как жаль, что она неживая!

Медведь прыгнул. Ожившим сугробом пронёсся сквозь пустоту, где только что стоял Егор, и повалил вампиршу. Под его тушей дергающееся тело скрылось полностью, лишь высовывалась, судорожно колотя по мохнатому боку, когтистая рука.

В тот же самый миг Илья вскинул жезл. Сиреневый свет чуть потускнел, прежде чем жезл взорвался, превращаясь в колонну белого пламени. Казалось, что в руках оперативника — оторванный от маяка луч прожектора, ослепительный и почти ощутимо плотный. С видимым усилием Илья взмахнул руками, чиркнул по серому небу лучом, невиданным в Москве со времен войны, и обрушил исполинскую дубину на Завулона.

Темный маг закричал.

Его повалило, прижало к крыше, а световой столб вырвался из рук Ильи, обретая подвижность и самостоятельность. Уже не луч света, не столб пламени, а белая змея, крутящаяся, обрастающая серебристыми чешуйками. Конец исполинского тела расплющился, превратишись в капюшон, из-под него высунулась тупая морда с немигающими глазами размером с колесо от грузовика. Сверкнул язык, тонкий, раздвоенный, пылающий, как газовая горелка.

Я отпрыгнул — меня чуть не задело хвостом. Огненная кобра свивалась в клубок, наваливалась на Завулона, рывками втискивала голову в петли собственного тела. А за пылающими кольцами молотили друг друга три тени, размазанные движением в мутные полосы. Прыжка Тигренка, нацелившейся на ведьму, и ведьмака из Дневного Дозора я просто не заметил.

Илья тихо засмеялся, доставая из-за пояса еще один жезл. На этот раз — потусклее, видимо, заряженный самостоятельно.

Так что же, у него было оружие, персонально нацеленное на Завулона? Шеф знал, с кем нам предстоит столкнуться?

Я окинул взглядом крышу. На первый взгляд все было под контролем. Медведь, зажавший вампиршу, увлеченно молотил лапами, временами из-под него доносились смутные звуки. Тигренок занималась дозорными, и вроде бы помощи ей не требовалось. Белая кобра душила Завулона.

Мы вообще остались не у дел. Илья, держа жезл на изготовку, наблюдал за схваткой, явно решая, в какую кучу кинуться. Семен, утратив к вампирше интерес, а к дозорным и Завулону вообще его не приобретя, брел по краю крыши, всматриваясь вниз. Боялся новых подкреплений Темным?

А я стоял, как дурак, с бесполезным пистолетом в руках...

Тень легла мне под ноги с первого раза. Я шагнул в нее, чувствуя, как обжигает холод. Не тот, что знаком людям, не тот, какой познает каждый Иной, а холод глубокого сумрака. Здесь уже не было ветра, здесь исчезли снег и лед под ногами. Здесь не было синего мха. Все заполнял туман, густой, вязкий, комковатый. Если уж сравнивать туман с молоком, то это было молоко свернувшееся. Враги и друзья — все они превратились в смутные, едва шевелящиеся тени. Только огненная кобра, дерущаяся с Завулоном, осталась столь же стремительной и яркой — этот бой шел во всех слоях сумрака. Я представил, сколько энергии было вложено в магический жезл, и мне стало совсем плохо.

Зачем, Тьма и Свет? Зачем? Ни молодая вампирша, ни мальчишка-Иной не стоят подобных усилий!

— Егор! — крикнул я.

Меня уже начинало промораживать. На второй уровень сумрака я заходил лишь два раза, на занятиях, рядом с инструктором, и вчера днем, чтобы пройти сквозь закрытую дверь. Здесь у меня не была поставлена защита, и я терял, каждый миг терял силы.

— Егор! — Я шагнул сквозь туман. За моей спиной раздавались глухие удары — змея колотила кем-то по крыше, зажав тело в пасти... я даже знал, чье это тело...

Время тут течет еще медленнее, и есть крошечный шанс, что мальчишка пока не потерял сознание. Я шел к тому месту, где он нырнул во второй слой сумрака, пытаясь различить хоть что-то, и не заметил тела под ногами. Споткнулся, упал, приподнялся, садясь на корточки, и оказался лицом к лицу с Егором.

— Ты в порядке? — нелепо спросил я. Нелепо, потому что глаза у него были открыты, и он смотрел на меня.

— Да.

Наши голоса звучали глухо и раскатисто. Совсем рядом колыхались две тени: Медведь продолжал рвать вампиршу. Как долго она держится!

И как долго держится мальчик.

— Пошли, — сказал я, протягивая руку и касаясь его плеча. — Здесь... тяжело. Мы рискуем остаться тут навсегда.

— Пусть.

— Ты не понимаешь, Егор! Это страдание! Вечное страдание — раствориться в сумраке. Ты даже представить себе не можешь, Егор! Уходим!

— Зачем?

— Чтобы жить.

— Зачем?

У меня отказывались гнуться пальцы. Пистолет стал тяжелым и отлитым изо льда. Может быть, я выдержу еще минуту или две...

Я посмотрел Егору в глаза.

— Каждый решает сам. Я — ухожу. Мне есть ради чего жить.

— Почему ты хочешь меня спасти? — с любопытством спросил он. — Я нужен вашему Дозору?

— Не думаю, что ты войдешь в наш Дозор... — сказал я неожиданно для самого себя.

Он улыбнулся. Сквозь нас медленно пробежала тень — Семен. Что-то заметил? С кем-то беда?

А я сижу здесь, теряя последние силы, и пытаюсь помешать изощренному самоубийству маленького Иного... который все равно обречен.

— Я ухожу, — сказал я. — Прости.

Тень цеплялась за меня, она примерзла к пальцам и приросла к лицу. Я выдирался из нее рывками, сумрак недовольно шипел, разочарованный таким поведением.

— Помоги мне, — сказал Егор. Я уже едва слышал его голос, я почти вышел. Он заговорил в последнюю секунду.

Я протянул руку, хватая его ладонь. Меня уже выдирало, выкидывало, туман вокруг таял. И вся моя помощь была чистым символом, главное мальчик должен был сделать сам.

Он сделал.

Мы вывалились в верхний слой сумрака. В лицо ударил холодный ветер, но сейчас это было даже приятно. Вялые движения вокруг превратились в стремительную схватку. Серые смазанные краски казались яркими.

Что-то изменилось за те секунды, пока мы разговаривали. Вампирша по-прежнему трепыхалась под Медведем... не то. Парень-ведьмак валялся на крыше, то ли мертвый, то ли без сознания, рядом катались Тигренок и ведьма... не то.

Змея!

Белая кобра разбухала, раздувалась, заполнив уже четверть крыши. Ее словно накачивали воздухом и поднимали вверх, или же она сама взлетала в низкое небо. Семен стоял у переплетенных витков огненного тела, присев в какой-то из старых боевых стоек, и с его ладоней маленькие оранжевые шарики молотили клубок белого пламени. Он метил не в кобру, а в кого-то, кто был под ней, кто давным-давно должен был погибнуть, но все еще продолжал бороться...

Взрыв!

Вихрь Света, клочья Тьмы. Меня швырнуло на спину, в падении я налетел на Егора, повалил его, но зато успел удержать за руку. Тигренок и ведьма, расцепившись, полетели к краю крыши, замерли на ограждении. Медведя снесло с вампирши, изорванной, искалеченной, но все еще живой. Семен зашатался, но устоял, его накрыло мутной светящейся линзой защиты. Единственным, кто слетел вниз, оказался потерявший сознание ведьмак: в падении он проломил ржавые прутья ограды и безвольным кулем ушел вниз.

Илья единственный стоял как вкопанный. Никакой защиты вокруг него я не видел, но он по-прежнему с любопытством взирал на происходящее, сжимая свой жезл.

А остатки огненной кобры взмыли вверх, заметались светящимися облачками, тая, рассыпались искрами, исходили лучиками света. Из-под этого фейерверка медленно вставал Завулон, раскинувший руки в сложном магическом жесте. В схватке он лишился одежды и теперь был полностью обнажен. Тело его изменилось, приобретая классические признаки демона: тусклая чешуя вместо кожи, неправильная форма черепа, поросшего вместо волос какой-то свалявшейся шерстью, узкие глаза с вертикальными зрачками. Болтался гипертрофированный член, с копчика свисал короткий раздвоенный хвост.

— Прочь! — крикнул Завулон. — Прочь!

Что сейчас творится вокруг, в человеческом мире... Вспышки смертельной тоски и беспричинной, слепой радости, сердечные приступы, нелепые поступки, ссоры лучших друзей, измены верных влюбленных... Людям невидимо происходящее, но оно касается их душ.

Зачем?

Зачем все это Дневному Дозору?

И в это мгновение меня вдруг коснулось спокойствие. Ледяное, рассудочное, почти забытое.

Многоходовая комбинация. Будем исходить из того, что все происходящее идет по плану Дневного Дозора. Сделаем это исходной посылкой. А потом — соединим все случайности, начнем с моей охоты в метро, нет, начнем с того мига, когда парню-вампиру назначили в пищу девушку, в которую он не мог не влюбиться.

Мысли неслись так стремительно, будто я сейчас стал индуктором мозгового штурма, подключился к сознанию других людей, как порой делают наши аналитики. Нет, этого, конечно, не было... просто кусочки головоломки зашевелились, перемешанные на столе, ожили и стали складываться передо мной.

Дневному Дозору наплевать на вампиршу...

Дневной Дозор не пойдет на конфликт из-за паренька с потенциально высокими способностями.

У Дневного Дозора есть лишь одна причина устроить такое.

Темный маг чудовищного потенциала.

Темный маг, способный усилить их позиции... не только в Москве, по всему континенту...

Но ведь они и так добились своего, мы обещали отдать Темного мага...

Этот неведомый маг — икс. Единственное неизвестное в задаче. Можно приписать игрек к Егору: его устойчивость к магии уж слишком велика для новичка-Иного. И все-таки мальчик — величина уже известная, пусть и с непонятным фактором...

Внесенным в задачу искусственно. Для усложнения.

— Завулон! — крикнул я. За моей спиной ворочался, пытаясь встать и скользя по льду, Егор. Отступал от мага Семен, по-прежнему удерживая защиту. Бесстрастно взирал на происходящее Илья. Медведь шел на дергающуюся, пытающуюся подняться вампиршу. Тигренок и ведьма Алиса снова начинали сближаться. — Завулон!

Демон посмотрел на меня.

— Я знаю, за кого вы боретесь!

Нет, я еще не знал. Только начинал понимать, потому что паззл-мозаика сложилась и показала мне знакомое лицо...

Демон открыл пасть — челюсти разошлись влево и вправо, будто у жука. Он все больше и больше напоминал исполинское насекомое, чешуйки срастались в единый панцирь, гениталии и хвост втянулись, из боков начали вырастать новые конечности.

— Тогда ты... труп.

Голос у него остался прежним, даже приобрел большую задумчивость и интеллигентность. Завулон протянул ко мне руку — та рывками удлинялась, приобретая все новые и новые суставы.

— Иди ко мне... — прошептал Завулон.

Замерли все. Кроме меня — я шагнул к Темному магу. От ментальной защиты, которую я наращивал долгие годы, не осталось и следа. Я не мог, никак не мог отказать Завулону.

— Стой! — рявкнула Тигренок, отворачиваясь от помятой, но скалящейся ведьмы. — Стой!

Мне очень хотелось выполнить ее просьбу. Но я не мог.

— Антон... — донеслось из-за спины. — Обернись...

Вот это я выполнить мог. Повернул голову, отрываясь от взгляда янтарных глаз с вертикальными зрачками.

Егор сидел на корточках, встать у него сил не хватило. Удивительно, что он вообще был в сознании... ведь подпитка его энергией извне прекратилась. Та самая подпитка, что вызвала интерес шефа, что велась с самого начала. Фактор «игрек». Введенный для усложнения ситуации.

Из ладони Егора свисал маленький костяной амулет на медной цепочке.

— Лови! — крикнул мальчишка.

— Не бери его! — приказал Завулон. Но слишком поздно, я уже наклонился, хватая амулет, летящий к моим ногам. Прикосновение к резному медальончику было обжигающим, словно я схватил уголек.

Я посмотрел на демона и покачал головой:

— Завулон... в тебе нет больше власти надо мной.

Демон взвыл, надвигаясь на меня. Власти у него больше не было, а вот сил — в избытке.

— Но-но... — назидательно сказал Илья.

Пылающая белая стена рассекла пространство между нами. Завулон взвыл, налетев на магический барьер, полотно чистого белого света, его откинуло назад. Он смешно тряс обожженными лапами, совсем не страшный, скорее нелепый.

— Многоходовка, — сказал я. — Как элементарно, да?

На крыше все стихло. Тигренок и ведьма Алиса стояли рядом, не пробуя напасть друг на друга. Семен смотрел то на меня, то на Илью, и неизвестно, кто вызывал у него большее удивление. Упыриха тихо плакала, пытаясь подняться. Ей было хуже всех, она истратила все силы, чтобы выжить в схватке с Медведем, а теперь с трудом пыталась регенерировать. Неимоверным усилием она вынырнула из сумрака и превратилась в смутный силуэт.

Даже ветер словно бы стих...

— Как сделать Темным магом человека, который изначально чист? — спросил я. — Как привлечь на сторону Тьмы человека, который не умеет ненавидеть? Можно подбрасывать ему неприятности со всех сторон... понемногу, по чуть-чуть, в надежде, что он озлобится... Но не помогает. Человек попался слишком уж чистый... чистая.

Илья засмеялся, тихо и одобрительно.

— Единственное, кого она сможет возненавидеть, — я смотрел в глаза Завулона, где сейчас осталась лишь бессильная злоба, — саму себя. И вот это ход неожиданный. Необычный. Пусть у нее заболеет мать. Пусть девушка сжигает душу, презирая свое бессилие и невозможность помочь. Загоним ее в такой угол, где можно лишь ненавидеть, пускай саму себя, но — ненавидеть. Есть, правда, вероятностная вилка. Маленький шанс, что один-единственный сотрудник Ночного Дозора, незнакомой толком с оперативной работой...

Ноги подкосились — я действительно не привык так долго находиться в сумраке. Я упал бы на колени перед Завулоном, чего мне ужасно не хотелось. Семен скользнул сквозь сумрак и поддержал меня за плечи. Наверное, он сто пятьдесят лет этим занимается.

— Незнакомый с работой в поле... — повторил я. — Возьмет да и не станет действовать по схеме. Не станет жалеть и утешать девушку, для которой жалость — смертельна. Значит, надо его отвлечь. Создать такую ситуацию, чтобы он был занят по уши. Чтобы его кинули на второстепенное задание, да еще и завязать на этом задании личной ответственностью, симпатией — всем, что под руку подвернется. Ради этого и рядовым вампиром можно пожертвовать. Верно?

Завулон начал трансформироваться обратно. Он стремительно обретал прежний скорбно-интеллигентный облик.

Смешно. Зачем? Я видел его таким, каким он стал в сумраке, стал однажды и навсегда.

— Многоходовка, — повторил я. — Ручаюсь, матери Светланы вовсе не обязательно умирать от смертельной болезни. С

146

вашей стороны было маленькое вмешательство, в рамках допустимого... Но тогда и у нас есть права.

— Она наша! — сказал Завулон.

— Нет. — Я покачал головой. — Не будет никакого прорыва инферно. Ее мать поправится. Сейчас я поеду к Светлане... и расскажу ей все. Девушка придет в Ночной Дозор. Завулон, вы проиграли. Все равно — проиграли.

Разбросанные по крыше клочья одежды поползли к Темному магу, срослись, прыгнули, одевая его, грустного, обаятельного, преисполненного печали обо всем мире.

— Никто из вас не уйдет отсюда, — сказал Завулон. За его спиной начала клубиться Тьма, будто раскрывались два огромных черных крыла.

Илья снова засмеялся.

— Я сильнее вас всех. — Завулон покосился на Илью. — Твои заемные силы небезграничны. Вы останетесь здесь навсегда, в сумраке, глубже, чем когда-либо боялись заглянуть...

Семен вздохнул и сказал:

— Антон, а ведь он до сих пор не понял.

Я повернулся и спросил:

— Борис Игнатьевич, ведь в маскараде больше нет необходимости?

Молодой нагловатый оперативник пожал плечами:

— Конечно, Антошка. Но мне столь редко выпадает наблюдать шефа Дневного Дозора в действии... прости уж старика. Надеюсь, Илье в моем обличье было столь же интересно...

Борис Игнатьевич обрел прежний облик. Разом, без всяких театральных промежуточных метаморфоз и световых эффектов. Он действительно был в халате и тюбетейке, вот только на ногах у него оказались мягкие ичиги, а поверх них — калоши.

На лицо Завулона было приятно посмотреть.

Темные крылья не исчезли, но расти перестали, только похлопывали неуверенно, будто маг пытался улететь, но не решался.

— Свертывай операцию, Завулон, — сказал шеф. — Если вы немедленно уберетесь отсюда и от дома Светланы, мы не станем подавать официальный протест.

Темный маг не колебался:

— Мы уходим.

Шеф кивнул, словно иного ответа не ожидал. Можно подумать... Но жезл он опустил, и барьер между мной и Завулоном исчез.

— Я запомню твою роль в этом... — немедленно прошептал Темный маг. — Навсегда.

— Помни, — согласился я. — Это полезно.

Завулон свел руки — могучие крылья хлопнули в такт, и он исчез. Но перед этим маг взглянул на ведьму — и та кивнула.

Ох как мне это не понравилось. Плевок вслед — не смертельно, но всегда неприятно.

Легкой пританцовывающей походкой, совершенно не вязавшейся с окровавленным лицом и вывихнутой, безвольно свисающей левой рукой, Алиса подошла ко мне.

— Ты тоже должна уйти, — сказал шеф.

— Конечно, с превеликим удовольствием! — откликнулась ведьма. — Но перед этим у меня есть маленькое... совсем маленькое право. Ведь так, Антон?

— Да, — прошептал я. — Воздействие седьмой степени.

На кого будет направлен удар? На шефа — смех. Тигренок, Медведь, Семен... ерунда. Егор? А что ему можно внушить на самом слабом уровне вмешательства?

— Откройся, — сказала ведьма. — Откройся мне, Антон. Вмешательство седьмого уровня. Шеф Ночного Дозора свидетель: я не перейду границы.

Семен застонал, до боли сжимая мое плечо.

— У нее есть это право, — сказал я. — Борис Игнатьевич...

— Поступай как знаешь, — тихо ответил шеф. — Я смотрю.

Я вздохнул, раскрываясь перед ведьмой. Да ничего она не сможет! Ничего! Вмешательство седьмой степени — ей никогда не повернуть меня к Тьме! Это просто-напросто смешно!

— Антон, — мягко сказала ведьма. — Скажи шефу то, что ты хотел сказать. Скажи правду. Поступи честно и правильно. Так, как ты должен поступить.

— Минимальное воздействие... — подтвердил шеф. Если в его голосе и была боль, то так глубоко, что мне не дано было ее услышать.

148

— Многоходовка, — сказал я, глядя на Бориса Игнатьевича. — Двусторонняя. Дневной Дозор жертвует своими пешками. Ночной Дозор — своими. Ради великой цели. Ради привлечения на свою сторону волшебницы великой, небывалой силы. Может погибнуть молодой вампир, которому так хочется любить. Может погибнуть, сгинуть в сумраке мальчишка со слабенькими способностями Иного. Могут пострадать свои сотрудники. Но есть цель, что оправдывает средства. Два великих мага, сотни лет противостоящих друг другу, затевают очередную маленькую войну. И Светлому магу тут труднее... он все ставит на карту. И проигрыш для него — не просто неприятность, это шаг в сумрак, в сумрак навсегда. Но все-таки он ставит на карту всех. Своих и чужих. Так, Борис Игнатьевич?

— Так, — ответил шеф.

Алиса тихонько засмеялась и пошла к люку. Ей сейчас было не до полетов. Тигренок помяла ее от души. И все-таки ведьма пребывала в хорошем настроении.

Я посмотрел на Семена — тот отвел глаза. Тигренок медленно трансформировалась обратно в девушку... но тоже старалась не смотреть мне в лицо. Медведь коротко взревел и, не меняя обличья, затопал к люку. Ему труднее всех. Он слишком прямолинейный. Медведь, прекрасный боец и противник компромиссов...

— Гады вы все, — сказал Егор. Приподнялся рывками — не только от усталости, сейчас его подпитывал шеф, я видел тоненькую ниточку силы, струящуюся в воздухе, — поначалу всегда трудно выдираться из своей тени.

Я вышел следом. Это было нетрудно, за последние четверть часа в сумрак выплеснулось столько энергии, что он утратил обычную агрессивную липкость.

Почти мгновенно я услышал отвратительный мягкий стук: это сорвавшийся с крыши ведьмак достиг асфальта.

Следом стали появляться остальные. Симпатичная черноволосая девушка с кровоподтеком под левым глазом и разбитой скулой, невозмутимый коренастый мужичок, импозантный бизнесмен в восточном халате... Медведь уже ушел. Я знаю, что он будет делать в своей квартире, в «берлоге». Пить неразбавленный спирт и читать стихи. Вслух скорее всего. Глядя в веселый бормочущий телевизор.

Вампирша тоже была тут. Ей было совсем плохо, она что-то бормотала, тряся головой и пытаясь зализать перекушенную руку. Рука устало старалась прирасти обратно. Все вокруг было забрызгано кровью — не ее, конечно, а кровью последней жертвы...

— Уходи, — сказал я, поднимая тяжелый пистолет. Рука предательски дрогнула.

Пуля шмякнула, пронзая мертвую плоть, в боку девушки появилась рваная рана. Вампирша застонала, зажала ее здоровой рукой. Вторая болталась на каких-то ниточках сухожилий.

— Не надо, — мягко сказал Семен. — Не надо, Антон...

Я все-таки прицелился ей в голову. Но в этот миг с неба спикировала огромная черная тень, летучая мышь, выросшая до размеров кондора. Раскинула крылья, заслоняя вампиршу, выгнулась в судороге трансформации.

— Она имеет право на суд!

В Костю я выстрелить не смог. Постоял, глядя на молодого вампира, живущего со мной по соседству. Вампир глаз не отводил, смотрел упрямо и твердо. Как давно ты за мной крался, приятель и противник? И зачем — спасти соплеменницу или не допустить шага, после которого я превращусь в смертельного врага?

Я пожал плечами и засунул пистолет за пояс. Права ты, Ольга. Вся эта техника — ерунда.

— Имеет, — подтвердил шеф. — Семен, Тигренок, осуществите конвоирование.

— Хорошо, — сказала Тигренок. Посмотрела на меня не то чтобы с сочувствием — с пониманием. Упругим шагом направилась к вампирам.

— Все равно ей светит высшая мера, — шепнул Семен и двинулся следом.

Они так и ушли с крыши: Костя, несущий на руках стонущую, ничего не понимающую вампиршу, и Семен с Тигренком, молча следующие за ними.

Мы остались втроем.

— Мальчик, у тебя действительно есть способности, — мягко сказал шеф. — Невеликие, но ведь большинство лишено и этого. Я буду рад, если ты согласишься стать моим учеником...

— Идите вы... — начал Егор. Окончание фразы лишило ее всякой вежливости. Мальчик беззвучно плакал, кривился, пытаясь удержать слезы, но справиться с ними не мог.

Чуть-чуть воздействия седьмого порядка, и ему станет легче. Он поймет, что Свет не может бороться с Тьмой, не беря на вооружение любые доступные средства...

Я поднял голову к сумрачному небу, открыл рот, ловя холодные снежинки. Остыть бы. Остыть насовсем. Но только не так, как в сумраке. Стать льдом, но не туманом, снегом, но не слякотью; окаменеть, но не растечься...

— Егор, пойдем, я провожу тебя, — предложил я.

— Мне... близко... — сказал мальчишка.

Я еще долго стоял, глотая снег вперемешку с ветром, и не заметил, как он ушел. Слышал вопрос шефа: «Егор, ты сумеешь сам разбудить родителей?», но не слышал ответа.

— Антон, если тебя это утешит... аура у мальчика осталась прежней, — сказал Борис Игнатьевич. — Никакой... — Он обнял меня за плечи, маленький и жалкий сейчас, ничуть не похожий на холеного предпринимателя или мага первой ступени. Просто молодящийся старик, выигравший очередную короткую схватку в бесконечной войне.

— Здорово.

Хотел бы я такого. Никакую ауру. Свою судьбу.

— Антон, у нас есть еще дела.

— Я знаю, Борис Игнатьевич...

— Ты сможешь все объяснить Светлане?

— Да, наверное... Теперь смогу.

— Ты уж прости. Но я пользуюсь тем, что имею... теми, кого имею. Вы с ней связаны. Обычная мистическая связка, ничем не объяснимая. Заменить тебя некем.

— Понимаю.

Снег ложился мне на лицо, застывал на ресницах, полосками протаивал на щеках. Мне казалось, что я почти сумел замерзнуть, но ведь у меня нет на это права.

— Помнишь, что я тебе говорил? Быть Светлым куда труднее, чем быть Темным...

— Помню...

— Тебе будет еще тяжелее, Антон. Ты ее полюбишь. Будешь с ней жить... какое-то время. Потом Светлана уйдет дальше. И ты будешь видеть, как она отдаляется, как ее круг общения разрастается выше того... что доступно тебе. Ты будешь страдать. Но тут ничего не поделать, твоя роль — начальная. Так бывает с каждым Великим Магом, с каждой Великой Волшебницей. Они идут по телам, по телам друзей и любимых. Иначе нельзя.

— Да понимаю я... все понимаю...

— Пойдем, Антон?

Я молчал.

— Пойдем?

— Мы не опаздываем?

— Пока нет. У Света — свои пути. Я проведу тебя короткой дорогой, а дальше — дальше только твой путь.

— Тогда я еще постою, — сказал я. Закрыл глаза, чтобы почувствовать, как снежинки ложатся на веки, трепетно и нежно.

— Если бы ты знал, сколько раз я стоял вот так, — сказал шеф. — Вот так, глядя в небо и прося чего-то... То ли благословения, то ли проклятия.

Я не ответил, я и сам знал, что ничего не дождусь.

— Антон, я замерз, — сказал шеф. — Мне холодно. Как человеку — холодно. Я хочу выпить водки и забраться под одеяло. И лежать так, ожидая, пока ты поможешь Светлане... пока Ольга справится с вихрем. А потом взять отпуск. Оставить вместо себя Илюху, раз уж он побывал в моей шкуре, и отправиться в Самарканд. Ты бывал в Самарканде?

— Нет.

— Ничего хорошего, если честно. Особенно сейчас. Ничего там нет хорошего, кроме воспоминаний... Но они только для меня. Ты как?

— Пойдемте, Борис Игнатьевич.

Я стер снег с лица.

Меня ждали.

И это единственное, что мешает нам замерзнуть.

152

История вторая

Свой среди своих

ПРОЛОГ

Его звали Максим.

Имя не слишком редкое, но и не обыденное, вроде всяких Сергеев, Андреев и Дим. Вполне благозвучное. Хорошее русское имя, пусть даже корни уходят к грекам, варягам и прочим скифам.

Внешностью он тоже был доволен. Не слащавая красота актера из сериалов и не обыденное, «никакое» лицо. Красивый мужик, в толпе его выделяли. Опять же — накачанный, но без переборов, без вздутых вен и ежедневного фанатизма в атлетических залах.

И с профессией — аудитор в крупной иностранной фирме, и с доходами — на все прихоти хватает, но рэкетиров можно не бояться.

Словно когда-то его ангел-хранитель определил раз и навсегда: «Быть тебе немного лучше всех». Немного, но лучше. А самое главное, Максима это вполне устраивало. Лезть выше, растрачивая жизнь ради более навороченного автомобиля, приглашения на великосветский раут или лишней комнаты в квартире... зачем? Жизнь приятна сама по себе, а не теми благами, до которых удастся дотянуться. В этом жизнь прямая противоположность деньгам, которые сами по себе — ничто.

Конечно, Максим никогда не задумывался об этом столь прямо. Одна из особенностей людей, ухитрившихся занять в жизни именно свое место, в том, что они принимают это как должное. Все идет так, как должно идти. А если кто-то недополучил своего — только его вина. Значит, проявил леность и глупость. Или имел завышенный уровень притязаний.

Максиму очень нравилась эта фраза: «завышенный уровень притязаний». Она ставила все на свои места. Объясняла, например, почему его умница и красавица сестра прозябает с алкоголиком-мужем в Тамбове. Искала ведь сама получше да поперспективнее... ну и нашла. Или старый школьный товарищ, второй месяц проводящий в травматологии. Хотелось ему укрупнить бизнес? Укрупнил. Хорошо, что жив остался. Культурными людьми оказались конкуренты по давным-давно поделенному рынку цветных металлов...

И лишь в одном Максим применял фразу: «завышенный уровень притязаний» — к себе самому. Но это была столь странная и сложная область... как-то даже задумываться об этом не хотелось. Проще не думать, проще смириться с тем странным, что происходило с ним порой по весне, иногда — осенью и совсем-совсем редко — в разгар лета, когда жара обрушивалась совсем уж невыносимая, вытравляя из головы и рассудительность, и осторожность, и легкие сомнения в психической полноценности... Впрочем, шизофреником Максим себя никак не считал. Он прочитал немало книг, консультировался с опытными врачами... ну конечно же, не рассказывая деталей.

Нет, он был нормален. Видимо, все же и впрямь существует такое, перед чем разум пасует, а обычные человеческие нормы неприемлемы. Завышенные притязания... неприятно. Но на самом ли деле они завышены...

Максим сидел в машине с заглушенным двигателем, в своей аккуратной, ухоженной «тойоте», не самой дорогой и роскошно отделанной, но уж куда лучше большинства машин на московских улицах. Даже за несколько шагов в утреннем полумраке не удалось бы различить его за рулем. Он провел так всю ночь, слушая легкие шорохи остывающего двигателя, озяб, но не позволил себе включить обогреватель. Спать не хотелось, как обычно в таких случаях. Курить — тоже. Ничего не хотелось, и без того хорошо было сидеть, вот так, без движения, тенью в припаркованной к обочине машине, и ждать. Одно обидно — жена снова сочтет, что он был у любовницы. Ну как ей докажешь, что нет у него любовницы, постоянной — нет, и все прегрешения сводятся к обычным курортным романам, интрижкам на работе и случайным профессионалкам в командировках... да и те ведь не за семейные деньги куплены, а предоставлены клиентами. Тут ведь не откажешься, обидятся. Или гомиком сочтут, в следующий раз мальчиков приведут...

Мерцающие зеленью цифры на часах сменились: пять утра. Вот-вот выползут на работу дворники, район старый, престижный, тут с чистотой очень строго. Хорошо еще, ни дождя, ни снега, кончилась зима, сдохла гадина, уступила место весне со всеми ее проблемами и завышенными притязаниями...

Хлопнула дверь подъезда. Девушка вышла на улицу, остановилась, поправляя на плече сумочку, метрах в десяти от машины. Дурацкие эти дома, без дворов, и работать неудобно, и жить, наверное: что толку во всей их престижности, если трубы гнилые, метровые стены плесенью покрываются, и привидения, наверное, заводятся...

Максим слегка улыбнулся, выбираясь из машины. Тело повиновалось легко, мышцы не затекли за ночь, будто бы даже прибавилось сил. И это было верным знаком.

Нет, все-таки интересно: а привидения на свете бывают?

— Галина! — крикнул он.

Девушка повернулась к нему. И это тоже служило верным знаком, иначе она бросилась бы бежать, ведь есть что-то подозрительное и опасное в человеке, подкарауливающем тебя ранним утром у подъезда...

— Я вас не знаю, — сказала она. Спокойно, с любопытством.

— Да, — согласился Максим. — Зато я знаю вас.

— Кто вы?

— Судия.

Ему нравилась именно эта форма, архаичная, напыщенная, торжественная. Судия! Тот, кто имеет право судить.

— И кого вы собрались судить?

— Вас, Галина. — Максим был собран и деловит. У него начинало темнеть в глазах, и это снова было верным знаком.

— Неужели? — Она окинула его быстрым взглядом, и Максим уловил в зрачках желтоватый огонек. — А получится?

— Получится, — ответил Максим, вскидывая руку. Кинжал уже был в ладони, узкий тонкий клинок из дерева, когда-то светлого, но за последние три года потемневшего, пропитавшегося...

Девушка не издала ни звука, когда деревянное лезвие вошло ей под сердце.

Как всегда, Максим испытал миг страха, короткий и обжигающий прилив ужаса — вдруг все-таки, несмотря ни на что, совершена ошибка? Вдруг?

Левой рукой он коснулся крестика, простого деревянного крестика, что всегда носил на груди. И стоял так, с деревянным кинжалом в одной руке, с зажатым в ладони крестом в другой, стоял, пока девушка не начала меняться...

Это произошло быстро. Это всегда проходило быстро: превращение в животное и обратно — в человека. Несколько мгновений на тротуаре лежал зверь, черная пантера с застывшим взглядом, оскаленными клыками, жертва охоты, обряженная в строгий костюм, колготки, туфельки... Потом процесс пошел обратно, будто качнулся в последний раз маятник.

Максиму казалось удивительным даже не это короткое и обычно запоздалое превращение, а то, что у мертвой девушки не осталось никакой раны. Краткий миг превращения очистил ее, исцелил. Только разрез на блузке и пиджаке.

— Слава тебе, Господи, — прошептал Максим, глядя на мертвого оборотня. — Слава тебе, Господи.

Он ничего не имел против роли, отведенной ему в этой жизни.

Но все-таки она была слишком тяжела для него, не имеющего завышенного уровня притязаний.

ГЛАВА 1

В это утро я понял, что весна действительно наступила. Еще вечером небо было другим. Плыли над городом тучи, пахло сырым промозглым ветром и неродившимся снегом. Хотелось забиться поглубже в кресло, впихнуть в видик кассету с чем-нибудь красочным и дебильным, то есть — американским, выпить глоток коньяка, да так и уснуть.

Утром все изменилось.

Жестом опытного фокусника на город накинули голубой платок, провели над улицами и площадями, будто стирая последние остатки зимы. И даже оставшиеся по углам и канавам комья бурого снега казались не недосмотром наступившей весны, а необходимым элементом интерьера. Напоминанием...

Я шел к метро и улыбался.

Иногда очень хорошо быть человеком. Вот уже неделю я вел именно такую жизнь: приходя на работу, не поднимался выше второго этажа, возился с сервером, который вдруг приобрел ряд скверных привычек, ставил девчонкам из бухгалтерии новые офисные программы, необходимости в которых ни они, ни я не видели. По вечерам ходил в театры, на футбол, в какие-то мелкие бары и ресторанчики. Куда угодно, лишь бы было шумно и многолюдно. Быть человеком толпы еще интереснее, чем просто человеком.

Конечно, в офисе Ночного Дозора, старом четырехэтажном здании, арендованном нами у нашей же дочерней фирмы, людей не было и в помине. Даже три старушки-уборщицы были Иными. Даже нагловатые молодые охранники на входе, чья работа заключалась в отпугивании мелких бандитов и коммивояжеров, имели небольшой магический потенциал. Даже сантехник, классический московский сантехник-алкоголик, был магом... и был бы весьма неплохим магом, не злоупотребляй он спиртным.

Но так уж повелось, что первые два этажа выглядели вполне обыденно. Здесь дозволялось бывать налоговой полиции, деловым партнерам из людей, бандитам из нашей крыши... пусть крышу, в свою очередь, контролировал лично шеф, но к чему это знать шестеркам?

И разговоры здесь велись самые обычные. О политике, налогах, покупках, погоде, чужих любовных интрижках и собственных амурных приключениях. Девчонки перемывали кости мужикам, мы не оставались в долгу. Завязывались романы, плелись интриги с целью подсидеть непосредственное начальство, обсуждались виды на премию.

Через полчаса я доехал до «Сокола», выбрался наверх. Вокруг было шумно, в воздухе — выхлопная автомобильная гарь. И все-таки — весна.

Наш офис не в худшем московском районе. Далеко не в худшем, если не сравнивать с резиденцией Дневного Дозора. Но Кремль при любом раскладе не для нас: слишком сильные следы наложило прошлое на Красную Площадь и древние кирпичные стены. Может быть, когда-нибудь они сотрутся. Но пока предпосылок не видно... увы, не видно.

От метро я шел пешком, тут было совсем рядом. Лица вокруг хорошие, согретые солнцем и весной. За что я люблю весну: слабеет ощущение тоскливого бессилия. И меньше искусов...

Один из ребят-охранников курил перед входом. Дружелюбно кивнул, в его задачу не входила глубокая проверка. Зато от меня напрямую зависело, будет ли на компьютере в их дежурке доступ в Интернет и парочка свежих игр, или одна только служебная информация и досье на сотрудников.

— Опаздываешь, Антон, — обронил он.

Я с сомнением посмотрел на часы.

— Шеф собрал всех в конференц-зале, тебя уже искали.

Вот это странно, меня на утренние совещания обычно не звали. Что-то случилось с моим компьютерным хозяйством? Да вряд ли, вытащили бы ночью из постели, и все дела, не в первый раз...

Кивнув, я ускорил шаг.

Лифт в здании есть, но старый-престарый, и на четвертый этаж я предпочел взбежать. На лестничной площадке третьего был еще один пост, уже посерьезнее. Дежурил Гарик. При моем приближении он прищурился, посмотрел сквозь сумрак, сканируя ауру и все те метки, что мы, дозорные, несли на своем теле. Лишь потом приветливо улыбнулся:

— Давай быстрее.

Дверь в конференц-зал была приоткрыта. Я заглянул внутрь: собралось человек тридцать, в основном оперативники и аналитики. Шеф расхаживал перед картой Москвы, кивал, а Виталий Маркович, его заместитель по коммерческой части, маг очень слабый, зато бизнесмен прирожденный, говорил:

— И, таким образом, мы полностью перекрыли текущие расходы, никакой необходимости прибегать к... э... особым способам финансовой деятельности у нас нет. Если собрание поддержит мои предложения, мы можем несколько увеличить довольствие сотрудников, в первую очередь оперативных работников, разумеется. Выплаты по временной нетрудоспособности, пенсии семьям погибших тоже нуждаются в... э... некотором увеличении. И мы можем это себе позволить...

Смешно, что маги, способные превращать свинец в золото, уголь — в алмазы, а резаную бумагу — в хрустящие кредитки, занимаются коммерцией. Но на самом деле это удобнее сразу по двум причинам. Во-первых — дает занятие тем из Иных, чьи способности слишком малы, чтобы на них существовать. Во-вторых — меньше риска нарушить равновесие сил.

При моем появлении Борис Игнатьевич кивнул и сказал:

— Виталий, спасибо. Думаю, ситуация ясна, никаких нареканий к вашей деятельности нет. Голосовать будем? Спасибо. Теперь, когда все в сборе...

Под внимательным взглядом шефа я прокрался к свободному креслу, сел.

— Можно перейти к основному вопросу.

Оказавшийся рядом со мной Семен наклонил голову и прошептал:

— Основной вопрос — уплата партийных взносов за март...

Я не удержался от улыбки. Порой в Борисе Игнатьевиче и впрямь просыпался старый партийный функционер. Меня это смущало куда меньше, чем манера поведения средневекового инквизитора или отставного генерала, но, возможно, я и не прав.

— Основной вопрос — протест Дневного Дозора, полученный мной два часа назад, — сказал шеф.

До меня дошло не сразу. Дневной и Ночной Дозоры постоянно заступали друг другу дорогу. Протесты — явление еженедельное, порой все регулируется на уровне региональных отделений, порой разбирается в бернском трибунале...

Потом я понял, что протест, по поводу которого созвано расширенное собрание Дозора, рядовым быть не может.

— Суть протеста, — шеф потер переносицу, — суть протеста такова... Этим утром в районе Столешникова переулка убита женщина из Темных. Вот краткое описание произошедшего.

На мои колени шлепнулось два листка, отпечатанных на принтере. Всем остальным достались такие же подарки. Я пробежал глазами текст:

«Галина Рогова, двадцать четыре года... Инициирована в семь лет, семья к Иным не принадлежит. Воспитывалась под патронажем Темных... наставница — Анна Черногорова, маг четвертой ступени... В восемь лет Галина Рогова определена как оборотень-пантера. Способности средние...»

Морщась, я проглядывал досье. Хотя в принципе морщиться было не с чего. Рогова была Темной, но в Дневном Дозоре не работала. Положения Договора соблюдала. На людей не охотилась. Вообще никогда. Даже те две лицензии, которые ей предоставляли, на совершеннолетие и после свадьбы, не использовала. С помощью магии добилась высокого положения в строительной корпорации «Теплый Дом», вышла замуж за заместителя директора. Один ребенок, мальчик... способностей Иного не замечено. Несколько раз использовала способности Иной для самозащиты, один раз убила нападавшего. Но даже в тот раз до людоедства не опустилась...

— Побольше бы таких оборотней, верно? — спросил Семен. Перелистнул страницу и хмыкнул. Заинтригованный, я заглянул в конец документа.

Так. Протокол осмотра. Разрез на блузке и на пиджаке... вероятно, удар тонким кинжалом. Заговоренным, конечно, обычным железом оборотня не убить... Чему удивился Семен?

Вот оно что!

На теле видимых повреждений не обнаружено. Никаких. Причина смерти — полная потеря жизненной энергии.

— Лихо, — сказал Семен. — Помню, в гражданскую направили меня отлавливать оборотня-тигра. А тот, гаденыш, работал в ЧК, и причем не последним...

— Все ознакомились с данными? — спросил шеф.

— Можно вопрос? — С другого конца зала поднялась тонкая рука. Почти все заулыбались.

— Спрашивай, Юля, — кивнул шеф.

Самая юная сотрудница Дозора встала, неуверенно поправила волосы. Хорошенькая девчонка, немножко инфантильная, правда. Но в аналитический отдел ее взяли не зря.

— Борис Игнатьевич, как я понимаю, осуществлено магическое воздействие второй степени. Или первой?

— Возможно, что и второй, — подтвердил шеф.

— Значит, это могли сделать вы... — Юля на миг замолчала, смутившись. — А еще Семен... Илья... или Гарик. Верно?

— Гарик не смог бы, — сказал шеф. — Илья и Семен — пожалуй.

Семен что-то пробурчал, будто комплимент был ему неприятен.

— Возможно еще, что убийство совершил кто-то из наших, бывший в Москве проездом, — размышляла вслух Юля. — Но ведь маг такой силы незамеченным в городе не появится, они все на контроле у Дневного Дозора. Тогда получается, что надо проверить трех человек. И если все они имеют алиби, никаких претензий к нам нет?

— Юленька, — шеф покачал головой, — нам таких претензий никто и не предъявляет. Речь идет о том, что в Москве действует Светлый маг, незарегистрированный и не ознакомленный с Договором.

А вот это — серьезно...

— Тогда — ой, — сказала Юля. — Извините, Борис Игнатьевич.

— Все правильно. — Шеф кивнул. — Мы сразу перешли к сути вопроса. Ребята, мы кого-то прошляпили. Прохлопали ушами, пропустили сквозь пальцы. По Москве бродит Светлый маг большой силы. Ничего не понимает — и убивает Темных.

— Убивает? — спросил кто-то из зала.

— Да. Я поднял архивы. Подобные случаи были зафиксированы три года назад, весной и осенью, и два года назад — осенью. Каждый раз отсутствовали физические повреждения, но имелись разрезы на одежде. Дневной Дозор проводил расследования, но ничего выяснить не смог. Кажется, они списали гибель своих на случайный фактор... теперь кто-то из Темных понесет наказание.

— А из Светлых?

— Тоже.

Семен кашлянул и негромко произнес:

— Странная периодичность, Борис...

— Полагаю, мы не в курсе всех происшествий, ребята. Кто бы ни был этим магом, но он всегда убивал Иных с невысокими способностями, видимо, те допускали какие-то оплошности в маскировке. Очень вероятно, что рядом жертв стали неинициированные или неизвестные Темным Иные. Поэтому я предлагаю...

Шеф обвел зал взглядом:

— Аналитический отдел — сбор криминальной информации, поиск аналогичных случаев. Учтите, они могут не проходить как убийства, скорее как смерть при невыясненных обстоятельствах. Проверяйте результаты вскрытия, опрашивайте работников моргов... думайте сами, где можно найти информацию. Научная группа... направьте в Дневной Дозор двух-трех сотрудников, обследуйте труп. Вы должны выяснить, как он убивает Темных. Да, кстати, давайте назовем его Дикарь. Оперативная группа... усиленный патруль на улицах. Ищите его, ребята.

— Мы все время занимаемся тем, что ищем «кого-то», — недовольно буркнул Игорь. — Борис Игнатьевич, ну не могли мы не заметить сильного мага! Не могли!

— Возможно, что он неинициирован, — отрезал шеф. — Способности проявляются периодически...

— По весне и осени, как у любого психа...

— Да, Игорь, совершенно верно. По весне и по осени. И сейчас, сразу же после совершенного убийства, он должен нести какой-то отпечаток магии. Есть шанс, небольшой, но есть. За работу.

— Борис, цель? — с любопытством спросил Семен.

Некоторые уже начали вставать, но теперь остановились.

— Цель — найти Дикаря раньше Темных. Защитить, обучить, привести на нашу сторону. Как обычно.

— Все понятно. — Семен поднялся.

— Антон и Ольга, вас я попрошу остаться, — бросил шеф и отошел к окну.

Выходящие с любопытством поглядывали на меня. Даже с некоторой завистью. Особое задание — всегда интересно.

Я посмотрел через зал, увидел Ольгу, улыбнулся одними губами — она улыбнулась в ответ.

Она теперь ничем не напоминала ту босую, чумазую девушку, которую я посреди зимы поил на кухне коньяком. Прекрасная прическа, здоровый цвет кожи, в глазах... нет, уверенность была и раньше, теперь появилось какое-то кокетство, гордость.

С нее сняли наказание. Пускай и частично.

— Антон, мне не нравится происходящее, — не оборачиваясь, сказал шеф.

Ольга пожала плечами, кивнула — отвечай.

— Борис Игнатьевич, простите?

— Мне не нравится протест, заявленный Дневным Дозором.

— И мне тоже.

— Ты не понимаешь. Боюсь, что все остальные — тоже... Ольга, ты хотя бы догадываешься, в чем дело?

— Очень странно, что Дневной Дозор в течение нескольких лет не в силах выследить убийцу.

— Да. Помнишь Краков?

— К сожалению. Полагаешь, нас подставляют?

— Не исключено... — Борис Игнатьевич отошел от окна. — Антон, ты допускаешь подобное развитие ситуации?

— Я не совсем понимаю, — промямлив я.

— Антон, допустим, что в городе и впрямь бродит Дикарь, убийца-одиночка. Он неинициирован. Временами у него происходит всплеск способностей... он обнаруживает кого-то из Темных и уничтожает. Способен Дневной Дозор его обнаружить? Увы, поверь мне... способен. Тогда встает вопрос, почему не отловил и не обнаружил? Ведь гибнут Темные!

— Гибнет мелочь, — предположил я.

— Правильно. Жертвовать пешками — в традиции... — Шеф запнулся, поймав мой взгляд. — В традиции Дозора.

— Дозоров, — мстительно сказал я.

— Дозоров, — устало повторил шеф. — Припомнил... Давай подумаем, к чему может привести подобная комбинация. Общее обвинение Ночного Дозора в халатности? Ерунда. Мы должны контролировать поведение Темных и соблюдения Договора известными Светлыми, а не выискивать таинственных маньяков. Тут Дневной Дозор сам виноват...

— Значит, цель провокаций — конкретный человек?

— Молодец, Антон. Помнишь, что Юля сказала? Подобную акцию среди наших могут провести единицы. Это доказуемо. Допустим, что Дневной Дозор решил обвинить кого-то в нарушении Договора. В том, что кадровый, ознакомленный с Договором сотрудник собственноручно чинит суд и расправу.

— Но это легко опровергнуть. Найти Дикаря...

— А если Темные найдут его раньше? Но не станут об этом шуметь?

— Алиби?

— А если убийства происходили в те моменты, когда алиби отсутствует?

— Трибунал, с полным допросом, — мрачно сказал я. Ничего хорошего в выворачивании сознания нет, конечно...

— Сильный маг, а эти убийства совершал сильный маг, может закрыться даже от трибунала. Не обмануть, но закрыться. Более того, Антон, перед трибуналом, в котором присутствуют Темные, это придется сделать. Слишком много знаний иначе попадет к врагам. А если маг закрывается от дознания, он автоматически признается виновным. Со всеми вытекающими последствиями — для него, и для Дозора.

— Мрачная картина, Борис Игнатьевич, — признал я. — Очень. Почти как та, что вы описывали мне зимой, во сне. Мальчишка-Иной чудовищной силы, прорыв инферно, который всю Москву с пылью смешает...

— Понимаю. Но я не лгу тебе, Антон.

— Что от меня-то требуется? — прямо спросил я. — Ведь это не мой профиль. Аналитикам помочь? Так без того все сделаем, что для расчета притащат.

— Антон, я хочу, чтобы ты просчитал, кто из наших под ударом. У кого есть алиби на все известные случаи, у кого нет.

Шеф опустил руку в карман пиджака, достал ДВД-диск:

— Возьми... это полное досье за трехгодичный период. На четверых, включая меня.

Я сглотнул, принимая диск.

— Пароли сняты. Но ты сам понимаешь, видеть это не должен никто. Копировать информацию ты права не имеешь. Расчеты и схемы шифруй... и не жадничай с длиной ключа.

164

— Мне бы понадобился помощник, — неуверенно попросил я. Глянул на Ольгу. Впрочем, какой она помощник: ее знакомство с компьютерами ограничивается сражениями в «Еретика», «Хексен» и тому подобные игры.

— Мою базу данных проверяй лично, — помедлив, сказал шеф. — На остальные можешь привлечь Анатолия. Хорошо?

— Тогда в чем моя задача? — поинтересовалась Ольга.

— Ты будешь делать то же самое, только путем личных расспросов. Допросов, если уж быть честным до конца. И начнешь с меня. Потом оставшуюся троицу.

— Хорошо, Борис.

— Приступай, Антон. — Шеф кивнул. — Приступай прямо сейчас. А на остальные дела сажай своих девочек, справятся.

— Может быть, мне покопаться в данных? — спросил я. — Если вдруг у кого-то не будет алиби... организовать?

Шеф покачал головой:

— Нет. Ты не понял. Я хочу не организации фальшивок. Я хочу убедиться, что никто из наших не причастен к этим убийствам.

— Даже так?

— Да. Потому что невозможного в этом мире нет. Антон, вся прелесть нашей работы состоит в том, что я могу дать тебе такое задание. И ты его выполнишь. Невзирая на личности.

Что-то меня тревожило, но я кивнул и пошел к двери, сжимая драгоценный диск. Лишь в последний миг вопрос оформился, и я спросил, поворачиваясь:

— Борис Игнатьевич...

Шеф и Ольга мгновенно отстранились друг от друга.

— Борис Игнатьевич, здесь данные на четверых?

— Да.

— На вас, Илью, Семена...

— И на тебя, Антон.

— Зачем? — глупо спросил я.

— Во время противостояния на крыше ты пробыл на втором слое сумрака три минуты. Антон... это третий уровень силы.

— Не может быть, — только и сказал я.

— Это было.

— Борис Игнатьевич вы же всегда говорили, что я маг среднего уровня!

— Допустим, что мне куда нужнее отличный программист, чем еще один хороший оперативник.

В другой момент я испытал бы гордость. Смешанную с обидой, но все же гордость. Я ведь всегда думал, что четвертый уровень магии — мой потолок, да и то достигну я его не скоро. Но сейчас все покрывал страх, неприятный, липкий, отвратительный страх. Пять лет работы в Дозоре на тихой штабной должности отучили меня бояться чего бы то ни было: властей, бандитов, болезней...

— Это было вмешательство второго уровня...

— Здесь слишком тонкая грань, Антон. Возможно, что ты способен на большее.

— Но магов третьего уровня у нас больше десятка. Почему среди подозреваемых я?

— Потому что ты задел лично Завулона. Прищемил хвост начальнику Дневного Дозора Москвы. И он вполне способен организовать для Антона Городецкого персональную ловушку. Точнее, перенастроить старую ловушку, стоявшую в запасе.

Я сглотнул и вышел, ничего больше не спрашивая.

Наша лаборатория тоже на четвертом этаже, только в другом крыле. Я торопливо прошел по коридору, кивая встречным, но не отвлекаясь. Диск я сжимал крепче, чем пылкий юноша руку любимой.

Шеф ведь не врал?

Это может быть удар по мне?

Наверное, не лгал. Я задал прямой вопрос и получил прямой ответ. Конечно, с годами даже самые Светлые маги наращивают некий запас цинизма и учатся словесной эквилибристике. Но последствия прямой лжи были бы слишком тяжелыми даже для Бориса Игнатьевича.

Тамбур — с электронными системами проверки. Я знал, что все маги относятся к технике насмешливо, а Семен однажды продемонстрировал мне, как легко обмануть голосовой анализатор и сканер сетчатки. И все-таки я добился закупки этих дорогих игрушек. Да, пускай они не защитят от Иного. Но я вполне допускал, что однажды нас решат пощупать ребята из ФСБ или мафии.

— Раз, два, три, четыре, пять... — буркнул я в микрофон и посмотрел в объектив камеры. Несколько секунд электроника размышляла, потом над дверью зажегся зеленый огонек доступа.

В первой комнате никого не оказалось. Гудел вентиляторами сервер, пыхтели вмурованные в стену кондиционеры. Все равно было жарко. А ведь весна только началась...

В лабораторию системщиков я не пошел, а сразу двинулся в свой кабинет. Ну, не совсем свой, Толик, мой заместитель, тоже обитал там. Причем порою в прямом смысле, частенько оставаясь ночевать на древнем кожаном диване.

Сейчас он сидел за столом и задумчиво рассматривал какую-то старую материнскую плату.

— Привет, — сказал я, садясь на диван. Диск жег пальцы.

— Сдохла, — мрачно сказал Толик.

— Ну и выкинь.

— Сейчас, мозги только выну... — Толик отличался запасливостью, выработанной за долгие годы работы в бюджетных институтах. У нас с финансированием проблем не было, но он бережно складировал все старые и уже никому не нужные железки. — Нет, ты подумай, полчаса возился, так и не встала...

— Да она древняя, чего ты с ней возишься? В бухгалтерии и то машины новее.

— Отдал бы кому-нибудь... Может, кэш еще снять...

— Толик, у нас срочная работа, — сказал я.

— У?

— Угу. Вот... — Я поднял диск. — Здесь досье... полное досье на четырех сотрудников Дозора. Включая шефа.

Толик открыл ящик стола, смахнул туда мамку и посмотрел на диск.

— Именно. Я буду проверять троих. А ты четвертого... меня.

— И что проверять?

— Вот. — Я достал распечатку. — Возможно, что кто-то из подозреваемых временами совершает убийства Темных. Несанкционированные. Здесь указаны все известные случаи. Нам надо либо исключить возможность этого, либо...

— А ты их впрямь убиваешь? — заинтересовался Толик. — Уж прости за ехидство...

— Нет. Но ты мне не верь. Давай работать.

Информацию на себя я даже не стал смотреть. Скинул все восемь сотен мегабайт на компьютер Толика и забрал диск.

— Если что интересное попадется, тебе рассказывать? — спросил Толик. Я покосился на него, пока он проглядывал текстовые файлы, теребя левое ухо и размеренно щелкая мышкой.

— Как хочешь.

— Ладно.

Я начал смотреть досье с материалов, собранных на шефа. Вначале шла шапка — общая информация о нем. С каждой прочитанной строчкой я покрывался по́том.

Конечно, подлинного имени и происхождения шефа даже в этом досье не значилось, на Иных его ранга вообще не документировали подобные факты. И все-таки я делал открытия каждую секунду. Начать с того, что лет шефу было больше, чем я предполагал. Как минимум на полтора столетия больше. А это значило, что он лично принимал участие в заключении Договора между Светом и Тьмой. Поразительно, все уцелевшие с того времени маги занимают посты в главном управлении, а не сидят на утомительной и нудной должности регионального директора.

Кроме того, я узнал несколько имен, под которыми шеф фигурировал в истории Дозора, откуда он родом. Об этом иногда размышляли, заключали пари, приводили «бесспорные» доказательства. Но почему-то никто не предполагал, что Борис Игнатьевич родом с Тибета.

А уж допустить, кому он был наставником, я не смог бы и в самых смелых фантазиях!

В Европе шеф работал с пятнадцатого века. По косвенным признакам я понял, что причиной столь резкой смены местожительства была женщина. И даже догадался какая.

...Закрыв окошко с общими сведениями, я посмотрел на Толика. Тот проглядывал какой-то видеофрагмент, конечно же, биография моя оказалась не столь увлекательной, как жизнеописание шефа. Я вгляделся в маленькую движущуюся картинку — и покраснел.

— На первый случай у тебя бесспорное алиби, — не оборачиваясь, сказал Толик.

— Слушай... — беспомощно начал я.

— Да ладно. Мало ли. Я сейчас на ускоренном прокручу, чтобы всю ночь проверить...

Я представил, как фильм будет выглядеть в ускоренном виде, и отвернулся. Нет, я предполагал, что руководство контролирует своих сотрудников, особенно молодых. Но не настолько же цинично!

— Бесспорного алиби не будет, — сказал я. — Сейчас я оденусь и выйду.

— Вижу, — подтвердил Толик.

— И меня не будет почти полтора часа. Я искал шампанское... и пока нашел, немножко протрезвел на воздухе. Размышлял, стоит ли возвращаться.

— Не бери в голову, — сказал Толик — Лучше просмотри интимную жизнь шефа.

Через полчаса работы я понял, что Толик был прав. Может быть, у меня и есть причины обижаться на беспардонность наблюдателей. Но тогда ничуть не меньшие — у Бориса Игнатьевича.

— У шефа алиби, — сказал я. — Бесспорное. На два случая — четыре свидетеля. Еще на один — чуть ли не весь Дозор.

— Это та охота на свихнувшегося Темного?

— Да.

— У тебя даже на этот случай алиби нет. Тебя вызвали только под утро, и хронометраж очень приблизительный. Есть фотография, как ты входишь в офис, вот и все.

— Значит...

— Теоретически ты мог убивать Темных. Вполне. Причем уж извини, Антон, но каждый случай убийства приходится на твое повышенное эмоциональное возбуждение. Словно бы ты не совсем себя контролировал.

— Я этого не делал.

— Верю. Что мне делать с файлом?

— Стирай.

Толик некоторое время размышлял.

— У меня здесь ничего ценного. Я запущу низкоуровневое форматирование. Давно пора было диск почистить.

— Спасибо. — Я закрыл досье на шефа. — Все, с остальными справлюсь сам.

— Понял. — Толик преодолел справедливое негодование компьютера, и тот принялся переваривать сам себя.

— Сходи к девочкам, — предложил я. — Сделай суровое лицо. Они ведь там пасьянсы раскладывают, уверен.

— И то дело, — легко согласился Толик. — Когда освободишься?

— Часа через два.

— Я загляну.

Он ушел к нашим «девочкам», двум молодым программисткам, которые занимались в общем-то в основном официальной деятельностью Дозора. А я продолжил работу. На очереди теперь был Семен.

Через два с половиной часа я оторвался от машины, размял ладонями затылок — вечно затекает, когда сидишь, уткнувшись в монитор, включил кофеварку.

Ни шеф, ни Илья, ни Семен не подходили на роль свихнувшегося убийцы Темных. У всех было алиби — причем зачастую абсолютно железобетонное. Вот, например, Семен ухитрился провести всю ночь одного убийства на переговорах с руководством Дневного Дозора. Илья был в командировке на Сахалине — там однажды заварилась такая горячая каша, что потребовалась помощь из центра...

Только я оставался под подозрением.

Не то чтобы я не доверял Толику. Но все-таки данные на себя просмотрел повторно. Все сходилось, ни одного алиби.

Кофе был невкусным, кислым, видно, давно не меняли фильтр. Я глотал горячую бурду, глядя в экран, потом вытащил сотовый и набрал номер шефа.

— Говори, Антон.

Он всегда знал, кто ему звонит.

— Борис Игнатьевич, подозревать можно лишь одного.

— И кого именно?

Голос был сухим и официальным. Но почему-то мне казалось, что шеф сейчас сидит на кожаном диване полуголый, с бокалом шампанского в одной руке, ладонью Ольги в другой, а трубку прижимает плечом или левитирует возле уха...

— Но-но... — одернул меня шеф. — Ясновидец хренов. Кто подозревается?

— Я.

— Понятно.

— Вы же это знали, — сказал я.

— Почему это?

— Не было надобности привлекать меня к обработке досье. Вы бы и сами справились. Значит, хотели, чтобы я сам убедился в опасности.

— Допустим. — Шеф вздохнул. — Что делать будешь, Антон?

— Сухари сушить.

— Подходи ко мне в кабинет. Через... э... через десять минут.

— Хорошо. — Я выключил телефон.

Вначале я зашел к девчонкам. Толик по-прежнему был там, и они усердно работали.

На самом деле никакой надобности в двух никудышных программистках Дозор не испытывал. Допуск по секретности у них был низкий, и почти все приходилось делать нам. Но куда еще пристроить двух очень-очень слабых волшебниц? Хоть бы согласились жить обычной жизнью... нет, хочется им романтики, хочется службы в Дозоре... Вот и придумали для них работу.

А в основном они убивали время, лазая по сети и поигрывая в игры, причем наибольшая популярность приходилось на долю пасьянсов всех мастей.

За одной из свободных машин — с техникой у нас проблем не было — сидел Толик. На коленях у него пристроилась Юля, ожесточенно дергая мышкой по коврику.

— Это называется обучением компьютерной грамотности? — спросил я, наблюдая за мечущимися по экрану монстрами.

— Ничто так не улучшает навыки работы с мышью, как компьютерные игры, — невинно отозвался Толик.

— Ну... — Я не нашелся, что ответить.

Сам я в подобные игры давным-давно не играл. Как и большинство сотрудников Дозора. Убивать нарисованную нечисть интересно, пока не встретил ее воочию. Ну или прожив сотню-другую лет и приобретя огромный запас цинизма, как Ольга...

— Толик, я, наверное, сегодня не вернусь, — сказал я.

— Ага. — Он без всякого удивления кивнул. Способности к предвидению у всех нас невелики, но подобные мелочи мы чувствуем сразу.

— Галя, Лена, пока, — кивнул я девчонкам. Галя прощебетала что-то вежливое, всем видом демонстрируя увлеченность работой. Лена спросила:

— Мне можно будет уйти пораньше?

— Конечно.

Мы не врем друг другу. Если Лена просит разрешения, значит, ей и впрямь надо уйти. Мы не врем. Только иногда лукавим и недоговариваем...

На столе у шефа царил жуткий беспорядок. Валялись ручки, карандаши, листки бумаги, распечатанные сводки, тусклые, выработанные магические кристаллы.

Но венцом безобразия была горящая спиртовка, над которой в тигле жарился белый порошок. Шеф задумчиво помешивал его кончиком дорогого «Паркера», явно ожидая какого-то эффекта. Порошок игнорировал как нагрев, так и помешивание.

— Вот. — Я положил перед шефом диск.

— Что будем делать? — не поднимая глаз, спросил Борис Игнатьевич. Он был без пиджака, рубашка помята, галстук съехал на бок.

Я украдкой покосился на диван. Ольги в кабинете не было, но вот пустая бутылка из-под шампанского и два бокала стояли на полу.

— Не знаю. Я не убивал Темных... этих Темных. Вы же знаете.

— Знаю.

— Но доказать этого не могу.

— По моим расчетам — у нас два-три дня, — сказал шеф. — Потом Дневной Дозор предъявит тебе обвинение.

— Организовать фальшивое алиби несложно.

— И ты на это согласен? — заинтересовался Борис Игнатьевич.

— Нет, конечно. Я могу задать один вопрос?

— Можешь.

— Откуда все эти данные? Откуда снимки и видеозаписи?

Шеф мгновение помолчал.

— Так я и думал. Ты ведь смотрел и мое досье, Антон. Оно менее бесцеремонно?

— Нет, пожалуй. Потому я и спрашиваю. Почему вы позволяете собирать подобную информацию?

— Я не могу это запретить. Контроль осуществляет Инквизиция.

Дурацкий вопрос: «А она действительно существует?» — я сумел удержать на языке. Но, наверное, мое лицо было достаточно выразительным.

Шеф еще минуту смотрел на меня, будто ожидая вопросов, потом продолжил:

— Вот что, Антон. С этого момента ты не должен оставаться один. Разве что в туалет можешь сходить самостоятельно, а в другое время — два-три свидетеля рядом. Есть надежда, что произойдет еще одно убийство.

— Если меня действительно подставляют, то убийства не случится, пока я не окажусь без алиби.

— А ты окажешься. — Шеф усмехнулся. — Не считай меня старым дураком.

Я кивнул, еще неуверенно, не понимая до конца.

— Ольга...

Дверь в стене, которую я всегда считал дверью шкафа, открылась. Вошла Ольга, поправляя волосы, улыбаясь. Джинсы и блузка обтягивали ее тело особенно туго, как бывает только после горячего душа. За ее спиной я заметил огромную ванную с джакузи, панорамное окно во всю стену — наверняка одностороннее прозрачное.

— Оля, справишься? — поинтересовался шеф. Имелось в виду что-то, о чем они уже поговорили.

— Сама? Нет.

— Я о другом.

— Справлюсь, конечно.

— Становитесь спина к спине, — велел шеф.

Спорить у меня желания не было. Хотя и засосало под ложечкой: я понял, что произойдет что-то очень серьезное.

— И откройтесь оба, — потребовал Борис Игнатьевич.

Я прикрыл глаза, расслабился. Спина Ольги была горячая и влажная, даже сквозь блузку. Странное ощущение: стоять,

173

касаясь женщины, только что занимавшейся любовью... любовью не с тобой.

Нет, у меня к ней не было ни малейшей влюбленности. Может быть, потому, что я помнил ее в нечеловеческом виде, может быть, потому, что мы очень быстро перешли к отношениям друзей и партнеров. Может быть, из-за столетий, разделивших наше рождение: что значит молодое тело, когда ты видишь пыль столетий на чужих глазах. Мы остались именно друзьями, не более.

Но стоять рядом с женщиной, чье тело еще помнит чужие ласки, прижиматься к ней — странное ощущение...

— Начали... — сказал шеф, может быть, излишне резко. И произнес несколько слов, смысл которых я не понимал, слов на древнем языке, звучавшим над миром тысячи лет назад.

Полет.

Это и впрямь полет — будто земля ушла из-под ног, будто тело утратило вес. Оргазм в невесомости, доза ЛСД прямо в кровь, электроды в подкорковые центры удовольствия...

Меня затопило волной столь безумной и чистой, ничем не оправданной радости, что мир померк. Я упал бы, но сила, бьющая из поднятых рук шефа, держала меня и Ольгу на невидимых ниточках, заставляла изгибаться, прижиматься друг к другу.

А потом ниточки перепутались.

— Ты уж извини, Антон, — сказал Борис Игнатьевич. — Но у нас не было времени на колебания и объяснения.

Я молчал. Тупо, оглушенно молчал, сидя на полу и глядя на свои руки, на тонкие пальцы с двумя серебряными кольцами, на ноги — стройные длинные ноги, еще влажные после ванны и облепленные слишком тугими джинсами, в ярких бело-голубых кроссовках на маленьких ступнях.

— Это ненадолго, — сказал шеф.

— Какого... — Я хотел выругаться, я дернулся, вскакивая с пола, но замолчал при первых же звуках своего голоса. Грудного, мягкого, женского голоса.

— Антон, спокойно. — Молодой мужчина, стоящий рядом, протянул руку и помог мне подняться.

Пожалуй, без этого я бы упал. Центр тяжести совершенно изменился. Я стал ниже ростом, мир виделся совсем по-другому...

— Ольга? — спросил я, глядя в свое бывшее лицо. Моя партнерша, а теперь еще и обитатель моего тела, кивнула. Растерянно глядя в ее... в свое... лицо, я заметил, что плоховато выбрился утром. И что на лбу у меня назревает мелкий красный прыщик, достойный подростка в пубертатном возрасте.

— Антон, спокойно. Я тоже первый раз меняю пол.

Почему-то я ей поверил. Несмотря на свой возраст, Ольга могла никогда не попадать в столь щекотливую ситуацию.

— Освоился? — спросил шеф.

Я все еще разглядывал себя, то поднимая к лицу руки, то ловя отражение в стеклах стеллажей.

— Пошли. — Ольга потянула меня за руку. — Борис, минутку... — Движения были столь же неуверенны, как и мои. Даже более. — Свет и Тьма, да как вы, мужики, ходите? — внезапно воскликнула она.

Вот тогда я захохотал, осознав иронию произошедшего. Меня, объект провокации Темных, спрятали, укрыв в женском теле! В теле любовницы шефа, древней, как собор Парижской Богоматери!

Ольга буквально впихнула меня в ванную — я невольно порадовался собственной силе, — нагнула над джакузи. И пустила в лицо струю холодной воды из душа, заранее заботливо приготовленного, лежащего на нежно-розовом фаянсе.

Отфыркиваясь, я вырвался из ее рук. Едва подавил желание залепить Ольге — или все-таки себе самому? — пощечину. Похоже, моторные навыки чужого тела начинали просыпаться.

— У меня не истерика, — зло сказал я. — Это действительно смешно.

— Точно? — Ольга, прищурившись, смотрела на меня. Неужели это и впрямь мой взгляд, когда я стараюсь выразить доброжелательность в смеси с сомнением?

— Совершенно точно.

— Тогда посмотри на себя.

Подойдя к зеркалу, столь же большому и роскошному, как и все в этой потайной ванной комнате, я уставился на себя.

Результат был странным. Разглядывая своё новое обличье, я совершенно успокоился. Наверное, окажись я в ином, но мужском теле, шок был бы больше. А так — ничего, кроме ощущения начавшегося маскарада.

— Ты на меня не воздействуешь? — спросил я. — Ты или шеф?

— Нет.

— Значит, это у меня крепкие нервы.

— У тебя помада размазалась, — заметила Ольга. И хихикнула. — Умеешь красить губы?

— Сдурела? Нет, конечно.

— Я научу. Нехитрая наука. Тебе ещё очень повезло, Антон.

— В чём?

— На недельку позже — и пришлось бы учить тебя пользоваться прокладками.

— Как любой нормальный мужчина, смотрящий телевизор, я умею это делать в совершенстве. Прокладку надо облить ядовито-синей жидкостью, а потом сильно сжать в кулаке.

ГЛАВА 2

Я вышел из кабинета и остановился на миг, борясь с искушением вернуться.

В любой момент я мог отказаться от предложенного шефом плана. Стоит лишь вернуться, сказать пару слов — и мы с Ольгой возвратимся в свои настоящие тела. Вот только за полчаса разговора мне было сказано достаточно, чтобы я согласился, что смена тел — единственный реальный ответ на провокацию Тёмных.

В конце концов, нелепо ведь отказываться от спасительного лечения на основании болезненности уколов.

Ключи от квартиры Ольги лежали у меня в сумочке. Там же — деньги и кредитка в маленьком кошельке, косметичка, платочек, прокладка — зачем только, ведь это мне не должно понадобиться, начатая упаковка конфеток «тик-так», расчёска, россыпь мелочи на дне, зеркальце, крошечный мобильный телефон...

А вот пустые карманы джинсов вызывали невольное ощущение потери. Я секунду рылся в них, пытаясь найти хотя бы завалявшуюся монетку, но убедился лишь в том, что, подобно большинству женщин, Ольга все носила в сумочке.

Казалось бы, пустые карманы — далеко не самая большая моя потеря за сегодняшний день. И все-таки эта деталь вызывала раздражение. Я переложил в карман из сумочки несколько банкнот и почувствовал себя увереннее.

Жаль только, что Ольга не носит плеера...

— Привет. — Ко мне подошел Гарик. — Шеф свободен?

— Он... он с Антоном... — ответил я.

— Что-то случилось, Оля? — Гарик внимательно смотрел на меня. Не знаю, что он почувствовал: чужие интонации, неуверенные движения, новую ауру. Но если даже оперативник, с которым ни я, ни Ольга особо не общались, ощущает подмену — грош мне цена.

Тем временем Гарик неуверенно, робко улыбнулся. Это было совсем неожиданно: я никогда не замечал, чтобы Гарик пытался заигрывать с сотрудницами Дозора. Ему даже с человеческими женщинами трудно знакомиться, он потрясающе невезуч в любовных делах.

— Ничего. Поспорили немного. — Я развернулся и, не прощаясь, пошел к лестнице.

Это была версия для Ночного Дозора — на тот маловероятный случай, если среди нас есть их агент. Насколько я знаю, такое случалось всего раз или два за всю историю Дозора, но мало ли... Пусть все считают, что Борис Игнатьевич повздорил со своей давней подругой.

Ведь и повод есть, и повод немалый. Столетнее заточение в его кабинете, невозможность принять человеческий облик, частичная реабилитация, но с потерей большинства магических способностей. Вполне достаточные основания обидеться... По крайней мере я избавлен от необходимости изображать подругу шефа, что было бы уж совсем чересчур.

Размышляя так, я и спустился до третьего этажа. Стоило признать, что Ольга максимально облегчила мне жизнь. Сегодня она надела джинсы, а не обычный юбочный костюм или платье, на ногах были кроссовки, а не туфли на высоком каблуке. Даже легкий запах духов не был одуряющим.

Да здравствует мода «унисекс», пусть даже ее изобрели гомосексуалисты...

Я знал, что мне сейчас следует делать, знал, как следует себя вести. И все-таки это было трудно. Свернуть не к выходу, а в боковой коридор, неприметный и тихий.

И окунуться в прошлое.

Говорят, у больниц есть свой незабываемый запах. Конечно. И это неудивительно, странно было бы не иметь запаха хлорке и боли, автоклавам и ранам, казенному белью и безвкусной пище.

Но откуда, скажите на милость, свой запах у школ и институтов?

В помещении Дозора обучают лишь части предметов. Коечто удобнее преподавать в морге, по ночам, там у нас есть свои люди. Кое-чему обучают на местности. Кое-чему — за рубежом, в туристических поездках, которые оплачивает Дозор. Когда я проходил обучение, то побывал и на Гаити, и в Анголе, и в Штатах, и в Испании.

Но все-таки для некоторых лекций подходит лишь территория Дозора, здание, от фундамента до крыши закрытое магией и охранными заклятиями. Тридцать лет назад, когда Дозор переехал в это помещение, оборудовали три аудитории, каждая на пятнадцать человек. Я до сих пор не понимаю, чего больше в этом размахе: оптимизма сотрудников или избытка площади. Даже когда я проходил обучение, а это был очень удачный год, нам хватало одной аудитории, да и та наполовину оставалась пустой.

Сейчас Дозор обучал четверых Иных. И лишь в отношении Светланы существовала твердая уверенности, что она войдет в наши ряды, а не предпочтет обычную человеческую жизнь.

Пусто здесь было, пусто и тихо. Я медленно шел по коридору, заглядывая в пустые аудитории, которые могли бы стать предметом зависти для самого обеспеченного и преуспевающего университета. За каждым столом — ноутбук, в каждой комнате — огромный проекционный телевизор, шкафы ломятся от книг... Да если бы эти книги увидел историк, нормальный историк, а не спекулянт от истории...

Никогда им их не увидеть.

В некоторых книгах слишком много правды. В других — слишком мало лжи. Людям это читать не стоит, причем для их же собственного спокойствия. Пусть живут с той историей, к которой привыкли.

Конец коридора заканчивался огромным зеркалом, закрывающим всю торцовую стену. Я искоса взглянул в него: по коридору вышагивала, покачивая бедрами, молодая красивая женщина.

Запнувшись, я едва не полетел на пол: хотя Ольга и сделала все возможное, чтобы облегчить мне жизнь, но центр тяжести тела она изменить не могла. Когда удавалось забыть о своем облике, все шло более или менее нормально, работали моторные навыки. А вот стоит посмотреть на себя со стороны — и начинаются сбои. Даже дыхание стало чужим, как-то не так входил в легкие воздух.

Я подошел к последней, стеклянной, двери. Осторожно заглянул в нее.

Занятие как раз заканчивалось.

Сегодня они изучали бытовую магию, я понял это, едва увидел у демонстрационного стенда Полину Васильевну. Она одна из самых старых сотрудниц Дозора — внешне, а не по подлинному возрасту. Ее обнаружили и инициировали в возрасте шестидесяти трех лет. Ну кто мог предположить, что старушка, подрабатывающая в лихие послевоенные годы карточным гаданием, и впрямь обладает какими-то способностями? Причем не шуточными, пусть и узконаправленными.

— И теперь, если вам понадобится спешно привести одежду в порядок, — наставительно говорила Полина Васильевна,— вы сможете это сделать за считанные минуты. Только не забудьте заранее проверить, насколько хватает силенок. Иначе конфуз выйдет.

— А когда часы ударят двенадцать, твоя карета превратится в тыкву, — громко сказал молодой парень, сидящий рядом со Светланой. Парня этого я не знал, на обучении он был второй или третий день, но он мне уже заранее не нравился.

— Именно! — с восторгом заявила Полина, сталкивающаяся с подобным остроумием в каждой партии учеников. — Сказки врут не меньше, чем статистика! Но иногда в них можно найти капельку правды.

Она собрала со стола аккуратно отглаженный, элегантный, пусть и несколько старомодный смокинг. В таком, наверное, выходил в свет Джеймс Бонд.

— Когда он снова станет тряпьем? — деловито спросила Светлана.

— Через два часа, — так же коротко проинформировала Полина. Повесила смокинг на плечики, вернула на стенд. — Я не особо напрягалась.

— А сколько вы можете его поддерживать в приличном виде? Максимально?

— Около суток.

Светлана кивнула и неожиданно посмотрела в мою сторону. Почувствовала. Улыбнулась, помахала рукой. Теперь меня заметили все.

— Прошу вас, госпожа. — Полина склонила голову. — Большая честь для нас.

Да, она знала об Ольге что-то, неизвестное мне. Все мы знали о ней лишь часть правды, лишь шеф, наверное, знал все.

Я вошел, отчаянно пытаясь придать походке меньшее изящество. Не помогло. И парень, соседствовавший со Светланой, и парнишка лет пятнадцати, который уже полгода топтался на начальном курсе магии, и высокий тощий кореец, которому могло быть и тридцать, и сорок лет, — все они смотрели на меня.

Однозначно заинтересованно. Вся та атмосфера тайны, что окружала Ольгу, все слухи и недомолвки, в конце концов то, что она была давней-предавней любовницей шефа, — все это вызывало у мужской части Дозора вполне определенную реакцию.

— Здравствуйте, — сказал я. — Я не помешала?

Сосредоточившись на правильном употреблении родов, я не следил за тоном. В результате банальный вопрос вышел томно-загадочным и будто обращенным к каждому из присутствующих персонально. Прыщавый мальчишка впился в меня взглядом, парень сглотнул, лишь только кореец сохранил некоторое подобие хладнокровия.

— Ольга, хотите что-то объявить студентам? — поинтересовалась Полина.

— Мне надо поговорить со Светой.

— Все свободны, — объявила старушка. — Ольга, как-нибудь заглянете в учебное время? Мои лекции ваш опыт не заменят.

— Обязательно, — щедро пообещал я. — Дня через три.

Пусть Ольга отдувается за мои обещания. Я же вынужден отдуваться за выработанную ею сексапильность.

Вместе со Светланой мы пошли к выходу. Три пары жадных глаз буравили мою спину, точнее — не совсем спину.

Я знал, что у Ольги и Светланы теплые отношения. С той ночи, когда мы вдвоем объясняли ей правду о мире, об Иных, о Светлых и Темных, о Дозорах, о сумраке, с того рассветного часа, когда она, держась за наши руки, прошла сквозь закрытую дверь в помещение оперативного штаба Ночного Дозора. Да, меня со Светланой связывала мистическая нить, наши судьбы были переплетены. Но я знал, слишком хорошо знал, что это ненадолго. Светлана уйдет далеко вперед, туда, куда мне не добраться, стань я даже магом первого уровня. Нас держала вместе судьба, держала крепко, но лишь до поры до времени. А вот с Ольгой Светлана просто дружила, как бы скептически я ни относился к женской дружбе. Их не сводил вместе рок. Они были свободны.

— Оля, мне нужно дождаться Антона. — Светлана взяла меня за руку. Это не было движение младшей сестры, хватающейся за старшую в поисках поддержки и самоутверждения. Жест равного человека. И если Ольга позволяет Светлане вести себя на равных, значит, ей и впрямь прочат великое будущее.

— Не стоит, — сказал я. — Света, не стоит.

Опять что-то было не так в построении фразы или в тоне. Теперь на меня недоуменно глядела Светлана, но взгляд был точь-в-точь как у Гарика.

— Я тебе все объясню, — сказал я. — Но не сейчас и не здесь. У тебя дома.

Защиту на ее квартиру ставили на совесть, уж слишком много сил вложил Дозор в новую сотрудницу. Шеф даже не стал спорить со мной, могу ли я открыться Светлане, настоял лишь на одном: это должно произойти у нее дома.

— Хорошо. — Удивление в глазах Светланы не исчезло, но она согласно кивнула. — Ты уверена, что Антона не стоит ждать?

— Абсолютно, — сказал я, ни капельки не лукавя. — Возьмем машину?

— Ты сегодня пешком?

Дурак!

Напрочь забыл, что Ольга всем видам транспорта предпочитает подаренный шефом спортивный автомобиль.

— Так я и говорю — поедем на машине? — спросил я, понимая, что выгляжу идиотом. Нет, хуже: идиоткой.

Ольга кивнула. Недоумение в ее глазах все росло и росло.

Хорошо хоть, что я умею водить. Никогда не испытывал тяги к сомнительной радости иметь машину в мегаполисе с отвратительными дорогами, но курс нашего обучения включал многое. Кое-чему учат обычным образом, кое-что — вколачивают в сознание магией. Водить машину меня учили как простого человека, а вот если случай зашвырнет в кабину вертолета или самолета, то тут включатся навыки, о которых я и не помню в обычном состоянии. Во всяком случае, в теории — должны включиться.

Ключи от машины я отыскал в сумочке. Оранжевый автомобиль ждал на стоянке перед зданием, под бдительным оком охраны. Дверцы были закрыты, что, учитывая опущенный верх машины, выглядело просто смешно.

— Ты поведешь? — спросила Светлана.

Я молча кивнул. Уселся за руль, завел мотор. Ольга, помнится, срывается с места как пуля, но я так не умею.

— Ольга, с тобой что-то не так. — Светлана наконец-то решилась озвучить свои мысли. Выезжая на Ленинградский, я кивнул.

— Света, все разговоры, когда приедем к тебе.

Она замолчала.

Водитель из меня неважный. Ехали мы долго, куда дольше, чем следовало. Но Светлана больше ничего не спрашивала, си-

182

дела, откинувшись, глядя прямо перед собой. То ли медитировала, то ли пыталась смотреть сквозь сумрак. В пробках со мной несколько раз пытались заговаривать из соседних машин — причем непременно из самых дорогих. Видимо, и наш вид, и наша машина устанавливали незримую дистанцию, которую решался перешагнуть не каждый. Опускались стекла, высовывались коротко стриженные головы, иногда как неизменный атрибут добавлялась рука с мобильником. Вначале мне было просто неприятно. Потом стало смешно. А под конец я перестал реагировать на происходящее, точно так же, как не реагировала Светлана.

Интересно, а Ольгу подобные попытки знакомиться забавляли?

Наверное, да. После десятилетий в нечеловеческом теле, после заточения в стеклянной витрине.

— Оля, почему ты увела меня? Почему не захотела ждать Антона?

Я пожал плечами. Искушение ответить: «Потому что он здесь, рядом с тобой», — было велико. Да и шансов, что за нами следят, в общем-то немного. Машина тоже закрыта заклятиями безопасности, часть из них я ощущал, часть была выше моих способностей.

Но я удержался.

Светлана еще не проходила курс информационной безопасности, он начинается через три месяца обучения. На мой взгляд, стоило бы проводить его пораньше, но для каждого Иного приходится вырабатывать собственную программу, а это требует времени.

Вот когда Светлана пройдет через горнило этого испытания, она научится и молчать, и говорить. Это одновременно и самый легкий, и самый тяжелый курс обучения. Тебе просто начинают давать информацию, строго дозированно, в определенной последовательности. Часть услышанного будет правдой, часть — ложью. Кое-что тебе скажут открыто и непринужденно, кое-что поведают под страшным секретом, а кое-что узнаешь «случайно», подслушаешь, подсмотришь.

И все, все, что ты узнаешь, будет бродить в тебе, отдаваясь болью и страхом, рваться наружу, разрывая сердце, требовать реакции, немедленной и безрассудной. А на лекциях тебе будут говорить всякую чушь, которая в общем-то и не нужна для жизни Иного. Ибо главное испытание и обучение ведется в твоей душе.

По-настоящему здесь ломаются редко. Все-таки это обучение, а не экзамен. И каждому будет поставлена лишь та высота, какую он может преодолеть — при полном напряжении сил, оставляя клочья шкуры и брызги крови на барьере, сплетенном из колючей проволоки.

Но когда этот курс проходят те, кто и впрямь дорог или хотя бы просто симпатичен, тебя начнет корежить и разрывать на куски. Ты поймаешь странный взгляд в свою сторону и станешь гадать, что же узнал в рамках курса твой друг? Какую правду? Какую ложь?

И что обучаемый узнает о себе самом, о мире вокруг, о своих родителях и друзьях?

И будет желание — страшное, невыносимое. Желание помочь. Объяснить, намекнуть, подсказать.

Вот только никто, прошедший курс, не даст этому желанию волю. Потому что именно этому учатся, своей болью постигая, что и когда можно и нужно сказать.

В общем-то сказать можно и нужно все. Надо лишь правильно выбрать время, иначе правда станет хуже лжи.

— Оля?

— Ты поймешь, — сказал я. — Только подожди.

Посмотрев сквозь сумрак, я бросил машину вперед, вписываясь между неуклюжим джипом и громоздким военным грузовиком. Щелкнуло, сложившись, зеркало, задевшее за край грузовика, — мне было все равно. Первой преодолев перекресток, прошипев шинами на повороте, машина вырвалась на шоссе Энтузиастов.

— Он любит меня? — вдруг спросила Светлана. — Все-таки да или нет? Ты ведь знаешь, наверное?

Я вздрогнул, машина вильнула, но Светлана не обратила на это внимания. Она задала вопрос не в первый раз, чувствую. Уже был между ней и Ольгой разговор, явно тяжелый и неоконченный.

— Или он любит тебя?

Все. Сейчас я не смогу молчать.

— Антон очень хорошо относится к Ольге. — Я говорил и о себе, и о хозяйке своего тела в третьем лице. Это нарочито, но выглядит просто как сухая отстраненная вежливость. — Боевая дружба. Не более того.

Если она задаст Ольге вопрос, как та относится ко мне, то обойтись без лжи будет труднее.

Но Светлана промолчала. А через минуту на миг коснулась моей руки, будто прося прощения.

Теперь от вопроса не удержался я.

— Почему ты спрашиваешь?

Она ответила легко, без колебаний:

— Я не понимаю. Антон очень странно себя ведет. Иногда кажется, что он без ума от меня. А иногда — что я для него одна из сотни знакомых Иных. Боевой товарищ.

— Узел судьбы, — коротко ответил я.

— Что?

— Вы этого еще не проходили, Света.

— Тогда ты объясни!

— Понимаешь, — я гнал машину все быстрее и быстрее, это, наверное, включились моторные рефлексы чужого тела, — ты понимаешь, когда он шел к тебе домой первый раз...

— Я знаю, что подверглась внушению. Он рассказал, — отрезала Светлана.

— Дело не в этом. Внушение было снято, когда тебе рассказали правду. Но когда ты научишься видеть судьбу — а ты непременно научишься, и куда лучше меня, — ты поймешь.

— Нам говорили, что судьба изменчива.

— Судьба поливариантна. Идя к тебе, Антон знал, что в случае удачи он полюбит тебя.

Светлана помолчала. Мне показалось, что у нее слегка порозовели щеки, но, может быть, это было от прорывающегося в открытый кузов ветра.

— И что с того?

— Ты знаешь, что это такое? Быть приговоренным к любви?

— Но разве это не так — всегда? — Светлана даже вздрогнула от негодования. — Когда люди любят друг друга, когда находят среди тысяч, миллионов. Это же всегда — судьба!

И я снова почувствовал в ней ту уже начинающую исчезать бесконечно наивную девушку, что даже ненавидеть могла лишь себя саму.

— Нет. Света, ты слышала такую аналогию: любовь — это цветок?

— Да.

— Цветок можно вырастить, Света. А можно купить. Или его подарят.

— Антон — купил?

— Нет, — сказал я; слишком резко, пожалуй, сказал. — Получил в подарок. От судьбы.

— И что с того? Если это — любовь?

— Света, срезанные цветы красивы. Но они живут недолго. Они уже умирают, даже заботливо поставленные в хрустальную вазу со свежей водой.

— Он боится меня любить, — задумчиво сказала Светлана. — Так? Я не боялась, потому что не знала этого.

Я подъехал к дому, лавируя между припаркованными машинами. В основном — «жигули» и «москвичи». Непрестижный район.

— Зачем я тебе это все говорила? — спросила Светлана — Зачем допытывалась ответа? И откуда ты знаешь ответы, Ольга? Только потому, что тебе четыреста сорок три года?

Я вздрогнул, услышав цифру. Да, богатый жизненный опыт. Весьма богатый.

На следующий год у Ольги намечается своеобразный юбилей.

Хотелось бы верить, что мое тело, пусть даже в четверть этого возраста, останется в столь прекрасной физической форме.

— Пойдем.

Машину я бросил без всякого присмотра. Все равно человеческому существу и мысли не придет украсть ее; охранные заклятия надежнее любой сигнализации. Молча, по-деловому, мы со Светланой поднялись по лестнице, вошли в ее квартиру.

Тут кое-что изменилось, конечно. С работы Светлана ушла, зато ее стипендия и «подъемные», выплачиваемые каждому Иному при инициации, намного превосходили скромные доходы врача. Телевизор она сменила, непонятно лишь, когда находит время его смотреть. Роскошный, широкоэкранный, слишком большой для ее квартиры. Забавно было смотреть на эту неожиданно проснувшуюся тягу к красивой жизни. Вначале она появляется у всех — вероятно, как защитная реакция. Когда мир вокруг рушится, когда прежние страхи и опасения уходят, а на их место заступают другие, еще непонятные и смутные, каждый начинает осуществлять какие-то мечты прежней жизни, еще недавно казавшиеся нереальными. Кто-то кутит в ресторанах, кто-то покупает дорогой автомобиль, кто-то одевается «от кутюр». Это длится недолго, и не потому даже, что миллионером в Дозоре не станешь. Сами потребности, еще вчера бывшие такими желанными, начинают отмирать, уходить в прошлое. Навсегда.

— Ольга?

Светлана смотрела мне в глаза.

Я вздохнул, собираясь с силами:

— Я не Ольга.

Молчание.

— Я не мог сказать раньше. Только здесь. Твоя квартира защищена от наблюдения Темных.

— «Не мог»?

Суть она ухватила сразу.

— Не мог, — повторил я. — Это лишь тело Ольги.

— Антон?

Я кивнул.

Как нелепо мы сейчас выглядим!

Как хорошо, что Светлана уже привыкла к нелепостям.

Поверила она сразу.

— Негодяй!

Сказано было с той интонацией, которая скорее пошла бы аристократке Ольге. И пощечина, которую я получил, была из той же оперы.

Не больно, но обидно.

— За что? — спросил я.

— За то, что подслушивал чужой разговор! — выпалила Светлана.

Сформулировано было второпях, но я понял. Тем временем Света занесла другую руку, и я, презрев христианские заповеди, увернулся от второй пощечины.

— Света, я обещал беречь это тело!

187

— А я нет!

Светлана глубоко дышала, кусала губы, глаза горели. В такой ярости я ее не видел и даже не подозревал, что она вообще возможна. Да что же ее так разозлило?

— Значит, боишься любить срезанные цветы? — Светлана медленно наступала на меня. — Вот оно что, да?

До меня дошло. Не сразу, правда.

— Убирайся! Убирайся вон!

Я пятился, уже ткнулся спиной в дверь. Но стоило мне остановиться, как остановилась и Светлана. Качнула головой, выпалила:

— Ты в этом теле и оставайся! Оно тебе больше подходит, ты не мужик, тряпка!

Я молчал. Молчал, потому что уже видел, как все будет дальше. Видел, как раскручиваются перед нами линии вероятностей, как плетет свои дороги насмешливая судьба.

И когда Светлана заплакала, разом утратив весь боевой пыл, закрыв лицо руками, когда я обнял ее за плечи и она с готовностью разрыдалась на моем плече, внутри у меня было пусто и холодно. Пронзительно холодно, будто я вновь стою на заснеженной крыше под порывами зимнего ветра.

Светлана еще человек. В ней слишком мало от Иного, она не понимает, не видит, как уходит вдаль дорога, по которой нам суждено идти. И уж тем более не видит, как эта дорога расходится в разные стороны.

Любовь — счастье, но лишь когда веришь, что она будет вечной. И пусть это каждый раз оказывается ложью, но только вера дает любви силу и радость.

А Светлана всхлипывала на моем плече.

Многие знания — многие печали. Как бы я хотел не знать неизбежного будущего! Не знать — и любить, без оглядки, как простой смертный человек.

Но все-таки как обидно, что я сейчас не в своем теле.

Со стороны могло бы показаться, что две закадычные подруги решили провести тихий вечерок за просмотром телевизора, чаем с вареньем, бутылочкой сухого вина и разговорами на три вечные темы: мужики — сволочи, носить — нечего, а самое главное — как похудеть.

— Ты разве любишь булочки? — удивленно спросила Светлана.

— Люблю. С маслом и вареньем, — мрачно отозвался я.

— По-моему, кто-то обещал беречь это тело.

— А что плохого я ему делаю? Можешь поверить, организм в полном восторге.

— Ну-ну, — неопределенно отозвалась Светлана. — Потом поинтересуйся у Ольги, как она бережет фигуру.

Я заколебался, но все-таки разрезал очередную булочку на половинки и щедро намазал вареньем.

— А кому пришла в голову эта гениальная идея — спрятать тебя в женском теле?

— Кажется, шефу.

— Не сомневалась.

— Ольга его поддержала.

— Ну еще бы: Борис Игнатьевич для нее царь и бог.

В этом я слегка сомневался, однако промолчал. Светлана встала, пошла к шифоньеру. Открыла, задумчиво посмотрела на вешалку.

— Халатик наденешь?

— Чего? — Я поперхнулся булочкой.

— Так и будешь ходить по дому? Эти джинсы на тебе лопаются. Неудобно же.

— А какой-нибудь спортивный костюм найдется? — жалобно спросил я.

Светлана насмешливо глянула на меня, потом смилостивилась:

— Найдется.

Честно говоря, подобный костюм я предпочел бы увидеть на ком-нибудь другом. На Светлане, например. Коротенькие белые шорты и блузка. То ли в теннис играть, то ли трусцой бегать.

— Переодевайся.

— Света, я не думаю, что мы проведем весь вечер в квартире.

— Ничего. Все равно пригодится, значит, надо проверить, подходит ли размер. Одевайся, я пока схожу чай подогрею.

Светлана вышла, а я торопливо стянул джинсы. Начал расстегивать блузку, путаясь в незнакомых, слишком тугих пуговицах, потом с ненавистью посмотрел на себя в зеркало.

Симпатичная девушка, что ни говори. Прямо хоть фотографируй для журнала мягкой эротики.

Торопливо переодевшись, я уселся на диван. По телевизору шла мыльная опера — поразительно, что Светлана включила этот канал. Впрочем, по остальным скорее всего то же самое.

— Прекрасно выглядишь.

— Света, ну не надо? — попросил я. — И без того тошно.

— Ладно, прости, — легко согласилась она, усаживаясь рядом. — Так что нам необходимо делать?

— Нам? — с легким нажимом повторил я.

— Да, Антон. Ты же не зря пришел ко мне.

— Тебе я должен был рассказать, в какие неприятности влип.

— Допустим. Но раз шеф, — слово «шеф» Светлана ухитрилась произнести чрезвычайно вкусно, с уважением и с иронией одновременно, — позволил тебе раскрыться передо мной, значит, я должна тебе помочь. Хотя бы по велению судьбы, — не удержалась она.

Я сдался.

— Мне нельзя оставаться одному. Ни на минуту. Весь план строится на том, что Темные сознательно жертвуют своими пешками — либо уничтожают их, либо позволяют умереть.

— Как в тот раз?

— Да. Именно. И если эта провокация направлена на меня, то сейчас произойдет еще одно убийство. В тот момент, когда у меня, ну, по их мнению, конечно, не будет алиби.

Светлана смотрела на меня, подпирая подбородок руками. Медленно покачала головой:

— И тогда, Антон, ты выскочишь из этого тела, как чертик из коробочки. Окажется, что ты никак не мог совершать эти серийные убийства. Враг посрамлен.

— Ага.

— Ты извини. Я ведь совсем недолго в Дозоре, может быть, чего-то не понимаю.

Я насторожился. А Светлана, замявшись на секунду, продолжила:

— Вот когда все случилось со мной... Ведь как тогда было? Меня пытались инициировать Темные. Они знали, что Ночной Дозор заметит это, и даже выяснили, что ты можешь вмешаться и помочь.

— Да.

— Поэтому была разыграна комбинация с жертвованием нескольких фигур, с созданием нескольких ложных центров силы. И Ночной Дозор поначалу пошел на поводу. Если бы шеф не затеял свою контригру, если бы ты не стал переть вперед, ни на что не обращая внимания...

— Ты была бы сейчас моим врагом, — сказал я. — Училась бы в Дневном Дозоре.

— Я не о том, Антон. Я благодарна тебе, всему Дозору благодарна, но тебе — в первую очередь. Только я сейчас не о том. Ты пойми: то, что ты рассказал, столь же правдоподобно, как та история. Ведь как все четко складывалось? Парочка вампиров-браконьеров. Мальчик с высокими способностями Иного. Девушка с сильным проклятием. Глобальная угроза для города.

Я не нашелся, что ответить. Смотрел на нее и чувствовал, как щеки заливает краска. Девушка, которая и треть курса-то еще не прошла, новичок в наших делах, раскладывает передо мной ситуацию так, как должен был бы разложить я.

— Что сейчас происходит? — Светлана моих терзаний не заметила. — Серийный убийца, уничтожающий Темных. Ты оказываешься в списке подозреваемых. Шеф немедленно делает хитрый ход: ты с Ольгой меняешься телами. Да, но насколько этот ход хитрый? Я так понимаю, что практика обмена телами — весьма распространена. Борис Игнатьевич ее недавно применял, ведь верно? Он когда-нибудь использовал один и тот же прием два раза подряд? Против одного и того же противника?

— Не знаю, Света, детали операций мне не сообщают.

— Тогда подумай головой. И еще. Да неужели Завулон такой мелкий мстительный истерик? Ему ведь сотни лет, точно? Он Дневным Дозором руководит давным-давно. Если этот маньяк...

— Дикарь.

— Если Дикарю и впрямь несколько лет позволяют резвиться на улицах Москвы, готовя провокацию, то станет ли начальник Дневного Дозора тратить его на такую мелочь?

Извини, Антон, но ведь ты и впрямь цель не слишком круп-
ная.

— Я понимаю. Я маг пятого уровня официально. Но шеф
сказал, что на самом деле могу претендовать на третий.

— Даже с учетом этого.

Мы посмотрели друг другу в глаза, и я развел руками:

— Сдаюсь. Светлана, наверное, ты права. Но я рассказал
то, что знаю. И никаких других вариантов не вижу.

— Значит, будешь подчиняться распоряжениям? Ходить в
юбке, ни на минуту не оставаться в одиночестве?

— Вступая в Дозор, я знал, что теряю часть свободы.

— Часть. — Светлана фыркнула. — Хорошо сказал. Ладно,
тебе виднее. Значит, ночь проводим вместе?

Я кивнул:

— Да. Но — не здесь. Мне лучше все время быть на людях.

— А спать?

— Не спать несколько ночей — несложно. — Я пожал плечами. — Думаю, тело Ольги тренировано не хуже моего. Последние месяцы она постоянно занималась великосветской
жизнью.

— Антон, я этим фокусам еще не обучена. Когда спать мне?

— Днем. На занятиях.

Она поморщилась. Я знал, что Светлана согласится, это
было неизбежно. Характер просто не позволил бы отказать в
помощи даже случайному человеку, а я все-таки случайным не
был.

— Пойдем в «Магараджу»? — предложил я.

— Что это?

— Индийский ресторан, очень приличный.

— Он работает до утра?

— Нет, к сожалению. Но мы придумаем, куда двинуться
дальше.

Светлана смотрела на меня так долго, что всей моей врож-
денной толстокожести не хватило. Что я опять сделал не так?

— Антон, спасибо тебе, — с чувством сказала Светлана. —
Огромное. Ты меня пригласил в ресторан. Я этого ждала уже
месяца два.

Она поднялась, подошла к шкафу, открыла его, задумчиво посмотрела на развешенную одежду.

— А на твой размер я ничего приличного и не подберу, — заметила она. — Придется тебе снова влезть в джинсы. Пустят в ресторан?

— Должны, — не слишком уверенно сказал я. В конце концов, можно будет провести легкое воздействие на персонал.

— Если что, я потренируюсь во внушении, — будто прочитав мои мысли, сказала Светлана. — Заставлю пропустить. Это ведь будет доброе дело?

— Конечно.

— Знаешь, Антон, — Светлана сняла с плечиков платье, приложила к себе, покачала головой. Достала бежевый юбочный костюм, — меня поражает умение дозорных объяснять любое воздействие на реальность интересами Добра и Света.

— Вовсе не любое! — возмутился я.

— Любое-любое. Надо будет — и ограбление станет добрым делом, и убийство.

— Нет.

— Ты так в этом уверен? А сколько раз тебе приходилось вмешиваться в сознание людей? Вот даже наша встреча: ты ведь заставил меня поверить, что мы старые знакомые. Часто ты используешь способности Иного в жизни?

— Часто. Но...

— Представь, ты идешь по улице. У тебя на глазах взрослый человек бьет ребенка. Что ты сделаешь?

— Если остался лимит на вмешательство, — я пожал плечами, — проведу реморализацию. Разумеется.

— И будешь уверен, что это правильно? Не раздумывая, не вникая? А если ребенка наказывают за дело? Если наказание спасло бы его в будущем от больших неприятностей, а теперь он вырастет убийцей и бандитом? А ты — реморализация!

— Света, ты ошибаешься.

— И в чем же?

— Если у меня не будет лимита на парапсихологическое воздействие — я ведь все равно не пройду мимо.

Светлана фыркнула:

— И будешь уверен в своей правоте? Где грань?

— Грань каждый определяет самостоятельно. Это приходит.

Она задумчиво посмотрела на меня:

— Антон, а ведь такие вопросы задает каждый новичок. Верно?

— Верно. — Я улыбнулся.

— И ты привык на них отвечать, знаешь набор готовых ответов, софизмов, примеры из истории, аналогии.

— Нет, Света. Не в этом дело. Просто Темные такие вопросы вообще не задают.

— Откуда тебе знать?

— Темный маг может исцелять, Светлый маг может убивать, — сказал я. — Это правда. Знаешь, в чем все отличие между Светом и Тьмой?

— Не знаю. Этому нас не учат почему-то. Трудно сформулировать, вероятно?

— Совсем не трудно. Если ты думаешь в первую очередь о себе, о своих интересах — твоя дорога во Тьме. Если думаешь о других — к Свету.

— И долго туда придется идти? К Свету?

— Всегда.

— Это ведь только слова, Антон. Игра словами. Что говорит опытный Темный новичку? Быть может, такие же красивые и правильные слова?

— Да. О свободе. О том, что каждый занимает в жизни то место, которое заслуживает. О том, что любая жалость унижает, о том, что подлинная любовь слепа, о том, что настоящая доброта беспомощна, о том, что истинная свобода — свобода от всех.

— Это — неправда?

— Нет. — Я кивнул. — Это тоже часть правды. Света, нам не дано выбрать абсолютную истину. Она всегда двулика. Все, что у нас есть, — право отказаться от той лжи, которая более неприятна. Знаешь, что я в первый раз говорю новичкам о сумраке? Мы входим в него, чтобы получить силы. И плата за вход — отказ от части правды, которую мы не хотим принимать. Людям — проще. В миллион раз проще, со всеми их бедами, проблемами, заботами, которые для Иных вообще не существуют. Перед людьми не вставал выбор: они могут быть и добрыми, и злыми, все зависит от минуты, от окружения, от прочитанной накануне книги, от съеденного на обед бифштекса. Вот почему ими так просто управлять, даже самого злобного негодяя легко повернуть к Свету, а самого доброго и благородного человека — подтолкнуть во Тьму. Мы же — сделали выбор.

— Я ведь тоже его сделала, Антон. Я уже входила в сумрак.

— Да.

— Почему тогда я не понимаю, где грань, в чем отличие между мной и какой-нибудь ведьмой, посещающей черные мессы? Почему я задаю эти вопросы?

— А ты всегда будешь их задавать. Вначале — вслух. Потом — про себя. Это не пройдет, никогда. Если ты хотела избавиться от мучительных вопросов — ты выбрала не ту сторону.

— Я выбрала то, что хотела.

— Знаю. И потому — терпи.

— Всю жизнь?

— Да. Она будет долгой, но ты все равно никогда не привыкнешь. Никогда не избавишься от вопроса, насколько правилен каждый сделанный шаг.

ГЛАВА 3

Рестораны Максим не любил. Опять же — из-за характера. Куда веселее и комфортнее он чувствовал себя в барах и клубах, порой даже более дорогих, но не требующих излишней чопорности. Конечно, некоторые и в самом роскошном ресторане ведут себя как красные комиссары на переговорах с буржуями: ни манер, ни желания их приобрести. Но к чему уподобляться новым русским из анекдотов?

Однако вчерашнюю ночь требовалось загладить. Жена либо поверила в «важную деловую встречу», либо сделала вид, что поверила. Но легкие угрызения совести все равно оставались. Конечно, если бы она знала! Если бы она только могла предположить, кто он на самом деле и чем занимается!

Максим не мог ничего сказать. И оставалось заглаживать странное ночное отсутствие теми методами, которые любой порядочный мужчина использует после очередной интрижки. Подарки, внимание, выход в свет. Например, в хороший, престижный ресторан с изысканной экзотической кухней, иностранной прислугой, изящным интерьером, необъятной винной картой.

Интересно, Елена действительно считает, что накануне он ей изменил? Вопрос занимал Максима, но все-таки не до той степени, чтобы задать его вслух. Всегда надо оставлять что-то недоговоренным. Возможно, когда-нибудь она узнает правду. Узнает — и будет гордиться им.

Напрасные надежды скорее всего. Он это понимал. В мире, полном порождений Злобы и Тьмы, он был единственным Светлым рыцарем, бесконечно одиноким, не способным ни с кем поделиться открывающейся порой истиной. Вначале Максим еще надеялся встретить такого же, как и он сам: зрячего в стране слепых, сторожевого пса, способного учуять среди беспечной отары волков в овечьих шкурах.

Нет. Не было их, не было никого, способного встать рядом.

И все-таки он не опускал рук.

— Как ты думаешь, это стоит взять?

Максим скосил глаза на меню. Что такое «малаи кофта», он не знал. Но это никогда не мешало ему делать выводы. В конце концов, ингредиенты блюда указаны.

— Возьми. Мясо под соусом из сливок.

— Говядина?

Он не сразу понял, что Елена шутит. Потом ответил на ее улыбку.

— Обязательно.

— А если заказать блюдо из говядины?

— Вежливо откажут, — предположил Максим. Обязанность развлекать жену была не столь уж тяжелой. Скорее — приятной. И все-таки с большим удовольствием он сейчас понаблюдал бы за залом. Что-то тут не так. Что-то сквозило в полумраке, холодком отдавалось в спине, заставляло щуриться и смотреть, смотреть, смотреть...

Неужели?

Обычно между миссиями проходило несколько месяцев, полгода. А так, чтобы на следующий же день...

Но симптомы были слишком знакомы.

196

Максим опустил руку во внутренний карман пиджака, словно бы проверяя бумажник. На самом деле его занимало другое — маленький деревянный кинжал, вырезанный старательно, но безыскусно. Он сам выстругивал оружие, еще в детстве, не понимая тогда зачем, но чувствуя: это не просто игрушка.

Кинжал ждал.

Кто же?

— Макс? — В голосе Елены прорезалась укоризна. — Где ты витаешь?

Они чокнулись бокалами. Плохая примета, мужу с женой чокаться — денег в семье не будет. Но Максим не страдал суевериями.

Кто же?

Вначале он заподозрил двух девушек. Обе симпатичные, даже красивые, но каждая по-своему. Та, что ниже ростом — темноволосая, крепкая, с чуть угловатыми мужскими движениями, — буквально переполнена энергией. От нее так и исходили сексуальные флюиды. Вторая, светловолосая, более высокая, — спокойнее, выдержаннее. И красота совсем другая, умиротворяющая.

Максим поймал внимательный взгляд жены и отвел глаза.

— Лесбы, — с презрением сказала жена.

— Что?

— Да ты посмотри на них! Та, темненькая, в джинсах, совсем мужик.

И впрямь. Максим кивнул и придал лицу подобающее выражение.

Не эти. Все-таки не эти. Кто же тогда, кто?

В углу зала зачирикал мобильный — сразу же десяток человек непроизвольно потянулись к своим телефонам. Максим проследил за звуком — и у него перехватило дыхание.

Человек, отрывисто и тихо говорящий по телефону, был не просто Злом. Он весь был окутан черной пеленой, невидимой людям, но ощутимой для Максима.

От него веяло опасностью, причем опасностью надвигающейся и страшной.

Заныло в груди.

— Знаешь, Лен, я бы хотел жить на необитаемом острове, — неожиданно для себя самого сказал Максим.

— Один?

— С тобой, с детьми. Но чтобы никого. Больше никого.

Он залпом допил вино, официант немедленно наполнил бокал.

— Я бы не хотела, — сказала жена.

— Знаю.

Кинжал в кармане стал тяжелым и горячим. Накатывало возбуждение — резкое, почти сексуальное. Требующее разрядки.

— Помнишь Эдгара По? — спросила Светлана.

Пустили нас легко, я даже не ожидал. То ли правила в ресторане стали демократичнее, чем я помнил, то ли с посетителями негусто.

— Нет. Он слишком давно умер. Вот Семен рассказывал...

— Да я не о самом По. О его рассказах.

— «Человек толпы»? — сообразил я.

Светлана тихо засмеялась:

— Да. Ты сейчас в его положении. Вынужден мотаться по людным местам.

— Пока мне эти места не опротивели.

Мы взяли по рюмке «Бейлиса», заказали что-то из еды. Наверное, это наводило официантов на определенные мысли по поводу нашего визита: две неопытные проститутки в поисках работы, — но мне в общем-то было все равно.

— А он был Иным?

— По? Неинициированный скорее всего.

> Есть свойства — существа без воплощенья,
> С двойною жизнью: видимый их лик —
> В той сущности двоякой, чей родник —
> Свет в веществе, предмет и отраженье,

— тихо произнесла Светлана.

Я удивленно посмотрел на нее.

— Знаешь?

— Как тебе сказать? — Я поднял глаза и торжественно произнес:

> Не бойся воплощенного Молчанья,
> Ни для кого не скрыто в нем вреда.
> Но если ты с его столкнешься тенью

(Эльф безымянный, что живет всегда
Там, где людского не было следа),
Тогда молись, ты обречен мученью!

Секунду мы смотрели друг на друга, потом разом засмеялись.

— Маленькая литературная дуэль, — ехидно сказала Светлана. — Счет: один — один. Жаль, зрителей нет. А почему По остался неинициированным?

— Среди поэтов вообще много потенциальных Иных. Но некоторых кандидатов лучше оставить жить людьми. У По была слишком неустойчивая психика, давать таким особые способности — все равно что пироману подарить канистру с напалмом. Я даже не рискну предположить, на чью сторону он встал бы. Скорее всего ушел бы в сумрак навсегда, и очень быстро.

— А как они там живут? Те, кто ушел?

— Не знаю, Светлана. Да и никто не знает, пожалуй. Иногда их можно встретить в сумеречном мире, но общения, в привычном понимании, не случается.

— Я хотела бы узнать. — Светлана задумчиво оглядела зал. — А ты заметил здесь Иного?

— Старик за моей спиной, что говорит по сотовому?

— Какой же он старик?

— Глубокий. Я же смотрю не глазами.

Светлана прикусила губу, сощурилась. У нее уже начинали просыпаться маленькие амбиции.

— Пока не получается, — призналась она. — Даже не пойму, Светлый он или Темный.

— Темный. Не из Дневного Дозора, но Темный. Маг средней силы. Кстати, он нас тоже заметил.

— И что мы будем делать?

— Мы? Ничего.

— Он же Темный!

— Да, а мы — Светлые. Что с того? Как работники Дозора мы вправе проверить у него документы. Они наверняка в порядке.

— А когда мы вправе будем вмешаться?

— Ну, если он сейчас встанет, взмахнет руками, превратится в демона и начнет откусывать всем головы...

— Антон!

— Я вполне серьезен. У нас нет никаких прав мешать честному Темному магу отдыхать.

Официант принес наш заказ, мы замолчали. Светлана ела, но без всякого аппетита. Потом обронила, обиженно, как капризный ребенок:

— И долго Дозор будет так пресмыкаться?

— Перед Темными?

— Да.

— Пока мы не получим решающего преимущества. Пока у людей, становящихся Иными, даже мимолетного колебания не будет, что выбрать: Свет или Тьму. Пока Темные не вымрут от старости. Пока они не смогут подталкивать людей ко Злу с той легкостью, как сейчас.

— Но это ведь капитуляция, Антон!

— Нейтралитет. Статус кво. Обе стороны в цейтноте, что уж скрывать.

— Знаешь, Дикарь, который в одиночку наводит ужас на Темных, мне куда симпатичнее. Пусть он нарушает Договор, пусть даже невольно подставляет нас! Ведь он борется с Тьмой, понимаешь ты, борется! Один против всех!

— А ты не думала, почему он убивает Темных, но не выходит на контакт с нами?

— Нет.

— Не видит он нас, Светлана. В упор не видит.

— Он ведь самоучка.

— Да. Талантливый самоучка. Иной с хаотически проявляющимися способностями. Способный увидеть Зло. Не способный разглядеть Добро. Тебя это все равно не пугает?

— Нет, — мрачно сказала Светлана. — Извини, но не пойму, куда ты клонишь, Оль, извини, Антон. Ты заговорил совсем как она.

— Ничего.

— Темный куда-то пошел, — глядя через мое плечо, сказала Светлана. — Сосать чужие силы, творить злобные заклинания. А мы не вмешиваемся.

Я слегка обернулся. Увидел Темного — внешне ему действительно было от силы лет тридцать. Со вкусом одетый, обаятельный. За столиком, где он сидел, осталась молодая женщина и двое детей — мальчик лет семи, девочка чуть младше.

— Отлить он пошел, Света. Пописать. А его семья, кстати, вполне обычная. Никаких способностей. Их тоже предлагаешь ликвидировать?

— Яблочко от яблоньки...

— Скажи об этом Гарику. Его отец — Темный маг. До сих пор жив.

— Бывают исключения.

— Вся жизнь состоит из исключений.

Светлана замолчала.

— Я знаю этот зуд, Света. Творить Добро, преследовать Зло. Сразу и навсегда. Я сам такой. Но если ты не поймешь, что это тупик, — кончишь сумраком. И кто-то из нас будет вынужден прервать твое земное существование.

— Зато я успею.

— Ты знаешь, как будут выглядеть твои действия со стороны? Психопатка, убивающая нормальных, хороших людей налево и направо. Леденящие душу описания в газетах. Звучные прозвища — «московская Борджиа», например. Ты заронишь в человеческие сердца столько Зла, сколько бригада Темных магов за год не сотворит.

— Почему у вас на все готов ответ? — с горечью спросила Светлана.

— Да потому, что мы прошли через ученичество. И выжили. В большинстве своем — выжили!

Подозвав официанта, я попросил меню. Сказал:

— По коктейлю? И двинемся отсюда? Выбирай.

Светлана кивнула, изучая винную карту. Официант, смуглый высокий нерусский парень, ждал. Он всякого навидался, и две девицы, одна из которых вела себя как мужчина, его тоже не смущали.

— «Альтер Эго», — сказала Светлана.

Я с сомнением покачал головой — коктейль был из самых крепких. Но спорить не стал.

— Два коктейля и счет.

Пока бармен готовил коктейль, а официант возился со счетом, мы сидели в тягостном молчании. Наконец Светлана спросила:

— Хорошо, с поэтами все понятно. Они — потенциальные Иные. А как со злодеями? Калигула, Гитлер, маньяки-убийцы?

— Люди.

— Все?

— Как правило. У нас — свои злодеи. Их имена ничего не скажут людям, а у вас скоро начнется курс истории.

«Альтер Эго» оказался правильным. Два тяжелых, несмешивающихся слоя колыхались в бокале, черный и белый, сладкий сливочный ликер и горькое темное пиво.

Я расплатился наличными — не люблю оставлять электронных следов, — поднял бокал.

— За Дозор.

— За Дозор, — согласилась Света. — И за твою удачу, чтобы ты выбрался из этой истории.

Мне очень захотелось попросить ее постучать по дереву. Но я смолчал. Выпил коктейль — в два глотка, вначале мягкая сладость, потом легкая горечь.

— Здорово, — сказала Света. — Знаешь, а мне здесь нравится. Может быть, еще посидим?

— В Москве много приятных мест. Давай найдем такое, где не будет черных магов на отдыхе.

Света кивнула:

— Кстати, а он не появляется.

Я взглянул на часы. Да, отлить за это время можно было пару ведер.

А самое неприятное заключалось в том, что семья мага продолжала сидеть за столиком. И женщина уже явно волновалась.

— Света, я сейчас.

— Не забывай, кто ты! — шепнула она вслед.

Да. И впрямь, войти вслед за Темным магом в туалет было бы для меня несколько странно.

Все-таки я пошел через зал, на ходу взглянув сквозь сумрак. Логично было бы увидеть ауру мага, но вокруг была серая пустота, расцвеченная обычными аурами: довольными, озабоченными, похотливыми, пьяными, радостными.

Не через канализацию же он просочился!

Лишь за стенами здания, уже где-то рядом с белорусским посольством, мелькнул слабенький огонек — аура Иного. Но не Темного мага, гораздо слабее и другой раскраски.

Куда он делся?

В узком коридоре, кончающемся двумя дверьми, было пусто. Мгновение я еще колебался — ну, мало ли, вдруг мы его просто не заметили, вдруг маг ушел через сумрак, вдруг он обладает такой силой, что способен телепортироваться. Потом открыл дверь мужского туалета.

Здесь было очень чисто, очень светло, слегка тесновато и сильно пахло цветочным освежителем воздуха.

Темный маг лежал у самой двери, и раскинутые руки даже не дали открыть ее до конца. Лицо мага было растерянное, непонимающее, в раскрытой ладони я увидел блеск тонкой хрустальной трубки. Он схватился за оружие, но слишком поздно.

Крови не было. Ничего не было, и когда я вновь глянул сквозь сумрак, то не нашел в пространстве ни малейших следов магии.

Словно Темный маг умер от банального сердечного приступа или инсульта, словно он мог так умереть.

И была еще одна деталь, начисто отвергающая эту версию.

Маленький разрез на воротнике рубашки. Тонкий, будто бритвой оставленный. Словно в горло вонзили нож, слегка зацепив при этом одежду. Вот только на коже не было никаких следов от удара.

— Гады, — прошептал я, не зная кому адресуя проклятие. — Гады!

Вряд ли существовала худшая ситуация, чем та, в которую я влип. Сменить тело, отправиться «со свидетелем» в людный ресторан, чтобы стоять вот так, в полном одиночестве, над трупом Темного мага, убитого Дикарем.

— Идем, Павлик, — послышалось сзади.

Я обернулся — женщина, сидевшая за столиком с Темным магом, вошла в коридорчик, держа за руку сына.

— Не хочу, мам! — капризно выкрикнул ребенок.

— Зайдешь, скажешь папе, что мы скучаем, — терпеливо сказала женщина. В следующий миг она подняла голову и увидела меня.

— Позовите кого-нибудь! — отчаянно закричал я. — Позовите! Здесь человеку плохо! Уведите ребенка и позовите кого-нибудь!

В зале меня явно услышали, голос у Ольги был сильный. Сразу нахлынула тишина, только тягучая народная музыка продолжала звучать, но невнятный шум голосов стих.

Конечно же, она меня не послушалась. Кинулась, отпихнув меня с дороги, рухнула над телом мужа, запричитала — именно запричитала — в голос, уже осознавая случившееся, хотя руки что-то делали, расстегивали порванный воротник рубашки, тормошили неподвижное тело. Потом женщина принялась хлестать мага по щекам, будто надеялась, что он притворяется или всего лишь в обмороке.

— Мама, ты зачем папу бьешь? — тонко выкрикнул Павлик. Не испуганно, а удивленно, видно, никогда не видел скандалов. Дружная была семья.

Я взял мальчика за плечо и осторожно стал отводить в сторону. А в коридор уже впихивались люди. Я увидел Свету — ее глаза расширились, она сразу все поняла.

— Уведите ребенка, — попросил я официанта. — Кажется, человек умер.

— Кто нашел тело? — очень спокойно спросил официант. Без малейшего акцента, совсем не так, как прислуживая за столиком.

— Я.

Официант кивнул, ловко передавая мальчика — тот уже начал плакать, осознавая, что в его маленьком и уютном мире произошло что-то неправильное, — какой-то женщине из ресторанной прислуги.

— А что вы делали в мужском туалете?

— Дверь была открыта, я увидела, как он лежит, — не раздумывая соврал я.

Официант кивнул, признавая возможность такого события. Но при этом крепко взял меня за локоть.

— Вам придется подождать милицию, сударыня.

Светлана уже протолкалась к нам, прищурилась, услышав последние слова. Вот только этого нам не хватает: чтобы она принялась лишать окружающих памяти!

— Конечно, конечно. — Я сделал шаг, и официанту невольно пришлось отпустить руку и пойти вслед за мной. — Светка, там такой ужас, там труп!

— Оля. — Света среагировала правильно. Обняла меня за плечи, кинула на официанта негодующий взгляд и потащила в зал ресторана.

В этот миг между нами, протискиваясь сквозь жадную, любопытную толпу, пронесся мальчик. С ревом кинулся к матери, которую в этот момент пытались увести от тела. Воспользовавшись замешательством, женщина вновь приникла к мертвому мужу и принялась его трясти:

— Вставай! Гена, вставай! Вставай!

Я почувствовал, как вздрогнула Светлана, взглянув на эту сцену. Прошептал:

— Ну? Огнем и мечом искореняем Темных?

— Зачем ты это сделал? Я бы и так поняла! — яростно прошипела Светлана.

— Что?!

Мы посмотрели друг другу в глаза.

— Не ты? — неуверенно спросила Света. — Извини, я верю. Вот теперь я понял, что влип окончательно.

Особого интереса ко мне следователь не проявлял. В его глазах читалось уже сформировавшееся мнение — естественная смерть. Слабое сердце, злоупотребление наркотиками, да все что угодно. Не было, да и не могло быть у него никакого сочувствия к человеку, посещающему дорогие рестораны.

— Труп так и лежал?

— Так и лежал, — устало подтвердил я. — Ужасно!

Следователь пожал плечами. Ничего ужасного в трупе, тем более даже не обагренном кровью, он не видел. Но все-таки великодушно подтвердил:

— Да, тяжелое зрелище. Кто-либо находился поблизости?

— Никого. Но потом появилась женщина, жена трупа, с ребенком.

Косая улыбка вознаградила меня за нарочито бессвязную речь.

— Спасибо, Ольга. Возможно, с вами еще свяжутся. Вы не собираетесь покидать город?

Я энергично замотал головой. Милиция меня не тревожила ни в малейшей мере.

А вот шеф, скромно сидящий за угловым столиком, — весьма.

Оставив меня в покое, следователь удалился к «жене трупа». А Борис Игнатьевич немедленно направился к нашему столику. Видимо, он был прикрыт каким-то легким отвлекающим заклятием, на него никто не обращал внимания.

— Доигрались? — только и спросил он.

— Мы? — уточнил я на всякий случай.

— Да. Вы. Точнее — ты.

— Я выполнял все данные мне инструкции, — закипая, прошептал я. — И этого мага пальцем не тронул!

Шеф вздохнул.

— Не сомневаюсь. Но с какой дури ты, кадровый работник Дозора, зная всю ситуацию, поперся за Темным в одиночку?

— Кто мог предвидеть? — возмутился я. — Кто?

— Ты. Если уж мы пошли на подобные меры, на беспрецедентную маскировку. Какие были инструкции? Ни на минуту не оставаться одному! Ни на минуту! Есть, спать — вместе со Светланой. Душ принимать вдвоем! И в туалет ходить вместе! Чтобы каждый, каждый миг ты был... — Шеф вздохнул и замолчал.

— Борис Игнатьевич, — неожиданно вступила в разговор Светлана. — Теперь это не имеет значения. Давайте думать, что делать дальше.

Шеф с легким удивлением посмотрел на нее. Кивнул:

— Девочка права. Давайте думать. Начнем с того, что ситуация ухудшилась катастрофически. Если раньше на Антоне лежало косвенное подозрение, то теперь он буквально пойман за руку. Не качай головой! Тебя увидели стоящим над свежим трупом. Трупом Темного мага, убитого тем же способом, что и все предыдущие жертвы. Защитить тебя от обвинения — не в наших силах. Дневной Дозор обратится в трибунал и потребует чтения твоей памяти.

— Это ведь очень опасно? — спросила Светлана. — Да? Но зато выяснится, что Антон невиновен.

— Выяснится. А попутно Темные узнают всю информацию, к которой он был допущен. Светлана, ты представляешь, сколько знает ведущий программист Дозора? Пускай кое-что он сам не осознает, взглянул мимолетно на данные, обработал и забыл. Но среди Темных будут свои специалисты. И когда оправданный Антон выйдет из зала суда — допустим, что он выдержит выворот сознания, — Дневной Дозор будет в курсе всех наших операций. Понимаешь, что произойдет? Методики обучения и поиска новых Иных, разбор боевых операций, сети людей-осведомителей, статистика потерь, анкетные данные сотрудников, финансовые планы...

Они разговаривали обо мне, а я сидел, будто бы и непричастный к происходящему. И дело было вовсе не в циничной откровенности, а в самом факте: шеф советовался со Светланой, начинающим магом, не со мной, потенциальным магом третьей ступени.

Если сравнивать происходящее с шахматной партией, то позиция выглядела до обидного просто. Я был офицером, обычным хорошим офицером Дозора. А Светлана — пешкой. Но пешкой, уже готовящейся превратиться в ферзя.

И вся беда, которая могла приключиться со мной, отступала для шефа перед возможностью дать Светлане небольшой практический урок.

— Борис Игнатьевич, вы же знаете, что я не позволю просматривать свою память, — сказал я.

— Тогда ты будешь осужден.

— Знаю. А еще могу поклясться, что к смерти этих Темных не имею никакого отношения. Но доказательств у меня нет.

— Борис Игнатьевич, а если предложить, пусть Антону проверят память только за сегодняшний день! — радостно воскликнула Светлана. — Вот и все, и они убедятся...

— Память нельзя нарезать дольками, Света. Она выворачивается целиком. Начиная с первого мига жизни. С запаха материнского молока, со вкуса околоплодных вод. — Шеф сейчас говорил подчеркнуто жестко. — В том-то и беда. Даже если бы Антон не знал никаких секретов, представь, что это такое, вспомнить и пережить заново всё! Колыхание в темной вязкой жидкости, сдвигающиеся стены, проблеск света впереди, боль, удушье, необходимость пережить собственное рождение. И дальше, миг за мигом — ты слышала, что перед смертью вся жизнь пробегает перед глазами? Так и при выворачивании памяти. При этом где-то глубоко-глубоко остается память о том, что все это уже происходило. Понимаешь? Трудно сохранить здравый рассудок.

— Вы так говорите, — неуверенно произнесла Светлана, — будто...

— Я через это прошел. Не на допросе. Больше века назад, тогда Дозор только изучал эффекты выверта памяти, потребовался доброволец. Потом меня приводили в норму около года.

— А как? — с любопытством спросила Светлана.

— Новыми впечатлениями. Тем, что я не переживал ранее. Чужие страны, непривычные блюда, неожиданные встречи, непривычные проблемы. И все равно. — Шеф криво улыбнулся. — Иногда я ловлю себя на мысли: что вокруг? Реальность или воспоминания? Живу я или валяюсь на хрустальной плите в офисе Дневного Дозора и мою память раскручивают, как клубок пряжи.

Он замолчал.

Вокруг сидели за столиками люди, сновали официанты. Ушла опергруппа, унесли тело Темного мага, за его вдовой и детьми приехал какой-то мужчина, видимо, родственник. Больше никому не было дела до произошедшего. Кажется, даже наоборот — посетителям прибавилось и аппетита, и жажды к жизни. И на нас никто не обращал внимания: мимолетно наложенное шефом заклятие заставляло всех отводить глаза.

А если все это уже было?

Если это я, Антон Городецкий, системный администратор торговой фирмы «Никс», по совместительству — маг Ночного Дозора, лежу на хрустальной плите, испещренной древними рунами? И мою память разматывают, разглядывают, препарируют, все равно кто. Темные маги или Трибунал смешанного состава.

Нет!

Не может этого быть. Я не чувствую того, о чем говорил шеф. Нет у меня дежа-вю. Никогда я не оказывался в женском теле, никогда не находил мертвых тел в общественных туалетах.

— Напряг я вас, — сказал шеф. Потянул из кармана тонкую длинную сигариллу. — Ситуация ясна? Что будем делать?

— Я готов исполнить свой долг, — сказал я.

— Погоди, Антон. Не надо бравировать.

— Я не бравирую. Дело даже не в том, что я готов защищать тайны Дозора. Я просто не выдержу такого допроса. Лучше умереть.

— Мы ведь не умираем, как люди.

— Да, нам приходится хуже. Но я готов.

Шеф вздохнул.

— Извините, девочки. Антон, давайте подумаем не о последствиях, а о предпосылках к случившемуся. Иногда полезно заглянуть в прошлое.

— Подумаем, — без особой надежды сказал я.

— Дикарь браконьерствует в городе уже несколько лет. По последним данным аналитического отдела, эти странные убийства начались три с половиной года назад. Часть жертв — явные Темные. Часть, вероятно, потенциальные. Никто из убитых не стоял выше четвертой ступени. Никто не работал в Дневном Дозоре. Весьма забавно, что почти все они были умеренными Темными, насколько это слово вообще допустимо. Убивали, воздействовали на людей, но гораздо реже, чем могли бы.

— Их подставляли, — сказала Светлана.   Верно?

— Наверняка. Дневной Дозор не трогал этого психопата и даже подсовывал ему своих — тех, кого не жалко. Зачем? Главный вопрос — зачем?

— Чтобы обвинить нас в халатности, — предположил я.

— Цель не оправдывает средства.

— Чтобы подставить кого-то из нас.

— Антон, из всех сотрудников Дозора алиби на моменты убийств не имеешь только ты. Зачем Дневному Дозору охотиться на тебя?

Я пожал плечами.

— Месть Завулона. — Шеф с сомнением покачал головой. — Нет. Ты с ним столкнулся недавно. А удар был рассчитан три с половиной года назад. Вопрос остается: зачем?

— Может быть, Антон потенциально очень сильный маг? — тихо спросила Светлана. — И Темные это поняли. На свою сторону перетаскивать уже поздно, решили его уничтожить.

— Антон сильнее, чем он считает, — резко ответил шеф. — Но выше второй ступени ему не подняться никогда.

— Если враги видят варианты реальности дальше, чем мы? — Я посмотрел шефу в глаза.

— И что?

— Я могу быть слабым магом, могу быть средним или сильным. Но если мне достаточно будет просто что-то сделать и этим изменить равновесие сил? Сделать что-то простое, не связанное с магией? Борис Игнатьевич, ведь Темные пытались увести меня от Светланы — значит они видели ту ветвь реальности, в которой я смогу ей помочь! А если они видят что-то еще? Что-то в будущем? И видят давно, и давно готовятся меня нейтрализовать? Причем по сравнению с этим борьба за Свету — мелочь?

Вначале шеф слушал внимательно. Потом поморщился и покачал головой:

— Антон, у тебя мания величия. Извини. Я просматриваю линии всех работников Дозора, от ключевых и до сантехника дяди Шуры. Ну нет, прости уж, — нет у тебя в будущем великих свершений. Ни на одной линии реальности.

— Борис Игнатьевич, а вы абсолютно уверены, что не ошиблись?

Все-таки он меня разозлил.

— Нет, конечно. Я ни во что не верю абсолютно. Даже в себя. Но очень, очень мало шансов, что ты прав. Поверь.

Я поверил.

По сравнению с шефом мои способности близятся к нулю.

— Значит, мы не знаем главного — причины?

— Да. Удар нацелен на тебя, теперь уже сомнений нет. Дикарем управляют, очень тонко и изящно. Он считает, что воюет со Злом, а сам давным-давно стал марионеткой на ниточках. Сегодня его привели в тот же ресторан, куда пришел ты. Подсунули жертву. И ты влип.

— Тогда — что делать?

— Искать Дикаря. Это последний шанс, Антон.

— Мы же его фактически убьем.

— Не мы. Мы его только найдем.

— Все равно. Как бы он ни был плох, как бы сильно ни заблуждался, но он — наш! Он воюет со Злом как умеет. Ему надо просто все объяснить.

— Поздно, Антон. Поздно. Мы проморгали его появление. Теперь за ним тянется такой след... Помнишь, как кончила та вампирша?

Я кивнул:

— Упокоение.

— А ведь она совершила куда меньше преступлений — с точки зрения Темных. И тоже не понимала происходящего. Но Дневной Дозор признал ее вину.

— Случайно ли признал? — спросила Светлана. — Или — создавая прецедент?

— Кто знает? Антон, ты должен найти Дикаря.

Я вскинул глаза.

— Найти и отдать Темным, — жестко сказал шеф.

— Почему я?

— Потому что только для тебя это морально допустимо. Под ударом — именно ты. Ты лишь обороняешься. Для любого из нас отдать Светлого, пусть даже стихийного, самоучку, обманутого, будет слишком большим шоком. Ты выдержишь.

— Не уверен.

— Выдержишь. И учти, Антон. У тебя есть только эта ночь. Дневному Дозору больше незачем тянуть, утром тебе предъявят формальное обвинение.

— Борис Игнатьевич!

— Вспомни! Вспомни, кто был в ресторане? Кто пошел вслед за Темным магом в туалет?

— Никто. Я уверена, я все время поглядывала, не выйдет ли он, — вмешалась Светлана.

— Значит, Дикарь ждал мага в туалете. Но выйти он должен был. Помните? Света, Антон?

Мы молчали. Я — не помнил. Я старался не смотреть на Темного мага.

— Вышел один человек, — сказала Светлана. — Такой, ну...

Она задумалась.

— Никакой, абсолютно никакой. Средний человек, словно смешали миллион лиц и вылепили одно общее. Я мельком увидела и сразу же забыла.

— Вспоминай, — потребовал шеф.

— Борис Игнатьевич, не могу. Просто человек. Мужчина. Средних лет. Я даже не поняла, что он — Иной.

— Он стихийный Иной. Он даже не входит в сумрак, балансирует на самом краю. Света, вспомни! Лицо или какие-то особые приметы.

Светлана потерла пальцем лоб:

— Когда он вышел, сел за столик, там была женщина. Красивая, русоволосая. Она подкрашивалась, я еще заметила, что косметика у нее фирмы «Люмене», я сама иногда такой пользуюсь, недорогая, нехорошая.

Несмотря ни на что, я улыбнулся.

— И она недовольная была, — добавила Света. — Улыбалась, но криво. Словно хотела еще посидеть, а пришлось уходить.

Она опять задумалась.

— Аура женщины! — резко выкрикнул шеф. — Ты помнишь ее! Кидай мне слепок!

Он повысил голос и сменил тон. Конечно, никто в ресторане его не услышал. Но по лицам людей прошли судорожные гримасы, официант, несший поднос, споткнулся, уронил бутылку вина и два хрустальных фужера.

Светлана тряхнула головой — шеф ввел ее в транс так непринужденно, словно она была простым человеком. Я видел, как расширились ее зрачки и легкая радужная полоска протянулась между лицами девушки и шефа.

— Спасибо, Света, — сказал Борис Игнатьевич.

— У меня получилось? — удивленно спросила девушка.

— Да. Можешь считать себя магом седьмой ступени. Я сообщу, что зачет принял лично. Антон!

Теперь я посмотрел в глаза шефу.

Толчок.

Струящиеся нити энергии, неведомой людям.

Образ.

Нет, я не видел лица подруги Дикаря. Я видел ауру, что куда больше. Синевато-зеленые слои перемешанные, будто мороженое в вазочке, маленькое коричневое пятнышко, белая полоса. Аура достаточно сложная, запоминающаяся и в целом симпатичная. Мне стало не по себе.

Она любит его.

Любит и на что-то обижается, считает, что он ее разлюбил, и все равно терпит и готова терпеть дальше.

По следу этой женщины я найду Дикаря. И сдам его трибуналу — на верную смерть.

— Н-нет, — сказал я.

Шеф смотрел на меня с сочувствием.

— Она же ни в чем не виновата! И она его любит, вы же видите!

Ныла в ушах заунывная музыка, и никто из людей не отреагировал на мой крик. Хоть по полу катайся, хоть под чужие столики ныряй — ноги подожмут и продолжат поглощать индийские блюда.

Светлана смотрела на нас. Она запомнила ауру, но вот расшифровать ее не смогла: это уже шестая ступень.

— Тогда погибнешь ты, — сказал шеф.

— Я знаю за что.

— А ты не думал о тех, кто любит тебя, Антон?

— Этого права у меня нет.

Борис Игнатьевич криво усмехнулся:

— Герой! Ах какие мы все герои! Ручки у нас чистые, сердца золотые, ноги по дерьму не ступали. А женщину, что отсюда увели, помнишь? Детей ревущих помнишь? Они-то не Темные. Обычные люди, которых мы обещали защищать. Сколько мы взвешиваем каждую плановую операцию? Почему аналитики, пусть я и кляну их каждый миг, с седыми головами в пятьдесят лет ходят?

Как недавно я отчитывал Светлану, отчитывал уверенно и властно, так теперь шеф хлестал меня по щекам.

— Ты Дозору нужен, Антон! Света — нужна! А вот психопат, пусть даже добрый, — не нужен! Кинжальчик в руки взять да по подворотням и туалетам Темных отлавливать — просто. О последствиях не думать, вину не взвешивать. Где наш фронт, Антон?

— Среди людей. — Я опустил взгляд.

— Кого мы защищаем?

— Людей.

— Нет абстрактного Зла, ты-то должен это понимать! Корни — здесь, вокруг нас, в этом стаде, что жует и веселится через час после убийства! Вот за что ты должен бороться. За людей. Тьма — это гидра, и чем больше голов отсечешь, тем больше их вырастет! Гидр голодом морят, понимаешь? Убьешь сотню Темных — на их место встанет тысяча. Вот почему Дикарь — виновен! Вот почему ты, именно ты, Антон, найдешь его. И заставишь явиться на суд. Добровольно или принуждением.

Шеф вдруг замолчал. Резко поднялся.

— Уходим, девочки.

Я уже не замечал подобного обращения. Вскочил, подхватил сумочку — непроизвольным, рефлекторным движением.

Шеф зря дергаться не станет.

— Быстро!

Неожиданно я понял, что мне надо посетить то самое место, где встретил смерть незадачливый Темный маг. Но даже не рискнул об этом заикнуться. Мы двинулись к выходу так поспешно, что охрана непременно остановила бы, будь она способна нас увидеть.

— Поздно, — тихо сказал шеф у самых дверей. — Заболтались.

В ресторан вошли, будто просочились, трое. Два крепких парня и девушка.

Девушку я знал. Алиса Донникова. Ведьмочка из Дневного Дозора. Ее глаза округлились, когда она увидела шефа.

А следом двигались два неуловимых, невидимых, идущих сквозь сумрак силуэта.

— Прошу задержаться, — хрипло, будто у нее разом в горле пересохло, сказала Алиса.

— Прочь. — Шеф слегка повел ладонью, и Темных стало отжимать в стороны, к стенам. Алиса накренилась, пытаясь сопротивляться упругой стене, но силенки были неравны.

— Завулон, взываю! — взвизгнула она.

Ого. Ведьмочка-то в любимицах главы Дневного Дозора, раз имеет право вызова!

Из сумрака вынырнули еще двое Темных. На взгляд я определил их как босых магов третьей-четвертой ступени. Конечно, до Бориса Игнатьевича им далеко, да и я способен помочь шефу, но протянуть время они сумеют.

Шеф это тоже понял.

— Что вам надо? — властно спросил он. — Это время Ночного Дозора.

— Совершено преступление. — Глаза у Алисы горели. — Здесь, и недавно. Убит наш брат, убит кем-то из... — Ее взгляд буравил то шефа, то меня.

— Из кого? — с надеждой спросил шеф. Ведьма на провокацию не поддалась. Рискни она, при своем статусе и не в свое время, бросить Борису Игнатьевичу такое обвинение — он размазал бы ее по стене.

Причем ни на секунду не задумался бы о взвешенности такого поступка.

— Кем-то из Светлых!

— Ночной Дозор не имеет понятия о преступнике.

— Мы официально просим содействия.

Да. Теперь отступать было некуда. Отказ в содействии другому Дозору — почти объявление войны.

— Завулон, к тебе взываю! — повторно выкрикнула ведьма. У меня родилась робкая надежда, что глава Темных ее не слышит или чем-то занят.

— Мы готовы к сотрудничеству, — сказал шеф. В голосе его был лед.

Я оглянулся на зал, поверх широких плеч магов — Темные уже взяли нас в кольцо, явно намереваясь держать у самых дверей. Да, в ресторане творилось что-то небывалое.

Народ жрал.

Чавканье стояло такое, будто за столиками сидели свиньи. Тупые, остекленевшие взгляды, в пальцах сжаты столовые приборы, но еду загребают ладонями, давятся, фыркают, отплевываются. Благообразный пожилой человек, мирно ужинавший в окружении трех охранников и юной девицы, хлебает вино прямо из бутылки. Симпатичный юноша, явно из «яппи», и его милая подружка вырывают друг у друга тарелку, обливаясь жирным оранжевым соусом. Официанты носятся от столика к столику и мечут, мечут едокам тарелки, чашки, бутылки, жаровни, вазочки...

У Темных свои методы отвлечения посторонних.

— Кто-либо из вас присутствовал в ресторане в момент убийства? — торжествующе спросила ведьма. Шеф помолчал.

— Да.

— Кто?

— Мои спутницы.

— Ольга, Светлана. — Ведьма пожирала нас взглядом. — Здесь не присутствовал Иной, сотрудник Ночного Дозора, чье человеческое имя — Антон Городецкий?

— Кроме нас, здесь не было сотрудников Дозора! — быстро сказала Светлана. Хорошо, но слишком быстро. Алиса нахмурилась, понимая, что ее вопрос был сформулирован слишком расплывчато.

— Тихая ночь, не правда ли? — донеслось от дверей.

Завулон явился на зов.

Я смотрел на него, обреченно понимая, что высшего мага не обманет маскировка. Он мог не распознать в Илье шефа, но старого лиса на один фокус дважды не поймать.

— Не слишком тихая, Завулон, — просто сказал шеф. — Отгони свое быдло, или я сделаю это за тебя.

Темный маг выглядел точно так же, будто время остановилось, будто ледяную зиму не сменила теплая, хоть и запоздалая весна. Костюм, галстук, серая рубашка, старомодные узкие туфли. Впалые щеки, тусклый взгляд, короткая стрижка.

— Я знал, что мы встретимся, — сказал Завулон.

Смотрел он на меня. Только на меня.

— Как глупо. — Завулон покачал головой. — Зачем тебе это нужно, а?

Он сделал шаг, Алиса шмыгнула прочь с его пути.

— Хорошая работа, достаток, удовлетворенное самолюбие, все радости мира — в твоих руках, надо лишь вовремя придумать, что будет Добром на этот раз. И все-таки — неймется. Я не понимаю тебя, Антон.

— А я не понимаю тебя, Завулон. — Шеф преградил ему дорогу.

Темный маг неохотно посмотрел на него.

— Значит, стареешь. В теле твоей любовницы, — Завулон хихикнул, — Антон Городецкий. Тот, кого мы подозреваем в серийных убийствах Темных. Давно он там прячется, Борис? И ты не заметил подмены?

Он опять хихикнул.

Я окинул взглядом Темных. Они еще не сообразили. Им нужна еще секунда, полсекунды.

Потом я увидел, как Светлана поднимает руки и на ладонях ее пульсирует колдовской желтый огонь.

Зачет на пятый уровень силы принят, вот только в этой схватке мы проиграем. Нас трое. Их — шестеро. Если Светлана ударит — спасая не себя, меня, уже утопшего в дерьме с головой, — начнется побоище.

Я прыгнул вперед.

Как хорошо, что у Ольги такое тренированное и крепкое тело. Как хорошо, что все мы — и Светлые, и Темные — отвыкли полагаться на силу рук и ног, на простой, незатейливый мордобой. Как здорово, что Ольга, лишенная большей части своей магии, этим искусством не пренебрегает.

Завулон согнулся и издал хрипящий звук, когда мой — или Ольги — кулак вонзился ему в живот. Ударом ноги я подрубил ему колени и кинулся на улицу.

— Стой! — взвыла Алиса. С восторгом, с ненавистью и любовью одновременно.

Ату его, ату!

Я бежал по Покровке в сторону Земляного Вала, сумочка колотила по спине. Хорошо, что я не на каблуках. Оторваться, затеряться, курс выживания в городе мне всегда нравился, вот только он был таким коротким, совсем коротким, кто же думал, что сотруднику Дозора придется прятаться и убегать, а не ловить прячущихся и убегающих.

Сзади раздался свистящий вой.

Отпрыгнул я на одних рефлексах, еще не соображая, что происходит. Багровая огненная струя, извиваясь, пронеслась вдоль по улице, попыталась остановиться и завернуть обратно, но инерция была слишком велика: заряд врезался в стену здания, на миг раскалив камни добела.

Да ведь это!..

Я оступился, упал, оглянулся. Завулон снова наводил боевой посох, но двигался очень медленно, словно что-то сковывало его, тормозило.

Он же бьет на поражение!

От меня горстки пепла не осталось бы, зацепи меня «Плеть Шааба»!

Значит, шеф был все-таки не прав. Дневному Дозору не нужно то, что в моей голове. Им надо меня уничтожить.

Темные бежали следом. Завулон нацеливал оружие, шеф обнимал вырывающуюся Светлану. Я вскочил и снова кинулся бежать, уже понимая, что уйти не удастся. Одна радость — на улице никого не было, инстинктивный, неосознанный страх вымел прохожих прочь, едва началась наша разборка. Никто не пострадает.

Взвизгнули тормоза. Я обернулся и увидел, как дозорные разбегаются, уступая дорогу бешено несущейся машине. Водитель, явно решивший, что попал в самый центр бандитской разборки, на миг остановился, потом прибавил скорости.

Остановить? Нет, нельзя.

Я отскочил на тротуар, присел, прячась от Завулона за старой припаркованной «волгой», пропуская случайного водителя. Серебристая «тойота» пронеслась мимо и с тем же пронзительным воплем сгорающих тормозных колодок остановилась.

Дверца со стороны водителя распахнулась, и мне махнули рукой.

Не бывает такого!

Это лишь в дешевых боевиках убегающего героя подхватывает случайная машина.

Додумывал я, уже распахивая заднюю дверцу и запрыгивая внутрь.

— Быстрее, быстрее! — закричала женщина, рядом с которой я оказался. Но торопить водителя нужды не было — мы уже неслись вперед. Сзади полыхнуло, и еще один заряд «Плети» понесся следом, водитель вильнул, пропуская огненную струю. Женщина завизжала.

Как им видится происходящее? Пулеметным огнем? Ракетными залпами? Выстрелом из огнемета?

— Зачем, зачем ты возвращался! — Женщина попыталась податься вперед, в явном желании ударить водителя по спине. Я уже приготовился перехватить руку, но рывок машины откинул женщину раньше.

— Не надо, — мягко сказал я и получил негодующий взгляд.

Еще бы. Какую женщину обрадует появление в машине симпатичной, но растрепанной незнакомки, за которой гонится толпа вооруженных бандитов и ради которой муж вдруг подставляется под огонь.

Впрочем, прямая опасность уже миновала. Мы выскочили на Земляной Вал и теперь шли в сплошном потоке машин. И друзья, и враги остались позади.

— Спасибо, — сказал я коротко стриженному затылку водителя.

— Вас не зацепило? — Он даже не обернулся.

— Нет. Спасибо большое. Почему вы остановились?

— Потому что он дурак! — взвизгнула моя соседка. Она отодвинулась в другой конец салона, сторонясь меня, как зачумленной.

— Потому что не мудак, — ровно ответил мужчина. — За что вас так? Ладно, не мое дело.

— Пытались изнасиловать, — наугад брякнул я. Да уж, прекрасная версия. Прямо в ресторане, на столике: не Москва, при всех ее бандитских радостях, а салун на Очень Диком Западе.

— Куда вас отвезти?

— Сюда. — Я посмотрел на горящую букву над входом метро. — Я доберусь.

— Мы можем отвезти вас домой.

— Не надо. Спасибо, вы и так сделали больше, чем могли.

— Хорошо.

Спорить он не стал, уговаривать — тоже. Машина тормознула, я выбрался наружу. Посмотрел на женщину, сказал:

— Спасибо вам огромное.

Она фыркнула, рванулась, захлопнула дверцу.

Ну вот.

И все-таки подобные случаи доказывают, что в нашей работе есть какой-то смысл.

Я непроизвольно оправил волосы, отряхнул джинсы. Прохожие настороженно поглядывали на меня, но не шарахались: значит, не так уж и страшно выгляжу.

Сколько у меня времени? Минут пять, десять, пока погоня возьмет след? Или шефу удастся их задержать?

Хорошо бы. Потому что я, кажется, начинаю понимать, что происходит.

И у меня есть шанс. пусть крошечный, но шанс.

Я пошел к метро, на ходу доставая из сумочки Олин мобильник. Начал было набирать ее номер, потом ругнулся и набрал свой.

Пять гудков, шесть, семь.

Сбросив звонок, я набрал номер своего мобильного. На этот раз Ольга взяла сразу.

— Алло? — резко произнес незнакомый, хрипловатый голос. Мой голос.

— Это я, Антон, — выкрикнул я. Проходящий мимо парень удивленно глянул в мою сторону.

— Дубина!

Иного я от Ольги и не ждал.

— Где ты, Антон?

— Готовлюсь забраться под землю.

— Всегда успеешь. Чем я могу помочь?

— Ты уже в курсе?

— Да. Я общаюсь с Борисом параллельно.

— Мне надо вернуть свое тело.

— Где встречаемся?

Я секунду подумал.

— Когда я попытался сбить черный вихрь со Светланы, потом вышел на станции.

— Поняла. Борис объяснил. Давай так — плюс три станции по кольцу, вверх и налево.

Ага, она отсчитывает по схеме.

— Ясно.

— В центре зала. Я буду там через двадцать минут.

— Хорошо.

— Тебе что-нибудь принести?

— Принеси. Меня. Остальное — как хочешь.

Сложив телефон, я еще раз оглянулся и быстро пошел к станции.

ГЛАВА 4

Я стоял в центре «Новослободской». Обычная картина, еще не в самый поздний час: девушка ждет, может быть, парня, может быть — приятельницу.

В моем случае — и то, и другое.

Под землей меня найти труднее, чем на поверхности. Даже лучшие маги Темных не смогут засечь мою ауру — сквозь слои грунта, сквозь древние могилы, на которых стоит Москва, среди толпы, в напряженном потоке людей. Конечно, прочесать станции тоже нетрудно: на каждую по Иному с моим образом, и все.

Но я надеялся, что полчаса или час до этого хода Дневного Дозора у меня еще имеется.

Как же все, оказывается, просто. Как изящно складывается головоломка. Я покачал головой, улыбнулся и тут же поймал на себе вопросительный взгляд молодого панковатого парня. Не, дружок, ты ошибаешься. Это сексапильное тело улыбается собственным мыслям.

В общем-то стоило сообразить сразу, едва на мне стали сходиться нити интриги. Шеф прав, конечно. Я не представляю собой такой ценности, чтобы задумывать многолетнюю, опасную и разорительную комбинацию. Все дело в другом, совсем в другом.

Нас пытаются взять на наших же слабостях. На доброте и любви.

И берут или почти берут.

Мне вдруг захотелось курить, очень сильно, даже рот слюной наполнился. Странно, я редко баловался табаком, наверное, это реакция организма Ольги. Я представил ее лет сто назад — изящную даму с тонкой папиросой в мундштуке где-нибудь в литературном салоне в компании Блока или Гумилева. Улыбающуюся, обсуждающую вопросы масонства, народовластия, стремления к духовному совершенству.

А, в конце концов!

— У вас не будет сигареты? — спросил я проходящего мимо парня, одетого достаточно хорошо, чтобы не курить «Золотую Яву».

Взгляд был удивленный, но мне протянули пачку «Парламента».

Я взял сигарету, улыбкой поблагодарил и раскинул над собой легкое заклятие. Взгляды людей поползли в стороны.

Вот и хорошо.

Сосредоточившись, я поднял температуру кончика сигареты до двухсот градусов и затянулся. Будем ждать. Будем нарушать маленькие незыблемые правила.

Люди текли мимо, обходя меня на расстоянии метра. Удивленно принюхивались, не понимая, откуда идет табачный запах. А я курил, стряхивая пепел под ноги, разглядывая стоящего в пяти шагах милиционера, и пытался просчитать свои шансы.

Выходило не так уж и плохо. Даже наоборот. И это меня смущало.

Уж если комбинацию готовили три года, то вариант с моим прозрением должны были учесть. И иметь ответный ход, вот только какой?

Удивленный взгляд я поймал не сразу. А когда сообразил, кто на меня смотрит, то вздрогнул.

Егор.

Мальчишка, слабенький Иной, влипший полгода назад в большую драку Дозоров. Подставленный обеими сторонами. Открытая карта, которая до сих пор не роздана игрокам. Впрочем, за такие карты и не дерутся.

Его способностей хватило, чтобы преодолеть мою небрежную маскировку. А сама встреча меня даже не удивила. В мире много случайностей, но, помимо этого, есть еще и предопределенность.

— Привет, Егор, — не раздумывая, сказал я. И раздвинул заклятие, вбирая его в круг невнимания.

Он вздрогнул, оглянулся. Уставился на меня. Конечно, Ольгу в человеческом обличье он не видел. Только в образе белой совы.

— Кто вы и откуда меня знаете?

Да, он повзрослел. Не внешне, внутренне. Я не понимал, как он ухитряется все это время не определяться до конца, не становиться ни на сторону Света, ни на сторону Тьмы. Ведь он уже входил в сумрак, причем входил при таких обстоятельствах, что мог стать кем угодно. Но его аура по-прежнему оставалась чистой, нейтральной.

Своя судьба. Как хорошо иметь свою судьбу.

— Я — Антон Городецкий, работник Ночного Дозора, — просто сказал я. — Помнишь меня?

Конечно же, он помнил.

— Но...

— Не обращай внимания. Это маскировка, мы умеем менять тела.

Я подумал, не стоит ли вспомнить курс иллюзии и временно вернуть себе прежний облик. Но это не понадобилось — он поверил. Может быть, оттого, что помнил перевоплощения шефа.

— Что вам от меня нужно?

— Ничего. Я жду здесь товарища, девушку, которой принадлежит это тело. Мы встретились совершенно случайно.

— Ненавижу ваши Дозоры! — выкрикнул Егор.

— Как угодно. Я действительно тебя не выслеживал. Хочешь — уходи.

Вот в это ему поверить оказалось куда труднее, чем в смену тел. Мальчик подозрительно оглянулся, насупился.

Конечно же, ему трудно было уйти. Он прикоснулся к тайне, почувствовал силы, стоящие над человеческим миром. И отказался от этих сил, пусть лишь на время.

Но представляю, как ему хотелось научиться — хотя бы мелочам, хотя бы фокусничанью с пирокинезом и телекинезом, внушению, исцелению, проклятию, — не знаю, чему именно, но наверняка хотелось. Не просто знать, но и уметь.

— Вы действительно меня не выслеживали? — спросил он наконец.

— Не выслеживал. Мы не умеем врать — впрямую.

— А откуда мне знать, может быть, это тоже ложь, — отводя глаза, пробормотал мальчишка. Логично.

— Ниоткуда, — согласился я. — Если хочешь — поверь.

— Я бы хотел, — все так же глядя в пол, сказал он. — Но я помню, что там было, на крыше. Мне ночами снится.

— Ты можешь не бояться той вампирши, — сказал я. — Она упокоена. По приговору суда.

— Знаю.

— Откуда? — удивился я.

— Мне звонил ваш начальник. Тот, который тоже тела менял.

— Я не знал.

— Звонил однажды, когда больше никого дома не было. Он сказал, что вампиршу казнили. А еще сказал, что, поскольку я потенциальный Иной, пусть не определившийся, я убран из списков людей. И на меня жребий больше никогда не выпадет, я могу не бояться.

— Да, конечно, — подтвердил я.

— А я его спросил, остались ли в списках мои родители.

Вот тут я не нашелся, что сказать. Я понимал, каким был ответ шефа.

— Ладно, пойду. — Егор отступил на шаг. — А у вас сигарета догорела.

Я бросил окурок, кивнул:

— Откуда ты? Уже поздно.

— С тренировки, я плаванием занимаюсь. Нет, скажите, это действительно вы?

— Фокус с разбитым стаканом помнишь?

Егор слабо улыбнулся. Самые дешевые трюки производят на людей наибольшее впечатление.

— Помню. А вот... — Он замолчал, глядя мимо меня.

Я обернулся.

Странно видеть себя со стороны. Парень с моим лицом, идущий моей походкой, в моих джинсах и свитере, на поясе дискмен, в руке — маленькая сумка. Улыбка — легкая, едва заметная, тоже моя. Даже глаза, фальшивое зеркало, мои.

— Привет, Антон, — сказала Ольга. — Добрый вечер, Егор.

То, что мальчик оказался здесь, ее не удивило. Она вообще казалась очень спокойной.

— Здравствуйте. — Егор смотрел то на нее, то на меня. — Антон сейчас в вашем теле?

— Точно.

— Вы симпатичная. А откуда вы меня знаете?

224

— Я тебя видела, когда находилась в менее симпатичном теле. А теперь извини, у Антона большие проблемы. Нам надо их решать.

— Мне уйти? — Егор словно забыл, что только что собирался это сделать.

— Да. И не сердись, здесь сейчас будет жарко, очень жарко.

Мальчишка посмотрел на меня.

— За мной охотится Дневной Дозор, — пояснил я. — Все Темные Москвы.

— Почему?

— Долгая история. Так что и впрямь езжай домой.

Прозвучало это грубо, и Егор, нахмурившись, кивнул. Покосился на платформу — как раз подъезжал поезд.

— Но вас ведь защитят? — Ему все-таки трудно было соотносить, кто из нас в каком теле. — Ваш Дозор?

— Попробует, — мягко ответила Ольга. — А теперь иди, пожалуйста. У нас мало времени, и его становится все меньше.

— До свидания. — Егор развернулся и побежал к поезду. На третьем шаге он вышел за границу круга невнимания, и его едва не сбили с ног.

— Останься мальчик, я бы решила, что он придет на нашу сторону, — глядя ему вслед, сказала Ольга. — Посмотреть бы вероятности, почему вы пересеклись в метро.

— Случайность.

— Случайностей нет. Эх, Антон, когда-то я читала линии реальности легко, как открытую книгу.

— Я не отказался бы от хорошего предвидения.

— Настоящее предвидение по заказу не делается. Ладно, к делу. Ты хочешь вернуть тело обратно?

— Да. Прямо здесь.

— Как хочешь. — Ольга протянула руки — мои руки — и взяла меня за плечи. Ощущение было дурацкое, двойственное. Она, видимо, почувствовала то же самое, усмехнулась: — Ну что же ты так быстро влип, Антон? У меня такие экстравагантные планы были на вечер.

— Может быть, мне надо поблагодарить Дикаря, что нарушил твои планы?

Ольга собралась, перестала улыбаться.

— Хорошо. Работаем.

Мы стали друг к другу спиной, раскинули крестом руки. Я поймал пальцы Ольги, свои же пальцы.

— Верни мне мое, — сказала Ольга.

— Верни мне мое, — повторил я.

— Гесер, мы возвращаем твой дар.

Я вздрогнул, когда сообразил, что она назвала подлинное имя шефа. И какое имя!

— Гесер, мы возвращаем твой дар! — резко повторила Ольга.

— Гесер, мы возвращаем твой дар!

Ольга перешла на древний язык, речь ее была мягкой и певучей, произношение такое, будто он ей родной. Но я с болью почувствовал, как тяжело дается ей магическое усилие, небольшое в общем-то, на уровне второй ступени силы.

Смена облика — как взвод пружины. Наши сознания держатся в чужих телах лишь благодаря энергии, затраченной Борисом Игнатьевичем Гесером. Стоит отказаться от вложенной им силы — и мы вернемся в прежний облик. Будь кто-нибудь из нас магом первого уровня, не понадобился бы даже физический контакт, все произошло бы на расстоянии.

Голос Ольги взвился: она произнесла финальную формулу отказа.

Мгновение ничего не происходило. Потом меня скрутило судорогой, дернуло, перед глазами все поплыло и посерело, будто я погружался в сумрак. На миг я увидел станцию — всю, целиком, пыльные цветные витражи, грязный пол, медленные движения людей, радуги аур, два бьющихся тела, будто распятых друг на друге.

Потом меня втолкнуло, вдавило, вжало в телесную оболочку.

— А-а-а, — прошипел я, падая на пол, в последний миг подставляя руки. Мышцы дергались, в ушах звенело. Обратный переход оказался куда менее комфортным, может быть, потому, что проводил его не шеф.

— В порядке? — вяло спросила Ольга. — Ой, ну ты и сволочь.

— Что? — Я посмотрел на девушку.

Ольга уже, морщась, вставала:

— Ты мог, пардон, в туалет заглянуть?

— Только с разрешения Завулона.

— Ладно, забыли. Антон, у нас еще с четверть часа. Рассказывай.

— Что именно?

— То что понял. Давай. Ты не просто хотел вернуться в свое тело, ты выработал какой-то план.

Я кивнул, выпрямился, отряхнул испачканные ладони. Похлопал по коленям, отряхивая джинсы. Под мышкой жал слишком туго затянутый ремень, поддерживающий кобуру, надо будет ослабить. Людей в метро уже было немного, основные потоки схлынули. Зато у оставшихся, уже не занятых лавированием в толпе, появилось время думать: вспыхивали радуги аур, доносились отголоски чужих эмоций.

Насколько же урезаны способности Ольги! В ее теле мне требовалось напрячься, чтобы видеть тайный мир человеческих чувств. И в то же время — это так просто, это совсем просто. Этим даже нельзя гордиться.

— Я не нужен Дневному Дозору, Оля. Абсолютно. Я обычный средний маг.

Она кивнула.

— Но охота направлена на меня. Сомнений уже нет. Значит, я не добыча, но приманка. Как стал приманкой Егор, когда добычей была Света.

— Ты только сейчас это понял? — Ольга покачала головой. — Конечно. Ты приманка.

— Для Светланы?

Волшебница кивнула.

— Я понял только сегодня, — признался я. — Час назад, когда Света захотела противостоять Дневному Дозору, она поднялась до пятого уровня силы. Разом. Начнись схватка — ее бы убили. Нами ведь тоже просто управлять, Оля. Людей можно раскачивать в разные стороны, к Добру и Злу, Темных — ловить на их же подлости, на себялюбии, на жажде власти и славы. А нас — брать на любви. Вот тут мы беззащитны, как дети.

— Да.

— Шеф в курсе? — спросил я. — Оля?

— Да.

Она выдавливала слова, будто ей сдавило горло. Не верю! Не бывает стыда у Светлых магов, проживших тысячи лет. Они спасали мир так часто, что знают все этические отговорки назубок. Не бывает стыдно Великим Волшебницам, пусть даже бывшим. Их самих предавали слишком часто.

Я засмеялся.

— Оля, вы поняли сразу? Как только пришел протест от Темных? Идет охота на меня, но ее цель — заставить сорваться Светлану?

— Да.

— Да, да, да! И при этом вы не предупреждаете ни меня, ни ее?

— Светланке надо взрослеть. Перепрыгивать через ступеньки. — В глазах Ольги вспыхнул огонек. — Антон, ты мой друг. И я скажу честно. Пойми, нет сейчас времени полноценно выращивать Великую. А она нужна, нужна более, чем ты можешь себе представить. У нее хватит сил. Она закалится, научится собирать и применять силу, а самое главное — научится ее сдерживать.

— А если я погибну — это только прибавит ей воли и ненависти к Тьме?

— Да. Но ты не погибнешь, я уверена. Дозор ищет Дикаря, все подняты на ноги. Мы предъявим его Темным, обвинение с тебя будет снято.

— Зато погибнет неинициированный вовремя Светлый маг. Несчастный, одинокий, затравленный, уверенный, что он в одиночку борется с Тьмой.

— Да.

— Сегодня ты со мной во всем соглашаешься. — Я говорил без всякой злости. — Ольга, а вдруг то, что вы делаете, — подлость?

— Нет. — В ее голосе не было сомнений. Значит, ставки совсем высоки.

— Сколько времени мне надо продержаться, Светлая?

Она вздрогнула.

Когда-то давно, очень давно, это была принятая форма обращения в Дозоре. Светлый, Светлая, почему же слова утратили прежнее значение, почему теперь они звучат так же нелепо, как обращение «джентльмены» среди грязных бомжей у пивного ларька?

— Хотя бы до утра.

— Ночь — больше не наше время. Сегодня все Темные выйдут на улицы Москвы. И они будут в своем праве.

— Лишь до тех пор, пока мы не найдем Дикаря. Продержись.

— Ольга. — Я шагнул к ней, коснулся ладонью щеки, на миг совершенно забыв о нашей разнице в возрасте — что такое тысячи лет по сравнению с бесконечной ночью, — о разнице в силах, разнице в знаниях. — Ольга, ты сама-то веришь, что я доживу до утра?

Волшебница молчала.

Я кивнул. Говорить больше было не о чем.

Интересно, интересно
Себя потерять на рассвете.
Стучаться в прозрачные двери
И знать, что никто не ответит.

Щелкнув кнопкой, я запустил плеер в случайный режим. Не потому, что песня не отвечала настроению, наоборот.

Люблю ночное метро. Сам не знаю за что. Не на что смотреть, кроме как на опостылевшие рекламы и усталые, однообразные человеческие ауры. Гул мотора, порывы воздуха в приоткрытые окна, толчки на рельсах. Тупое ожидание своей станции.

Все равно люблю.

Нас так просто ловить на нашей любви!

Я вздрогнул, поднялся, подошел к двери. В общем-то я собирался проехать до конца ветки.

— «Рижская», следующая станция — «Алексеевская».

Опять молчат напряженно,
Все об одном,
Сегодня клуб прокаженных
Открывает сезон.

Пойдет.

Уже ступив на эскалатор, я почувствовал впереди легкое дыхание силы. Пробежал взглядом по встречной ленте — и почти сразу увидел Темного.

Нет, это не был кадровый сотрудник Дневного Дозора, повадки не те. Мелкий маг, четвертого-пятого уровня, скорее даже пятого: он сильно напрягался, сканируя окружающих. Совсем еще юноша, лет двадцати с небольшим, с длинными светлыми волосами, в мятой распахнутой курточке, лицо приятное, хоть и напряженное.

Ну как тебя угораздило войти во Тьму? Что случилось перед тем, как ты впервые шагнул в сумрак? Поссорился с подружкой? Разругался с родителями? Сессию в институте завалил или двойку в школе получил? Ногу в троллейбусе отдавили?

А самое страшное, что внешне ты не изменился. Может быть, даже стал лучше. Твои друзья с удивлением заметили, как весело и хорошо с тобой в компании, как везет, если начнешь дело вместе с тобой. Твоя девушка обнаружила в тебе массу скрытых прежде достоинств. Родители не нарадуются на поумневшего и посерьезневшего сына. Преподаватели в восторге от талантливого студента.

И никто не знает, какую плату ты взимаешь с окружающих. Как отзовутся твоя доброта, твои шутки, твое сочувствие.

Прикрыв глаза, я облокотился на поручень. Я устал, я слегка пьян, я ни на что не обращаю внимание, я слушаю музыку.

Взгляд Темного скользнул по мне, ушел ниже, задрожал, останавливаясь.

Не было у меня времени подготовиться, сменить облик, исказить ауру. Не ожидал я все-таки, что поиск в метро уже начат.

Холодное, пронизывающее, как порыв ветра, касание. Парень сравнивал меня с эталонным образом, разосланным, наверное, всем Темным Москвы. Неумело сравнивал, забыв о защите, не замечая, как мое сознание скользнуло по пробитой в сумраке дорожке и коснулось его мыслей.

Радость. Восторг. Ликование. Нашел. Добыча. Дадут часть силы добычи. Оценят. Повысят. Слава. Расквитаться. Не ценили! Поймут. Заплатят.

Я все-таки ждал, что хотя бы в уголке сознания будут и другие мысли. О том, что я враг, что я противостою Темным. Что я убивал подобных ему.

Нет. Ничего. Он думал только о себе.

Прежде чем молодой маг оттащил неуклюжие щупальца, выдернул свои. Так. Большими способностями он не обладает, связаться с Дневным Дозором из метро не сможет. Да и не захочет. Я для него — затравленный зверь, причем зверь неопасный, кролик, а не волк.

230

Давай, дружок.

Я вышел из метро, скользнул в сторону от двери и поискал свою тень. Смутный силуэт заколебался над землей, и я шагнул в него.

Сумрак.

Прохожие стали призрачной дымкой, машины поползли как черепахи, свет фонарей потемнел, стал давящим, тяжелым. Тишина, звуки сместились в глухой, едва уловимый рокот.

В общем-то я поспешил, пока еще маг поднимется вслед за мной... Но я чувствовал силу, я был накачан ею под завязку. Наверняка работа Ольги. В моем облике она вернула прежние способности и наполнила тело энергией, не воспользовавшись ни каплей. Ей и мысли такой в голову прийти не могло, несмотря на весь искус.

«Где грань, ты поймешь сама», — сказал я Светлане. Ольга знает грань давным-давно, и куда лучше, чем я.

Я прошел вдоль стены, заглянул сквозь бетон на наклонную шахту, на ленты эскалаторов. Темное пятно ползло вверх. Довольно резво: маг спешил, бежал по ступенькам, но из человеческого мира пока не вышел. Экономит силы. Ну давай, давай.

Я замер.

Навстречу мне скользило над землей клубящееся облачко, сгусток тумана, обретший подобие человеческой фигуры.

Иной. Бывший Иной.

Может быть, он был наш. А может быть, и нет. Темные после смерти тоже уходят куда-то. Но теперь это было просто туманное, размытое облачко, вечный странник сумерек.

— Мир тебе, павший, — сказал я. — Кто бы ты ни был.

Колеблющийся силуэт остановился передо мной. Язык тумана выпростался из тела и потянулся ко мне.

Да что ему надо? Случаи, когда сумеречные обитатели пытались общаться с живыми, по пальцам пересчитать можно!

Рука — если это можно считать рукой — дрожала. Белесые туманные ниточки отрывались, растворялись в сумраке, сыпались на землю.

— У меня очень мало времени, — сказал я. — Павший, кто бы ты ни был в жизни, Темный или Светлый, мир тебе. Чего ты хочешь от меня?

Словно порыв ветра развеял клубы белого дыма. Призрак повернулся, вытянутая рука — теперь я уже не сомневался, что он действительно протягивал мне руку, — указала сквозь сумрак куда-то к северо-востоку. Я проследил направление: он указывал на тонкий игольчатый силуэт, тлеющий в небе.

— Да, башня, я понял! Что это значит?

Туман начал расплываться. Еще миг — и сумрак вокруг стал таким же пустым, каким он обычно и бывает.

Меня пробила дрожь. Мертвый пытался общаться со мной. Друг он или враг? Советовал или предостерегал?

Не понять.

Я посмотрел сквозь стены павильона, сквозь землю — Темный был почти на самом верху, но еще на эскалаторе. Так, попытаемся понять, чего хотел призрак? Идти к башне я не собирался, у меня был готов другой, рискованный, но неожиданный маршрут. Значит, предостерегать меня от Останкинской башни смысла не имело.

Указание? Но от кого полученное? Друг или враг, вот главный вопрос. Не стоит надеяться, что за гранью жизни различия стерты, наши мертвые нас не покинут в бою.

Мне придется решить. Придется, но не сейчас.

Я побежал к выходу из метро, на бегу доставая из подмышечной кобуры пистолет.

Вовремя: Темный маг показался из дверей и немедленно влез в сумрак. Достаточно легко, вот только я видел, что дало такую возможность. Всплески чужих аур, темные искры, разлетевшиеся в разные стороны.

Будь я в человеческом мире, я увидел бы, как искажаются лица людей: от внезапной боли в сердце или от сердечной боли, что гораздо тяжелее.

Темный маг озирался, выискивая мой след. Вытягивать силы из окружающих он умел, а вот с техникой был не в ладах.

— Тихо, — сказал я, и ствол пистолета прижался к позвоночнику мага. — Тихо. Ты меня уже нашел. Вот только рад ли этому?

Другой рукой я сжал его запястье, не давая возможность произвести пассы. Все эти наглgroватые молодые маги пользуются стандартным набором заклинаний, наиболее простых и мощных. А они требуют слаженной работы двумя руками.

Ладонь мага стала влажной.

— Пойдем, — сказал я. — Потолкуем.

— Ты, ты... — Он все никак не мог поверить в произошедшее. — Ты — Антон! Ты — вне закона!

— Допустим. А тебе сейчас это поможет?

Он повернул голову — в сумраке его лицо исказилось, потеряло привлекательность и добродушие. Нет, он еще не обрел окончательного сумеречного облика, подобно Завулону. И все же лицо уже было нечеловеческим. Слишком отвисшая челюсть, широкий, будто у лягушки, рот, узкие мутные глазки.

— Ну и урод же ты, приятель. — Я еще раз толкнул его в спину стволом. — Это пистолет. Он заряжен серебряными пулями, хоть это и не обязательно. В сумеречном мире он сработает ничуть не хуже, чем в человеческом, медленнее, но тебя это не спасет. Наоборот, почувствуешь, как пуля рвет кожу, ползет между мышечными волокнами, дробит кость, рвет нервы.

— Ты этого не сделаешь!

— Почему?

— Тогда тебе нипочем не отмазаться!

— Правда? Значит, пока шансы есть? Знаешь, мне все более и более хочется нажать на спуск. Пошли, гаденыш.

Помогая движению пинками, я завел мага в узкий проход между двумя ларьками. Синий мох, в изобилии росший на их стенах, задергался. Сумеречной флоре очень хотелось попробовать наших эмоций: моей ярости, его страха. И в то же время даже безмозглым растениям хватало инстинкта самосохранения.

Темный маг им был наделен с избытком.

— Слушай, чего ты от меня хочешь? — выкрикнул он. — Нам дали ориентировку, велели тебя искать! Я лишь выполнял приказ! Я Договор чту, дозорный!

— Я больше не дозорный. — Толчком я отправил его к стене, в ласковые объятия мха. Пусть высосет немножко страха, а то не удастся и поговорить. — Кто ведет охоту?

— Дневной Дозор.

— Конкретно?

— Начальник, я не знаю его имени.

Это почти наверняка правда. Впрочем, я его знаю.

— Тебя направили конкретно к этой станции метро?

Он заколебался.

— Говори. — Я нацелил ствол в живот мага.

— Да.

— Одного?

— Да.

— Врешь. Впрочем, не важно. Что приказано было сделать, обнаружив меня?

— Наблюдать.

— Врешь. И это важно. Подумай и ответь снова.

Маг молчал, кажется, синий мох излишне постарался.

Я спустил курок, и пуля с радостным пением преодолела разделявший нас метр. Маг даже успел ее увидеть — глаза округлились, приобретая более человеческую форму, он дернулся, но слишком поздно.

— Пока это только ранение, — сказал я. — Даже не смертельное.

Он корчился на земле, зажимая рваную рану на животе. Кровь в сумраке казалась почти прозрачной. Может быть, иллюзия, а может быть, личная особенность этого мага.

— Отвечай на вопрос!

Взмахнув рукой, я поджег синий мох вокруг. Хватит, теперь будем играть на страхе, боли, отчаянии. Хватит милосердия, хватит снисхождения, хватит разговоров.

Это Тьма.

— Приказано сообщить и по возможности уничтожить.

— Не задержать? Именно — уничтожить?

— Да.

— Ответ принимается. Средство связи?

— Телефон, просто телефон.

— Давай.

— В кармане.

— Кидай.

Он неуклюже полез в карман — ранение не смертельное, запас сопротивляемости у мага был еще высок, но боли он испытывал адские.

Такие, какие ему и положены.

— Номер? — поймав мобильник, спросил я.

— На кнопке экстренного вызова.

Я взглянул на экранчик.

Судя по первым цифрам, телефон может стоять где угодно. Такой же мобильник.

— Это оперативный штаб? Где он находится?

— Я не... — Он замолчал, глядя на пистолет.

— Вспоминай, — подбодрил я.

— Мне сказали, что сюда приедут в течение пяти минут. Так!

Я посмотрел назад, на горящую в небе иглу. Вполне подходит, вполне.

Маг шевельнулся.

Нет, я не провоцировал его, отведя взгляд. Но когда он потянул из кармана жезл — грубый, короткий, явно не собственноручной работы, а купленную дешевку, — я испытал облегчение.

— Ну? — спросил я, когда он замер, так и не решившись поднять оружие. — Давай!

Парень молчал, не шевелился.

Попробуй он атаковать — я бы всадил в него всю обойму. Вот это было бы уже фатально. Но наверняка их учили поведению при конфликте со Светлыми. И он понимал, что безоружного и беззащитного мне убить трудно.

— Сопротивляйся, — сказал я. — Борись! Сукин сын, ты же не смущался, когда ломал чужие судьбы, когда нападал на беззащитных! Ну? Давай!

Маг облизнул губы — язык у него оказался длинным и слегка раздвоенным. Я вдруг понял, к какому сумеречному облику он придет рано или поздно, и мне стало противно.

— Сдаюсь на твою милость, дозорный. Требую снисхождения и суда.

— Стоит мне отойти, и ты сумеешь связаться со своими, — сказал я. — Или вытянешь из окружающих достаточно сил, чтобы реанимироваться и добрести до телефона. Ведь так? Мы оба это знаем.

Темный улыбнулся и повторил:

— Требую снисхождения и суда, дозорный!

Я покачивал пистолет в руках, глядел в ухмыляющееся лицо. Они всегда готовы требовать. Никогда — отдавать.

— Мне всегда так трудно было понять нашу собственную двойную мораль, — сказал я. — Так тяжело и неприятно. Это приходит лишь со временем, а у меня его так мало. Когда приходится придумывать оправдания. Когда нельзя защищать всех. Когда знаешь, что в особом отделе ежедневно подписывают лицензии на людей, отданных Тьме. Обидно, да?

Улыбка сползла с его лица. Он повторил, как заклинание:

— Требую снисхождения и суда, дозорный.

— Я сейчас не дозорный, — ответил я.

Пистолет задергался, застучал, лениво заходил затвор, выплевывая гильзы. Пули ползли по воздуху, будто маленький злой осиный рой.

Он крикнул лишь один раз, потом две пули разнесли в клочья череп. Когда пистолет щелкнул и замолчал, я медленно, машинально перезарядил обойму.

Изорванное, исковерканное тело лежало передо мной. Оно уже начало выходить из сумрака, и грим Тьмы смывался с молодого лица.

Я провел рукой в воздухе, сдергивая, сжимая что-то неуловимое, текущее сквозь пространство. Самый верхний слой. Кальку с обличья Темного мага.

Завтра его найдут. Хорошего, славного, всеми любимого юношу. Зверски убитого. Сколько Зла я принес сейчас в мир? Сколько слез, ожесточения, слепой ненависти? Какая цепочка потянется в будущее?

А сколько Зла я убил? Сколько людей проживут дольше и лучше? Сколько слез не прольется, сколько злобы не накопится, сколько ненависти не родится?

Может быть, я перешагнул сейчас тот барьер, который переходить нельзя.

Может быть, понял следующую грань, которую необходимо преступить.

Я опустил пистолет в кобуру и вышел из сумрака.

Останкинская башня иглой буравила небо.

— Поиграем совсем без правил, — сказал я. — Совсем-совсем без.

Машину удалось поймать сразу, даже не вызывая у водителей приступа альтруизма. Может быть, потому что на мне теперь была надета личина мертвого Темного мага, очень обаятельная личина?

— Давай к телебашне, — попросил я, забираясь в потрепанную «шестерку». — И побыстрей бы, пока вход не закрыли.

— Веселиться едешь? — улыбнулся сидящий за рулем мужчина, суховатый, в очках, чем-то похожий на постаревшего Шурика из старых комедий.

— Еще как, — ответил я. — Еще как.

ГЛАВА 5

В башню еще пускали. Я купил билет, особо доплатив за право посещения ресторана, прошел по зеленому полю, окружающему башню. Последние пятьдесят метров дорожка шла под хиленьким навесом. Интересно, для чего он построен? С древнего сооружения порой сыплется раскрошившийся бетон?

Навес кончался маленькой будочкой пропускного пункта. Я предъявил паспорт, прошел через подкову металлоискателя — кстати, неработающего. Вот и все формальности, вот и вся охрана стратегического объекта.

Сейчас меня одолевали сомнения. Странная, что ни говори, была идея — двинуться сюда. Я не чувствовал поблизости концентрации Темных. А если уж они здесь были, то хорошо закрывались — значит, мне придется столкнуться с магами второго-третьего уровня. Совершенно самоубийственнее занятие.

Штаб. Оперативный штаб Дневного Дозора, развернутый для координации охоты, охоты на меня. Куда еще должен был сообщать о замеченной добыче неопытный Темный маг?

Но лезть в штаб, туда, где не меньше десятка Темных, включая опытных охранников. Самому засовывать голову в петлю — это глупость, а не геройство, если остались еще хоть какие-то шансы уцелеть. А я очень надеялся, что шансы остались.

Снизу, из-под бетонных лепестков опор, телебашня производила куда более сильное впечатление, чем издали. А ведь наверняка большая часть москвичей никогда в жизни и не подымалась на обзорную площадку, воспринимая башню лишь как непременный силуэт в небе, утилитарный и символический, но никак не место отдыха. Здесь, как в аэродинамической трубе замысловатой конструкции, гулял ветер, и на самом крае слуха бился едва уловимый тягучий звук — голос башни.

Я постоял, глядя вверх, на решетки и проемы, изъеденный раковинами бетон, на удивительно грациозный, гибкий силуэт. Она ведь и впрямь гибкая: бетонные кольца на натянутых тросах. Сила в гибкости. Только в ней.

Потом я вошел в стеклянные двери.

Странное дело: мне казалось, что желающих посмотреть на ночную Москву с высоты трехсот тридцати семи метров должно быть в избытке. Нет. Даже в лифте я поднимался один, точнее — с женщиной из обслуживающего персонала.

— Думал, будет много народа, — сказал я, дружелюбно улыбаясь. — У вас всегда так вечером?

— Нет, обычно шумно. — Женщина ответила без особого удивления, но нотку недоумения в голосе я все же почувствовал. Коснулась кнопок — стали сходиться двойные шлюзовые двери. Мгновенно заложило уши и прижало к полу — лифт рванулся вверх — быстро, но поразительно мягко. — Часа два, как поток схлынул.

Два часа.

Вскоре после моего бегства из ресторана.

Если в этот момент на башне развернули оперативный штаб, нет ничего удивительного, что сотни людей, собиравшихся ясным, теплым весенним днем подняться в заоблачный ресторан, внезапно изменили свои планы. Пусть люди не видят, но они чувствуют.

И им, пусть даже никак не причастным к происходящему, хватает ума не приближаться к Темным.

Конечно, на мне облик Темного мага. Весь вопрос в том, достаточно ли подобной маскировки? Охранник сравнит мой облик с вложенным в память списком, все сойдется, и он ощутит наличие Силы.

Станет ли он копать глубже? Станет ли проверять профили Силы, выяснять, Темный я или Светлый, на какой ступени нахожусь?

238

Пятьдесят на пятьдесят. С одной стороны, это необходимо. С другой — всегда и всюду охранники пренебрегают подобным занятием. Разве что им нестерпимо скучно или они едва-едва приступили к работе и еще полны рвения.

В конце концов, пятьдесят шансов из ста — очень и очень много по сравнению с шансами спрятаться от Дневного Дозора на улицах города.

Лифт остановился. Я даже додумать все толком не успел, подъем занял секунд двадцать. Такую бы скорость — да в обычных многоэтажных домах.

— Приехали, — почти весело сказала женщина. Похоже, я был чуть ли не последним на сегодня посетителем Останкинской башни.

Я вышел на обзорную площадку.

Обычно здесь полно людей. Сразу можно отличить только что поднявшихся от пробывших достаточно долго: по неуверенности движений, смешной осторожности при подходе к круговому окну, по тому, как они блуждают вокруг вмонтированных в пол окон из броневого стекла, носком ноги боязливо пробуя их на прочность.

Сейчас я оценил общее количество посетителей в два десятка. Совсем не было детей, и я почему-то ясно представил себе внезапные истерики, начинающиеся с ними на подступе к башне, растерянных и обозленных родителей. Дети чувствительнее к Темным.

И те, кто был на площадке, казались растерянными, придавленными. Их не занимала ни раскинувшаяся внизу Москва, расцвеченная огнями, яркая, привычно праздничная, пусть это пир во время чумы, но это все-таки красивый пир. Сейчас это никого не радовало. Дыхание Тьмы царило вокруг, невидимое даже для меня, но ощутимое, давящее, словно угарный газ, у которого нет ни вкуса, ни цвета, ни запаха.

Я глянул себе под ноги, поймал тень и шагнул в нее. Охранник стоял рядом, в двух шагах, на стеклянном окне, врезанном в пол. Пялился на меня — приятельски, но чуть удивленно. Он держался в сумраке не слишком уверенно, и я понял, что для охраны оперативного штаба отрядили далеко не лучшие силы. Крепкий, молодой, в строгом сером костюме и белой рубашке, в неярком галстуке — банковский работник, а не служитель Тьмы.

— Привет, Антон, — сказал маг.

На миг у меня сбило дыхание.

Неужели я настолько глуп? Чудовищно, нестерпимо наивен?

И меня ждали, заманивали, кинули на весы еще одну пешку, даже привлекли — неведомо как — кого-то, давным-давно ушедшего в сумрак.

— Зачем ты здесь?

Сердце стукнуло и восстановило ритм. Все проще, гораздо проще.

Убитый Темный маг был моим тезкой.

— Кое-что заметил. Надо посоветоваться.

Охранник нахмурился. Не та манера говорить, вероятно. И все-таки он еще не понимал.

— Антон, колись. А то не пропущу, сам знаешь.

— Ты обязан пропустить, — наугад брякнул я. В нашем Дозоре любой, кто знал расположение оперативного штаба, мог туда прийти.

— С чего вдруг? — Он улыбался, но правая рука начала движение вниз.

Жезл на его поясе был заряжен до отказа. Костяной жезл, затейливо вырезанный из берцовой кости, с маленьким рубиновым кристаллом на конце. Если даже я увернусь, закроюсь — такой выброс Силы переполошит всех Иных вокруг.

Я поднял с пола свою тень и вошел на второй слой сумрака.

Холод.

Клубящийся туман, вернее, не туман, облака. Несущиеся над землей влажные, тяжелые облака. Здесь уже не было Останкинской башни, мир утратил последнее подобие человеческого. Я шагнул вперед — по облачной вате, по набухающим каплям, по невидимой дорожке. Время замедлило бег — на самом деле я падал, но так медленно, что это пока не в счет. Высоко в небе, мутными пятнами пробивая облачную завесу, светили три луны — белая, желтая и кроваво-алая. Впереди зародилась, набухла, ощетинилась иглами разрядов молния, поползла сквозь облака, выжигая ветвящийся канал.

Я подошел к неясной тени, мучительно медленно тянущейся к поясу, к жезлу. Перехватил руку — тяжелую, неподатливую, холодную как лед. Не удержать. Надо вырываться обратно, на первый слой сумрака, и вступать в схватку. С некоторыми шансами победить.

Свет и Тьма, но я же не оперативник! Я никогда не рвался выйти на передний край! Оставьте мне ту работу, что я люблю и умею делать!

Но и Свет, и Тьма молчали, как молчат они всегда, если их призываешь. И только насмешливый голос, который звучит порой в каждой душе, шепнул: «Никто не обещал тебе чистой работы».

Я посмотрел под ноги. Мои ступни были уже сантиметров на десять ниже, чем у Темного мага. Я падал, я был лишен всякой опоры в этой реальности, здесь не было никаких телебашен и никаких аналогов для нее — не существует столь тонких скал и столь высоких деревьев.

Как хочется иметь руки чистыми, сердце горячим, а голову холодной. Но почему-то эти три фактора не уживаются вместе. Никогда. Волк, коза и капуста — где безумный перевозчик, что запихнет их в одну лодку?

И где тот волк, что, закусив козой, откажется попробовать лодочника?

— Бог весть, — сказал я. Голос завяз в облаках. Я опустил руку, подхватывая тень Темного мага — вялую тряпку, размазанную в пространстве. Потянул тень вверх, набросил на тело и впихнул Темного на второй уровень сумрака.

Он закричал, когда мир вокруг утратил подобие надежности. Наверное, ему никогда не доводилось погружаться глубже первого слоя. Энергию на эту экскурсию затрачивал я, но вот сами ощущения были ему внове.

Опершись на плечи Темного, я толкнул его вниз. А сам пополз вверх, безжалостно топча согнутую спину.

«Великие маги всегда поднимаются по чужим плечам».

— Су-ука! Антон, сука!

Темный даже не понял, кто я такой. Не понял до тех пор, пока не повернулся, уже лежа навзничь, служа опорой для моих ног, повернулся и увидел мое лицо. Здесь, на втором слое сумака, грубая маскировка, конечно, не работала. Его глаза расширились, он издал короткий хрип, взвыл, цепляясь за мою ногу.

Но ведь он еще не понимает, что я делаю, зачем я это делаю.

Я ударил его, несколько раз подряд, топча каблуками пальцы и лицо. Все это нестрашно для Иного, но я и не пытался нанести физические повреждения. Ниже, ниже, падай, смещайся, по всем слоям реальности, сквозь человеческий мир и сумрак, сквозь зыбкую ткань пространств. У меня нет времянит, да и способностей нет, чтобы держать с тобой полноценную дуэль по всем законам Дозоров, по тем правилам, что придуманы для юных Светлых с их верой в Добро и Зло, в нерушимость догм, в неотвратимость расплаты.

А когда я решил, что Темный утоптан достаточно глубоко, то оттолкнулся от распластанного тела, подпрыгнул в холодном мокром тумане и выдернул себя из сумрака.

Сразу — в человеческий мир. Сразу — на обзорную площадку.

Я возник на стеклянной плите, сидящий на корточках, задыхающийся, сдерживающий внезапный кашель, мокрый с головы до ног. Дождь чужого мира пах нашатырем и гарью.

Легкий вздох пронесся вокруг — люди шарахались, отступали от меня.

— Все хорошо! — прохрипел я. — Слышите?

Их глаза никак не могли согласиться. Стоявший у стены человек в форме, охранник, честный служака телебашни, окаменел лицом и тянул из кобуры пистолет.

— Это для вашего блага, — сказал я, заходясь в новом приступе кашля. — Вы поняли меня?

Я позволил Силе вырваться и коснуться их разума. Лица начали разглаживаться, успокаиваться. Люди медленно отворачивались, приникали к окнам. Охранник застыл, оставив руку на расстегнутой кобуре.

Только тогда я позволил себе посмотреть под ноги. И оцепенел.

Темный был здесь. Темный кричал, глаза его превратились в черные пятаки, распахнутые болью и ужасом. Он висел под стеклом, висел на кончиках пальцев, завязших в стекле, тело раскачивалось как маятник под ударами ветра, рукав белой рубашки намок от крови. Жезл по-прежнему оставался на поясе: маг забыл о нем. Сейчас для него оставался только я, по ту сторону тройного бронированного стекла, в сухой, теплой, светлой скорлупе обзорной площадки, по ту сторону Добра и Зла. Я, Светлый маг, сидящий над ним и глядящий в обезумевшие от боли и страха глаза.

— А ты думал, мы всегда деремся честно? — спросил я. Почему-то мне казалось, что он услышит, даже сквозь стекло и рев ветра. Встал и ударил каблуком по стеклу. Раз, другой, третий — не важно, что удар не дойдет до вросших в стекло пальцев.

Темный маг дернулся, рванул рукой, уводя ее от приближающегося каблука, непроизвольно, повинуясь инстинктам, а не разуму.

Плоть не выдержала.

На миг стекло окрасилось кровью, но ее тут же сорвало ветром. Остался лишь силуэт Темного мага, уменьшающийся, кувыркающийся в потоке воздуха. Его тащило куда-то к бару «Три поросенка», модному заведению у подножия башни.

Невидимые часы, тикающие в моем сознании, щелкнули и разом сократили оставшееся время наполовину.

Я сошел со стекла, побрел по кругу, глядя не на людей — те расступались сами, а в сумрак. Нет, охраны здесь больше не было. Остается решить, где сам штаб. Вверху, в служебных помещениях башни, среди аппаратуры? Не думаю. Скорее в более комфортной обстановке.

Еще один охранник стоял у лестницы, ведущей вниз, в рестораны. Мне хватило одного взгляда, чтобы понять: на него уже воздействовали, и совсем недавно. Хорошо хоть воздействовали весьма поверхностно.

И очень хорошо, что вообще сочли нужным воздействовать. Это ведь палка о двух концах.

Охранник открыл рот, готовясь заорать.

— Молчать! Пошли! — коротко велел я.

Так и не произнеся ни слова, охранник двинулся за мной.

Мы вошли в туалет — маленький бесплатный аттракцион башни, самый высокий писсуар и пара унитазов в Москве, не угодно ли оставить свой след среди облаков. Я повел ладонью — из одной кабинки, застегивая штаны, выпорхнул прыщавый подросток, мужчина у писсуара крякнул, но прервался и с остекленевшими глазами побрел прочь.

— Раздевайся, — велел я охраннику и стал стягивать мокрый свитер.

Кобура осталась полурастегнутой, «орел пустыни» куда больше старины «Макарова». Но меня это не особо волновало. Главное, форма пришлась почти впору.

— Если ты услышишь выстрелы, — сказал я охраннику, — то спустишься вниз и выполнишь свой долг. Понимаешь?

Он кивнул.

— Обращаю тебя к Свету, — произнес я формулу вербовки. — Отринь Тьму, защити Свет. Даю тебе взор отличать Добро от Зла. Даю тебе веру идти за Светом. Даю тебе отвагу сражаться с Тьмой.

Когда-то я думал, что никогда не смогу использовать право на привлечение волонтеров. Какая в подлинной Тьме может быть свобода выбора? Как можно ввязать человека в наши игры, если сами Дозоры были созданы в противовес этой практике?

Сейчас я действовал без колебаний. Воспользовался той лазейкой, что оставили Темные, поручив охраннику охранять их штаб, ну, просто на всякий случай, как держат в квартире маленькую собачку, не способную кусать, но умеющую тявкать. И этот поступок дал мне право качнуть охранника в другую сторону, потащить за собой. Ведь он не был ни добрым, ни злым, был самым обычным человеком, с умеренно любимой женой, пожилыми родителями, которым он не забывал помогать, маленькой дочкой и почти взрослым сыном от первого брака, слабенькой верой в Бога, запутанными моральными принципами, несколькими стандартными мечтами, — обычный хороший человек.

Кусочек пушечного мяса между армиями Света и Тьмы.

— Свет с тобой, — сказал я. И маленький жалкий человечек кивнул, просветлев лицом. В глазах вспыхнуло обожание. Точно так же несколько часов назад он смотрел на Темного мага, отдавшего ему небрежный приказ и показавшего мою фотографию.

Через минуту охранник, в моей мокрой и вонючей одежде, стоял у лестницы. А я шел вниз, пытаясь понять, что же собираюсь делать, если в штабе находится Завулон? Или другой маг его уровня?

Тут моих способностей не хватит даже на секундную маскировку.

Бронзовый зал. Я вышел из дверей, взглянул на этот нелепый кольцевой «вагон-ресторан». Кольцо с установленными на нем столиками медленно вращалось.

Почему-то я считал, что Темные разместят свой штаб в Золотом или Серебряном зале. И был даже слегка удивлен открывшейся картиной.

Официанты плыли, как снулые рыбины, разнося по столикам спиртное, которое в общем-то тут запрещено. Прямо передо мной за двумя столиками были развернуты компьютерные терминалы, подключенные к двум мобильным телефонам. Тянуть кабели к бесчисленным коммуникациям башни не стали, отметим, значит, штаб развернут ненадолго. Три молодых длинноволосых парня сосредоточенно работали — пальцы прыгают по клавиатуре, по экранам ползут строчки, в пепельницах дымятся сигареты. Я никогда не видел Темных программистов, но это, конечно, были простые операторы, а не системные администраторы. И они ничем не отличались от любого нашего мага, усаженного в штабе за подключенный к сети ноутбук. Может быть, даже выглядели пристойнее некоторых.

— Сокольники накрыты полностью, — сказал один из парней. Негромко, но голос прокатился по всему ресторанному кольцу, и официанты вздрогнули, сбиваясь с шага.

— Таганско-Краснопресненская линия — под контролем, — отозвался другой. Парни переглянулись и засмеялись. Наверное, у них было маленькое соревнование: кто быстрее отрапортует о своих участках.

Ловите меня, ловите!

Я двинулся по ресторану, направляясь к бару. Не обращайте на меня внимания. Беспомощный человек-охранник, один из тех, кто был мимоходом определен на роль сторожевых шавок. А вот сейчас охранник возжелал выпить пива: у него полностью пропало чувство ответственности? Или же он решил проверить безопасность новых хозяев. Отправлен взвод в ночной дозор приказом короля. Тарам-пам-пам, тара-ра-ра...

Немолодая женщина за пивной стойкой механическими движениями протирала кружки. Когда я остановился, она принялась молча наливать мне пиво. В ее глазах было пусто и темно, она превратилась в марионетку, и короткую ослепительную вспышку ярости удалось подавить с трудом. Нельзя. Нет прав на эмоции. Я тоже автомат. Куклы чувств не имеют.

А потом я увидел девушку, сидящую на высоком крутящемся пуфике напротив бара, и у меня вновь упало сердце.

Как я мог не подумать об этом?

Любой оперативный штаб требуется заявить противнику. В любой оперативный штаб будет направлен наблюдатель. Это часть Договора, это одно из правил игры, выгодное — пусть выгода лишь кажущаяся — обеим сторонам. И в нашем штабе, если он развернут, сидит кто-то из Темных.

Здесь сидела Тигренок.

Вначале взгляд девушки скользнул по мне без всякого любопытства, и я уже было решил, что все обойдется.

Потом ее глаза вернулись.

Она уже видела человека-охранника, облик которого я принял. И что-то не совпало в отложенных в памяти чертах. Вызвало тревогу. Миг — и она посмотрела на меня сквозь сумрак.

Я стоял, не двигаясь, не пытаясь укрыться.

Девушка отвела взгляд, посмотрела на сидящего напротив мага. Не слабого мага, я оценил его возраст примерно в сотню лет, а уровень силы — не меньше, чем третий. Не слабого, просто самодовольного.

— Все равно ваши действия являются провокацией, — ровным голосом сказала она. — Дневной Дозор уверен, что Дикарь — это не Антон.

— А кто же тогда?

— Неизвестный нам неполноценный Светлый маг. Светлый, который контролируется Темными.

— Зачем, девочка? — искренне удивился маг. — Объясни мне, пожалуйста. Зачем нам губить своих, пусть не самых ценных.

— «Не самых ценных» — ключевая фраза, — меланхолично сообщила Тигренок.

— Допустим, будь у нас возможность уничтожить главу московских Светлых, но он, как всегда, вне подозрений. А

246

потерять два десятка своих ради одного-единственного Светлого средней руки? Несерьезно. Или ты держишь нас за дураков?

— Я держу вас за умных. Пожалуй, более умных, чем я. — Тигренок улыбнулась нехорошей улыбкой. — Но я всего лишь оперативник. Выводы будут делать другие, и они их сделают, не сомневайтесь.

— Мы же не требуем немедленной казни! — Темный улыбнулся. — Мы даже сейчас не исключаем возможность ошибки. Трибунал, квалифицированное и беспристрастное разбирательство, справедливость — вот все, чего мы хотим!

— А ведь очень странно, что ваш глава, используя Плеть Шааба, не смог зацепить Антона. — Девушка качнула пальцем полупустую кружку пива. — Удивительно. Его любимое оружие, которым он владеет в совершенстве сотни лет. Словно Дневному Дозору сам факт поимки Антона не интересен.

— Милая девочка, — Темный маг наклонился через столик, — вы непоследовательны! Не стоит обвинять нас сразу в том, что мы преследуем невинного, законопослушного Светлого, и в том, что мы не пытаемся его поймать!

— Почему же?

— Такой мелкий садизм. — Маг захихикал. — Я получаю искреннее удовольствие от беседы, неужели вы считаете нас бандой свихнувшихся кровожадных психопатов?

— Нет, мы считаем вас бандой хитрых мерзавцев.

— Давай начнем сравнивать наши методы. — Темный, похоже, оседлал любимого конька. — Давай сравнивать урон от действия Дозоров, нанесенный простым людям, нашей кормовой базе.

— Это для вас люди — корм.

— А для вас? Или Светлые теперь происходят от Светлых, а не выдергиваются из толпы?

— Для нас люди — корни. Наши корни.

— Пусть будут корни. Зачем спорить из-за слов? Но тогда это и наши корни, девочка. И они посылают нам все больше соков, не буду скрывать, в этом нет тайны.

— Нас тоже не становится меньше. И в этом тайны нет.

— Конечно. Бурное время, стрессы, нагрузки — люди живут на пределе, а с него легко сорваться. Хоть в чем-то мы пришли к единому выводу! — Маг захихикал.

— Пришли, — согласилась Тигренок. В мою сторону она больше не смотрела, разговор ушел в вечную, неразрешимую тему, где ломали копья и головы философы обеих сторон, не то что два скучающих мага, Темный и Светлый. Я понял, что все необходимое для меня Тигренок уже сообщила.

Или же все, что считала возможным сказать.

Я взял кружку пива, поставленную передо мной. Выпил в несколько размеренных, глубоких глотков. Пить и впрямь хотелось.

Охота притворна?

Да. И это я понял давно. Главное, что я должен был узнать, наши это тоже понимают.

Дикарь не пойман?

Разумеется. Иначе со мной уже вышли бы на связь. По телефону или ментально, для шефа это труда не составит. Убийца был бы сдан Трибуналу, Светлана не разрывалась бы между желанием помочь и необходимостью не ввязываться в драку, а я смог бы посмеяться в лицо Завулону.

Ну как, как возможно найти в огромном городе человека, чьи способности проявляются спонтанно? Вспыхнут — и погаснут. От убийства до убийства, от одной напрасной победы над Злом до другой? Если он и впрямь известен Темным — это тайна самого высшего звена руководства.

И никак не этих Темных, играющих в бирюльки.

Я с отвращением оглянулся.

Это же несерьезно!

Охранник, которого я так легко убил. Маг третьей ступени, который с азартом пикируется с нашей наблюдательницей и не смотрит по сторонам. Эти юнцы за терминалами, кричащие в полный голос:

— Цветной бульвар проверен!

— Полежаевская под контролем!

Да, это оперативный штаб. Такой же нелепый и неквалифицированный, как и неопытные Темные, охотящиеся на меня по городу. Да, сеть наброшена, но никого не волнует количество дырок в ней. Чем больше я буду вырываться из облав, чем сильнее трепыхаться, тем лучше для Тьмы. По большому счету, конечно. Светлана не выдержит. Сорвется. Попытается помочь, почувствовав в себе рождение настоящей Силы. Никто из наших не сможет ее удержать — прямо. И с ней покончат.

— Волгоградский проспект.

Я же их всех сейчас могу перерезать и перестрелять! Всех до единого! Это отбросы Тьмы, неудачники, лохи, либо лишенные перспектив, либо имеющие слишком много недостатков. Их Темным не просто не жаль — они мешают, путаются под ногами. Дневной Дозор — не богадельня, на которую мы иногда похожи. Дневной Дозор избавляется от лишних, причем обычно нашими руками. Выигрывая себе на этом козыри, право на ответные действия, на изменение баланса.

И та сумрачная фигура, что указала мне на Останкинскую башню, — порождение Тьмы. Перестраховка, вдруг не догадаюсь, куда идти воевать.

А настоящие действия координирует один-единственный Иной.

Завулон.

Никакой злобы ко мне у него и в помине нет, конечно же. Зачем такие сложные и вредные эмоции в серьезной партии? Он подобных мне пачками ел на завтрак, сдвигал с игровой доски и обменивал на своих пешек.

Когда он сочтет, что партия сыграна, что надо разыгрывать финал?

— Огонька не будет? — спросил я, отставляя кружку и подцепляя валяющуюся на стойке пачку сигарет. Кто-то ее забыл, может быть, убежавший в беспамятстве посетитель ресторана, может быть, Темный.

У Тигренка нехорошо вспыхнули глаза, она напряглась. Я понял, что еще миг — и волшебница пойдет в боевую трансформацию. Она наверняка тоже оценила силы противника и имела серьезные надежды на успех.

Но этого не понадобилось.

Темный маг, старый маг третьего уровня, небрежно протянул мне зажигалку. «Ронсон» мелодично щелкнул, выпуская язычок пламени, а Темный продолжил:

— Все ваши постоянные обвинения Тьме — в двойной игре, в коварстве, в провокациях — имеют одну цель. Замаскировать собственную нежизнеспособность. Непонимание мира, его законов. Непонимание людей, в конце концов! Стоит лишь признать, что прогноз со стороны Тьмы гораздо точнее, а следование естественным позывам человеческой души приводит ее на нашу сторону, — и что станется с вашей моралью? С вашей жизненной философией? А?

Я прикурил, вежливо кивнул и пошел к лестнице. Тигренок растерянно глядела мне вслед. Ну пойми же, догадайся сама, почему ухожу.

Все, что я мог тут узнать, я уже узнал.

Точнее — почти все.

Склонившись над коротко стриженным очкариком, влипшим в свой ноутбук, я деловито спросил:

— Какие районы закроем последними?

— Ботанический, ВДНХ, — не поднимая глаз, ответил тот. Курсор скользил по экрану. Темный отдавал приказания, наслаждался властью, передвигал по карте Москвы алые точечки. Оторвать его от процесса было бы труднее, чем от любимой девушки.

Они ведь тоже умеют любить.

— Спасибо, — сказал я и опустил непотушенную сигарету в полную пепельницу. — Очень помог.

— Фигня, — не оглядываясь, отмахнулся оператор. Высунув язык, он подцеплял на карте очередную точку: рядового Темного, вышедшего на облаву. Чему ты радуешься, дурачок, те, кто правит бал, на твоей карте никогда не покажутся. Играл бы в солдатики лучше, с тем же самым упоением властью.

Я скользнул на винтовую лестницу. Та ярость, с которой я ехал сюда — убивать и скорее всего быть убитым, — исчезла. Наверное, так в какой-то момент боя солдатом овладевает ледяное спокойствие. Так у хирурга перестают дрожать руки, когда ой начинает умирать на операционном столе.

Какие варианты ты предусматривал, Завулон?

Что я начну биться в сетях облавы, и на эти трепыхания слетятся Светлые и Темные, все, и особенно — Светлана?

Проехали.

Что я сдамся или буду пойман, и начнется неторопливый, затяжной, выматывающий процесс, который кончится безумной вспышкой Светланы на Трибунале?

Проехали.

Что я начну схватку со всем оперативным штабом из магов-неудачников, перебью их, но окажусь в западне на высоте трети километра, а Светлана бросится к башне?

Проехали.

Что я пройду по штабу, выясню, что о Дикаре здесь никто и ничто не знает, и постараюсь потянуть время?

Возможно.

Кольцо сжимается, я знаю. Оно закрылось по окраинам, по МКАД, потом началось рассечение города на районы, отсекание транспортных магистралей. Сейчас еще не поздно побегать по ближайшим, не простреливаемым окрестностям, найти укрытие, попробовать затаиться: ведь единственный совет, что мог дать мне шеф, — держаться, тянуть время, пока Ночной Дозор мечется и ищет Дикаря.

Ты ведь не случайно выдавливаешь меня в тот район, где произошла наша маленькая зимняя потасовка. Верно? Я не могу не вспомнить о ней, значит, так или иначе буду действовать под влиянием воспоминаний.

Обзорная была уже пуста. Совсем. Последние посетители сбежали, и персонала не было — только рекрутированный мной человек стоял у лестницы, сжимая в руке пистолет, горящими глазами глядя вниз.

— Переодеваемся снова, — велел я. — Прими благодарность от Света. Потом забудешь все, о чем мы говорили. Пойдешь домой. Будешь помнить только то, что день был обычный, как вчера. Никаких происшествий.

— Никаких происшествий! — с готовностью выпалил охранник, выбираясь из моей одежды. Людей так легко повернуть к Свету или Тьме, но наиболее всего они счастливы, когда им позволяют быть самими собой.

ГЛАВА 6

Выйдя из башни, я остановился, засунул руки в карманы. Постоял, глядя на бьющие в небо лучи прожекторов, на освещенную будочку пропускного пункта.

Только две вещи я не понимал в той игре, что вели сейчас Дозоры, точнее — руководство Дозоров.

Ушедший в сумрак — кто он был, на чьей стороне? Предупреждал меня или запугивал?

Мальчик Егор — случайна или нет наша встреча? Если не случайна — то что в ней, узел судьбы или очередной ход Завулона?

Про сумеречных обитателей я не знал почти ничего. Может быть, и сам Гесер не знал.

А вот о Егоре можно подумать.

Он — несданная карта в игре. Пусть даже шестерка, но козырная, как все мы. А мелкие козыри тоже бывают нужны. Егор уже побывал в сумраке — первый раз, пытаясь увидеть меня, вторично — спасаясь от вампирши. Нехороший расклад, если честно. Оба раза его вел страх, и, что там говорить, его будущее почти предрешено. Он может еще несколько лет продержаться на грани между человеком и Иным, но дорога ведет его в Темные.

Правде лучше смотреть в глаза.

Скорее всего он Темный. И не играет никакой роли, что покамест Егор — обычный хороший мальчишка. Если я выживу, мне еще предстоит при встрече требовать у него документы или предъявлять свои.

Скорее всего Завулон может на него воздействовать. Направить в ту же точку, где нахожусь и я. Это подводит к мысли, что и мое месторасположение он прекрасно чувствует. Но к этому я готов.

Вот только был ли смысл в нашей «случайной» встрече?

Учитывая сказанное оператором: район ВДНХ пока не прочесывают, — был. Мной могла овладеть шальная мысль использовать мальчишку — затаиться у него дома или послать за помощью. Я мог направиться к его дому. Верно?

Слишком сложно. Чрезмерно. Меня легко взять и так. Что-то я упускаю, что-то самое главное.

Я шел к дороге, уже не оглядываясь на башню, вместившую на сегодня бутафорский штаб Темных, почти забыв об изувеченном теле мага-охранника, валяющемся сейчас где-то у ее подножия. Чего от меня хотят? Чего? Начнем с этого.

Послужить приманкой. Попасться Дневному Дозору. Да еще и так попасться, чтобы сомнений в вине не оставалось; и это фактически произошло.

А дальше — не выдержит Светлана. Мы можем защитить и ее саму, и ее родных. Мы лишь не в силах вмешаться в ее собственные решения. И если она начнет спасать меня, выдергивать из подземелий Дневного Дозора, отбивать на Трибунале, ее уничтожат, быстро и без колебаний. Вся игра построена ради ее неверного хода. Вся игра была затеяна давным-давно, когда Темный маг Завулон увидел в будущем появление Великой Волшебницы и ту роль, которую предстоит исполнить мне. И были заготовлены ловушки. Первая провалилась. Вторая уже раскрыла хищную пасть. Возможно, что впереди еще и третья.

Но при чем тут паренек, пока не способный проявлять магические способности?

Я остановился.

Он ведь Темный, не так ли?

Кто у нас убивает Темных? Слабых, неумелых, не желающих развивать себя?

Еще один навешенный на меня труп, но какой смысл?

Не знаю. Но то, что мальчишка обречен и что встреча в метро была не случайной, я знал абсолютно ясно. Ко мне то ли опять пришло предвидение, то ли очередной фрагмент головоломки встал на отведенное место.

Егор погибнет.

Я вспомнил, как он смотрел на меня на перроне, насупившись, одновременно желая и спросить что-то, и обругать, в очередной раз выкрикнуть ту правду о Дозорах, которая пришла к нему слишком рано. Как повернулся и побежал к поезду.

«Вас ведь защитят? Ваш Дозор?»

«Попробует».

Конечно, попробует. Будет до последнего искать Дикаря. Вот он и ответ!

Я остановился, сжимая голову ладонями. Свет и Тьма, как же я глуп! Как непроходимо наивен!

Пока Дикарь жив, капкан не захлопнут. Мало выдать меня за психопата-охотника, за браконьера от Светлых. Важно еще и уничтожить настоящего Дикаря.

Темные — или по крайней мере Завулон — знают, кто он. Более того — умеют им управлять. Подбрасывают добычу — тех, от кого не видят особого проку. Сейчас у Дикаря не просто очередное героическое сражение с Тьмой: он с головой ушел в схватку. Темные валятся на него со всех сторон: вначале женщина-оборотень, потом Темный маг в ресторане, сейчас — мальчик. Наверное, ему кажется, что мир сошел с ума, что близится Апокалипсис, что силы Тьмы захватывают мир. Не хотел бы я оказаться на его месте.

Женщина-оборотень была необходима, чтобы заявить нам протест и продемонстрировать, кто под ударом.

Темный маг — чтобы обложить меня полностью и иметь право на формальное обвинение и арест.

Мальчик — чтобы наконец-то уничтожить сыгравшего свою роль Дикаря. Вмешаться в последний момент, взять над трупом, убить, пресекая побег и сопротивление: он же не понимает, что мы воюем по правилам, он никогда не сдастся, не отреагирует на приказ неведомого «Дневного Дозора».

После смерти Дикаря у меня не останется никакого выхода. Либо соглашаться на выверт памяти, либо уходить в сумрак. В любом случае Светлана сорвется.

Я поежился.

Холодно. Все-таки холодно. Мне показалось, что зима умерла насовсем, только показалось.

Вскинув руку, я остановил первую же машину. Заглянул водителю в глаза и приказал:

— Поехали.

Импульс был достаточно силен, он даже не спросил, куда надо ехать.

Мир близился к концу.

Что-то сдвинулось, стронулось, шевельнулись древние тени, прозвучали глухие слова забытых языков, дрожь сотрясла землю.

Над миром всходила Тьма.

Максим стоял на балконе, курил, краем уха слыша ворчание Лены. Оно не прекращалось вот уже несколько часов, с того мига, когда спасенная девушка выскочила из машины у метро. Максим услышал о себе все, что только мог представить, и немножко того, что представить был не в состоянии.

То, что он дурак и бабник, готовый подставляться под пули из-за смазливой мордочки и длинных ног, Максим воспринял спокойно. То, что он наглец и сволочь, кокетничающий при жене с затасканной и некрасивой проституткой, — было чуть оригинальнее. Особенно учитывая, что с неожиданной пассажиркой он обменялся лишь парой слов.

Теперь в ход пошла полная чушь. Вспоминались неожиданные командировки, те два случая, когда он заявлялся домой пьяным... действительно пьяным. Делались предположения о количестве его любовниц, о непроходимой тупости и мягкотелости, мешающих служебному росту и хоть мало-мальски приличной жизни.

Максим покосился через плечо.

Лена ведь даже не накручивала себя, что странно. Сидела на кожаном диване перед здоровенным телевизором «панасоник» и говорила, говорила почти искренне.

Она и впрямь так думает?

Что у него толпа любовниц? Что он спас незнакомую девушку из-за красивой фигурки, а не из-за свистящих в воздухе пуль? Что они плохо, бедно живут? Они, купившие три года назад прекрасную квартиру, обставившие ее как игрушку, на Рождество ездившие во Францию?

Голос жены был уверенный. Голос был обвиняющий. Голос был страдающий.

Максим щелчком отправил сигарету вниз. Посмотрел в ночь.

Тьма, Тьма надвигается.

Он убил — там, в туалете, Темного мага. Одно из самых отвратительных порождений вселенского Зла. Человека, несущего в себе злобу и страх. Выкачивающего из окружающих энергию, подминающего чужие души, превращающего белое в черное, любовь в ненависть. Как обычно, один на один с целым миром.

Вот только раньше такого не случалось. Два дня подряд наталкиваться на эти дьявольские отродья: либо они вылезли из своих зловонных нор, либо его зрение становится лучше.

Вот и сейчас.

Максим смотрел с высоты десятого этажа и видел не ночной город в россыпи огней. Это — для других. Для людей слепых и беспомощных. Он видел сгусток Тьмы, болтающийся над землей. Невысоко, на уровне десятого — двенадцатого этажа, пожалуй.

Максим видел очередное порождение Тьмы.

Как всегда. Как обычно. Но почему так часто, почему подряд? Уже третий! Третий за сутки!

Тьма мерцала, колебалась, двигалась. Тьма жила.

А за спиной Лена усталым, несчастным, обиженным голосом перечисляла его грехи. Встала, подошла к балконной двери, словно сомневаясь, что Максим слышит. Хорошо, пусть так. Хоть детей не разбудит, если, конечно, они спят. Почему-то Максим сомневался.

Если бы он действительно верил в Бога. По-настоящему. Но той слабой веры, что согревала Максима после каждой акции очищения, уже почти не осталось. Не может быть Бога в мире, где процветает Зло.

Но если бы он был или хотя бы в душе Максима оставалась настоящая вера. Он упал бы сейчас на колени, на грязный, крошащийся бетон, вскинул руки к сумрачному, ночному небу, к небу, где даже звезды горели тихо и печально. И закричал бы: «За что? За что, Господи? Это выше моих сил, выше меня! Сними с меня этот груз, прошу тебя, сними! Я не тот, кто нужен! Я слаб».

Кричи — не кричи. Не он возложил на себя этот груз. Не ему и снимать. Пылает, разгорается впереди черный огонек. Новое щупальце Тьмы.

— Лена, извини. — Он отстранил жену, шагнул в комнату. — Мне надо уехать.

Она замолчала на полуслове, и в глазах, где только что стояло лишь раздражение и обида, мелькнул испуг.

— Я вернусь. — Он быстро пошел к двери, надеясь избежать вопросов.

256

— Максим! Максим, подожди!

Переход от ругани к мольбе был молниеносным. Лена кинулась вслед, схватила за руку, заглянула в лицо — жалко, заискивающе.

— Ну прости, прости меня, я так испугалась! Прости, я глупостей наговорила, Максим!

Он смотрел на жену, мгновенно утратившую агрессивность, капитулировавшую, готовую на все, лишь бы он, глупый, развратный, подлый, не вышел из квартиры. Неужели что-то появилось в его лице — что-то, испугавшее Лену сильнсс, чем бандитская разборка, в которую они встряли?

— Не пущу! Не пущу тебя никуда! На ночь глядя!..

— Со мной ничего не случится, — мягко сказал Максим. — И тише, дети проснутся. Я скоро вернусь.

— Не думаешь о себе, так подумай о детях! Обо мне подумай! — Лена молниеносно сменила тактику. — А если номер машины запомнили? А если сейчас явятся: ту стерву искать? Что мне делать?

— Никто не явится. — Максим почему-то знал, что это правда. — А если вдруг — дверь крепкая. Кому звонить — ты тоже знаешь. Лена, пропусти.

Жена застыла поперек дверей, распростерши руки, запрокинув голову, почему-то зажмурившись, будто ожидая, что он сейчас ударит.

Максим осторожно поцеловал ее в щеку и отодвинул с дороги. Вышел в прихожую, сопровождаемый совсем уж растерянным взглядом. Из комнаты дочери слышалась неприятная, тяжелая музыка — не спит, магнитофон включила, лишь чтобы заглушить их злые голоса, голос Лены.

— Не надо! — умоляюще прошептала жена вслед.

Он накинул куртку, мимолетно проверив, все ли на месте во внутреннем кармане.

— Ты о нас совсем не думаешь! — будто по инерции, уже ни на что не надеясь, сдавленно выкрикнула Лена. Музыка в комнате дочери стала громче.

— А вот это неправда, — спокойно сказал Максим. — Как раз о вас я и думаю. Берегу.

Он спустился на один пролет, не хотелось ждать лифта, прежде чем его догнал выкрик жены, неожиданный: она не любила выносить сор из избы и никогда не ругалась в подъезде.

— Лучше бы ты любил, чем берег!

Максим пожал плечами и ускорил шаг.

Вот здесь я стоял, зимой.

Все было так же, глухая подворотня, шум машин за спиной, слабый свет фонарей. Только холоднее гораздо. И все казалось простым и ясным, как для молоденького американского полицейского, вышедшего в первое патрулирование.

Охранять закон. Преследовать Зло. Защищать невиновных.

Как было бы здорово, оставайся все и всегда таким же простым и ясным, как в двенадцать или двадцать лет. Если бы в мире и впрямь было лишь два цвета: черный и белый. Вот только самый честный и простодушный полицейский, воспитанный на громких звездно-полосатых идеалах, рано или поздно поймет: на улицах есть не только Тьма и Свет. Есть еще договоренности, уступки, соглашения. Информаторы, ловушки, провокации. Рано или поздно приходится сдавать своих, подбрасывать в чужие карманы пакетики с героином, бить по почкам, аккуратно, чтобы не оставалось следов.

И все — ради тех, самых простых, правил.

Охранять закон. Преследовать Зло. Защищать невиновных.

Мне тоже пришлось это понять.

Я прошел по узкой кирпичной кишке, поддел ногой обрывок газеты, валявшийся у стены. Вот здесь истлел несчастный вампир. Действительно несчастный, виновный лишь в том, что позволил себе влюбиться. Не в вампиршу, не в человека, а в жертву, в пищу.

Вот здесь я плеснул из чекушки водкой, обжигая лицо женщины, которую мы же, Ночной Дозор, отдали на пропитание вампирам.

Как они, Темные, любят говорить: «Свобода»! Как часто мы объясняем себе самим, что у свободы есть границы.

И все это, наверное, абсолютно правильно. Для тех Темных и Светлых, что просто живут среди людей, превосходя их по возможностям, но ничем не отличаясь по стремлениям. Для тех, кто выбрал жизнь по правилам, а не противостояние.

Но стоит лишь выйти на рубеж, тот незримый рубеж, где стоим мы, дозорные, разделяя Тьму и Свет...

Это война. А война преступна всегда. Всегда, во все времена, в ней будет место не только героизму и самопожертвованию, но еще и предательству, подлости, ударам в спину. Иначе просто нельзя воевать. Иначе — ты заранее проиграл.

Да что же это такое, в конце концов! За что стоит драться, за что вправе я драться, когда стою на рубеже, посредине, между Светом и Тьмой? У меня соседи — вампиры! Они никогда — во всяком случае, Костя, — никогда не убивали. Они приличные люди с точки зрения людей. Если смотреть по их деяниям — они куда честнее шефа или Ольги.

Где же грань? Где оправдание? Где прощение? Я не знаю ответа. Я ничего не в силах сказать, даже себе самому. Я уже плыву по инерции, на старых убеждениях и догмах. Как могут они сражаться постоянно, мои товарищи, оперативники Дозора? Какие объяснения дают своим поступкам? Тоже не знаю. Но их решения мне не помогут. Тут каждый сам за себя, как в громких лозунгах Темных.

И самое неприятное: я чувствовал, что, если не пойму, не смогу нащупать этот рубеж, я обречен. И не только я один. Погибнет Светлана. Ввяжется в безнадежную попытку спасти ее шеф. Рухнет вся структура московского Дозора.

«Оттого, что в кузнице не было гвоздя».

Я еще постоял, опираясь рукой о грязную кирпичную стену. Вспоминал, кусая губы, пытаясь найти ответ. Не было его. Значит — судьба.

Пройдя уютным тихим двором, я вышел к «дому на ножках». Советский небоскреб вызывал какое-то подспудное уныние, совершенно неоправданное, но яркое. Похожее чувство я иногда испытывал, когда проезжал в поезде мимо заброшенных деревень или полуразрушенных элеваторов. Неуместность, слишком сильный замах, кончившийся ударом по воздуху.

— Завулон, — сказал я, — если ты слышишь...

Тишина, обычная тишина позднего московского вечера — рев машин, кое-где музыка из окон и безлюдье.

— Ты все равно не мог рассчитать все, — произнес я в пустоту. — Никак не мог. Всегда есть развилки реальности. Будущее не определено. Ты это знаешь. И я тоже знаю.

Я пошел через дорогу, не оглядываясь по сторонам, не обращая внимания на машины. Я ведь на задании, верно?

Сфера отстранения!

Звякнул, застывая на рельсах, трамвай. Машины сбавили ход, объезжая пустоту, в центре которой был я. Все перестало существовать — только здание, на крыше которого мы вели бой три месяца назад, темнота, проблески энергии, невидимой человеческим взором.

И эта мощь, которую дано узреть немногим, нарастала.

Здесь был центр тайфуна, я не ошибся. Меня вели именно сюда? Прекрасно. Я пришел. Завулон, ты все-таки помнишь то маленькое постыдное поражение. Не можешь не помнить, как получил пощечину в присутствии своих же рабов.

Помимо всех высоких целей — я понимаю, что для него они высоки, — в нем кипит еще одно желание, бывшее когда-то простой человеческой слабостью, а ныне неизмеримо усиленное сумраком.

Отомстить. Расквитаться.

Переиграть бой заново. Помахать кулаками после драки.

Во всех вас, великих магах — и Светлых, и Темных, — есть эта черта — пресыщенность обычной схваткой, стремление победить *изящно*. Унизить противника. Вам скучны простые победы, они в прошлом. Великое противостояние выродилось в бесконечную шахматную партию. Как для Гесера, великого Светлого мага, что с таким удовольствием издевался над Завулоном, приняв чужой облик.

Для меня противостояние еще не стало игрой.

Может быть, в этом и скрыт мой шанс.

Я достал из кобуры пистолет, снял его с предохранителя. Вдохнул — глубоко-глубоко, будто готовясь нырнуть. Пора.

Максим чувствовал, что в этот раз все решится быстро.

Не будет ночного бдения в засаде. Долгого выслеживания тоже не будет. Озарение в этот раз пришло слишком яркое, и не только ощущение чужого, враждебного присутствия, а еще и четкая наводка на цель.

Он доехал до перекрестка улицы Галушкина и Ярославской, остановился во дворе многоэтажного здания. Посмотрел на тлеющий черный огонек, медленно перемещающийся внутри здания.

Темный маг — там. Максим уже воспринимал его реально, почти зримо. Мужчина. Слабые способности. Не оборотень, не вампир, не инкуб. Именно Темный маг. Учитывая невысокую силу, проблем не будет. Проблема в другом.

Максим мог только надеяться и молиться, что это не будет происходить так часто. День за днем уничтожать порождения Тьмы — тяжело не только физически. Есть еще и тот, самый страшный миг, когда кинжал пронзает сердце врага. Миг, когда все вокруг начинает дрожать, балансировать, краски тускнут, звуки меркнут, движения замедляются. Что он сделает, если однажды ошибется? Если не врага рода человеческого ликвидирует, а убьет обычного человека? Он не знал.

Но ведь нет выхода, раз только он в целом мире способен отличить Темных от простых людей. Если только в его руки вложено — Богом, судьбой, случаем — оружие.

Максим достал деревянный кинжал. Посмотрел на игрушку с легкой тоской и смятением. Не он выстругивал когда-то этот кинжал, не он дал ему громкое звучное имя «мизерикорд».

Им было тогда по двенадцать лет, ему и Петьке, его лучшему и, пожалуй, единственному в детстве, да что уж скрывать, единственному в жизни, другу. Они играли в какие-то рыцарские баталии, недолго, правда, в их детстве было много развлечений и без всяких компьютеров-дискотек. Играли всем двором, одно-единственное недолгое лето, выстругивая мечи и кинжалы, рубясь вроде бы в полную силу, но осторожно. Хватало ума понять, что и деревяшкой можно выбить глаз или порезаться до крови. Странное дело, с Петькой они всегда оказывались в разных лагерях. Может быть, потому, что тот был чуть младше и Максим слегка стеснялся юного друга, глядящего на него восторженными глазами и ходящего следом молчаливым влюбленным хвостиком. И это было совсем обыденно, когда в очередной баталии Максим выбил из рук Петьки деревянный меч — тот ведь почти не отбивался от него — и закричал: «Ты пленен!»

Только потом случилось что-то странное. Петька молча протянул ему этот кинжал и сказал, что доблестный рыцарь должен покончить с его жизнью этим «мизерикордом», а не унижать пленением. Это была игра, конечно же, игра, вот только что-то дрогнуло в Максиме, когда он ударил, изобразил удар деревянным кинжалом. И был нестерпимо короткий миг, когда Петька смотрел то на его руку, остановившую игрушечное оружие у замызганной белой футболки, то ему в глаза. А потом вдруг буркнул: «Оставь, это тебе трофей будет».

Максим принял деревянный кинжал с удовольствием, без колебаний. И как трофей, и как подарок. Вот только почему-то никогда не брал с собой в игру. Хранил дома, старался забыть, словно стеснялся неожиданного подарка и собственной слюнявости. Но помнил, всегда помнил. И даже когда вырос, женился, когда стал подрастать собственный ребенок — не забыл. Игрушечное оружие валялось вместе с детскими фотоальбомами, конвертиками с прядками волос, прочей сентиментальной ерундой. До того дня, когда Максим впервые почувствовал присутствие в мире Тьмы.

Тогда деревянный кинжал будто позвал его. И обернулся подлинным оружием, беспощадным, безжалостным, непобедимым.

А Петьки уже нет. Их развела юность: разница в один год велика для детей, но для подростков это настоящая пропасть. Потом развела жизнь. Они улыбались друг другу при встрече, жали руки, несколько раз хорошенько выпили вместе, вспоминая детство. Потом Максим женился, переехал, связь почти прервалась. А этой зимой, совершенно случайно, донеслось известие. Сказала мать, которой он регулярно, как положено хорошему сыну, звонил по вечерам. «А Петю помнишь? Вы с ним такими друзьями были в детстве, не разлей вода».

Он помнил. И сразу понял, к чему такое вступление.

Разбился насмерть. Упал с крыши какого-то высотного здания, и зачем его туда понесло посреди ночи? Может быть, хотел покончить с собой, может быть, напился, только врачи говорят, что трезвым был. А может быть, убили. Работал-то в какой-то коммерческой организации, получал немало, родителям помогал, на хорошей машине ездил.

«Наркотиков обкурился, — жестко сказал тогда Максим. Так жестко, что мать даже не решилась спорить. — Обкурился, он всегда странноватый был».

И сердце не екнуло, не сжалось. Вот только вечером он сам почему-то напился. А потом пошел и убил женщину, чья Темная сила вынуждала окружающих бросать любимых и возвращаться к законным женам, убил немолодую ведьму, сводницу и разлучницу, которую безрезультатно выслеживал уже две недели.

Петьки нет, много лет нет того мальчика, с которым он дружил, и три месяца, как нет Петра Нестерова, которого он видел раз в год, а то и реже. А подаренный кинжал остался.

Наверное, не зря она была, их неловкая детская дружба.

Максим поиграл в ладони деревянным кинжалом. Ну почему, почему он один? Почему нет рядом друга, способного снять хотя бы часть тяжести с плеч? Так много Тьмы вокруг, и так мало Света.

Почему-то вспомнилась последняя, вдогонку выпаленная фраза Лены: «Лучше бы ты любил, чем берег».

«А это не одно и то же?» — мысленно отпарировал Максим.

Да нет, наверное, не одно. Только вот что делать человеку, для которого любовь — сражение, который бьется против, а не за?

Против Тьмы, а не за Свет.

Не за Свет, а против Тьмы.

— Я страж, — сказал Максим. Самому себе, вполголоса, будто стесняясь говорить вслух. Это шизики сами с собой разговаривают. А он не шиз, он нормальный, он более чем нормален, он видит древнее Зло, ползущее в мир.

Ползущее или давным-давно здесь поселившееся?

Это сумасшествие. Нельзя, никак нельзя сомневаться. Если он потеряет хотя бы часть своей веры, позволит себе расслабиться или искать несуществующих союзников, ему конец. Деревянный кинжал не обернется светоносным клинком, изгоняющим Тьму. Очередной маг сожжет его колдовским огнем, ведьма зачарует, оборотень разорвет в клочки.

Страж и судия!

Он не должен колебаться.

Клочок Тьмы, болтающийся на девятом этаже, вдруг пополз вниз. Сердце зачастило: Темный маг шел навстречу своей судьбе. Максим выбрался из машины, бегло осмотрелся. Никого. Как обычно, что-то, скрытое в нем, разгоняет случайных свидетелей, освобождает поле боя.

Поле боя? Или эшафот?

Страж и судия?

Или палач?

Да какая разница! Он служит Свету!

Знакомая сила наполняла тело, будоражила. Держа руку за отворотом пиджака, Максим шел к подъезду, навстречу спускающемуся в лифте Темному магу.

Быстро, все надо сделать быстро. Все-таки еще не совсем ночь. Могут увидеть. А никто и никогда не поверит в его рассказ, в лучшем случае светит психушка.

Окликнуть. Назваться. Выхватить оружие.

Мизерикорд. Милосердие. Он страж и судия. Рыцарь Света. Вовсе не палач!

Этот двор — поле боя, а не эшафот!

Максим остановился перед дверью подъезда. Услышал шаги. Щелкнул замок.

И ему захотелось взвыть от обиды и ужаса, закричать, проклиная небеса, судьбу и свой небывалый дар.

Темный маг оказался ребенком.

Тоненький темноволосый мальчишка. Самый обычный внешне — вот только Максиму был виден дрожащий вокруг ореол Тьмы.

Ну почему? Еще никогда такого не случалось. Он убивал женщин и мужчин, молодых и старых, но никогда еще не попадались дети, продавшие душу Тьме. Максим даже не задумывался об этом, то ли не желая признавать саму возможность подобного, то ли заранее отказываясь принимать решение. Может быть, он остался бы дома, зная, что его будущей жертве всего двенадцать лет.

Мальчик стоял в дверях подъезда, недоуменно глядя на Максима. На какой-то миг ему показалось, что пацан сейчас развернется и бросится назад, захлопнув тяжелую кодовую дверь: ну беги же, беги!

264

Мальчик сделал шаг вперед, придержал дверь, чтобы не хлопнула слишком сильно. Посмотрел в глаза Максиму — чуть насупившись, но без всякого страха. Совсем непонятно. Он не принял Максима за случайного прохожего, он понял, что его поджидали. И сам идет навстречу. Не боится? Уверен в своей Темной силе?

— Вы Светлый, я вижу, — сказал мальчишка. Негромко, но уверенно.

— Да. — Слово далось с трудом, вылезло из горла неохотно, упираясь и отводя глаза. Проклиная себя за слабость, Максим протянул руку, взял мальчишку за плечо. — Я судия.

Он все равно не испугался.

— Я видел сегодня Антона.

Какого Антона? Максим промолчал, недоумение отразилось в глазах.

— Вы из-за него ко мне пришли?

— Нет. Из-за тебя.

— Зачем?

Мальчишка держался чуть вызывающе, будто у него был когда-то с Максимом долгий спор, будто Максим в чем-то виноват и обязан сознавать свою вину.

— Я судия, — повторил Максим. Ему захотелось повернуться и убежать. Все складывалось не так, неправильно! Темный не мог оказаться ребенком, ровесником его собственной дочери. Темный маг должен был обороняться, нападать, убегать, но не стоять с обиженным видом, будто он имеет на это право.

Будто что-то может служить ему защитой.

— Как тебя зовут? — спросил Максим.

— Егор.

— Мне крайне неприятно, что так получилось. — Максим говорил искренне. И никакого садистского удовольствия от оттягивания убийства не испытывал. — Черт возьми. У меня дочка твоих лет!

Почему-то это обижало больше всего.

— Но если не я, так кто же?

— О чем вы? — Мальчик попытался сбросить его руку. Это придало решимости.

Мальчик—девочка, взрослый—ребенок. Какая разница! Тьма и Свет — вот все различие.

— Я должен спасти тебя, — сказал Максим. Свободной рукой он достал из кармана кинжал. — Должен — и спасу.

ГЛАВА 7

Вначале я узнал машину.

Потом — вышедшего из нее Дикаря.

Накатила тоска, тяжелая, беспросветная. Это был мужчина, спасший меня, когда в облике Ольги я бежал из «Магараджи».

Должен я был догадаться? Наверное, будь больше опыта, больше времени, больше хладнокровия. Женщина, что ехала с ним, всего-то — посмотреть ее ауру, Светлана ведь описала ее очень подробно. Я мог узнать женщину, а значит — и Дикаря. Мог закончить все еще в машине.

Вот только — как закончить?

Я нырнул в сумрак, когда Дикарь посмотрел в мою сторону. Кажется, это сработало, он двинулся дальше, к подъезду, в котором я когда-то сидел у мусоропровода и мрачно беседовал с белой совой.

Дикарь шел убивать Егора. Все, как я и думал. Все, как рассчитывал Завулон. Капкан был передо мной, туго растянутая пружина начинала сжиматься. Оставалось сделать шаг и порадовать Дневной Дозор успешным завершением операции.

Где же ты сам, Завулон?

Сумрак давал мне время. Дикарь все шел и шел к дому, неторопливо переставляя ноги, а я озирался, выискивал вокруг Тьму. Хотя бы след, хотя бы дыхание, хотя бы тень...

Напряжение магии вокруг было чудовищное. Здесь сходились нити реальностей, рвущихся в будущее. Перекресток ста дорог, точка, в которой мир решает, куда он пойдет. Не из-за меня, не из-за Дикаря, не из-за мальчика. Все мы — часть капкана. Все мы статисты, одному велено сказать «кушать подано», другому — изобразить падение, третьему — с гордо поднятой головой ступить на эшафот. Вторично эта точка Москвы становилась ареной незримой битвы. Но я не видел Иных — ни Темных, ни Светлых. Только Дикарь, но он даже сейчас не воспринимался Иным, лишь на груди его искрился сгусток Силы. Вначале я подумал, что вижу сердце. Потом понял, что это оружие, то самое, которым он убивает Темных.

Да что же такое, Завулон? Меня охватила обида, нелепая обида. Я пришел! Я ступаю в твою ловушку, смотри, нога уже занесена, сейчас все произойдет, где же ты?

Или Темный маг прятался так искусно, что мне не по силам было его обнаружить, или его здесь вообще не было!

Я проигрывал. Проигрывал еще до развязки, потому что не мог понять замысел врага. Здесь должна быть засада, Темным ведь надо уничтожить Дикаря, едва тот убьет Егора.

Как убьет?

Ведь я уже здесь. Я объясню ему все происходящее, расскажу о Дозорах, которые следят друг за другом, о Договоре, что заставляет нас хранить нейтралитет, о людях и Иных, о мире и сумраке. Расскажу ему все, как рассказывал Светлане, и он поймет.

Поймет ли?

Если он и в самом деле не умеет видеть Свет!

Мир для него — серая безмозглая овечья отара. Темные — волки, что кружат вокруг, выхватывая барашков пожирнее. А он сам — сторожевой пес. Не способный увидеть пастухов, ослепленный страхом и яростью, кидающийся из стороны в сторону, один против всех.

Он не поверит, не позволит себе поверить.

Я бросился вперед, к Дикарю. Дверь подъезда уже была открыта, и Дикарь говорил с Егором. Почему он вышел так поздно, в ночь, этот глупый пацан, уже прекрасно знающий, какие силы правят нашим миром? Неужели Дикарь способен подманивать свои жертвы?

Говорить бесполезно. Напасть из сумрака. Скрутить. И только потом объяснять!

Сумрак взвизгнул на тысячу раненых голосов, когда на бегу я врезался в невидимый барьер. В трех шагах от Дикаря, уже занося руку для удара, я ударился о прозрачную стену, распластался на ней и медленно сполз на землю, тряся звенящей головой.

Плохо. Ой как плохо! Он не понимает сути Силы. Он маг-самоучка, он психопат от Добра. Но когда идет на дело — закрывается магическим барьером. Непроизвольно, но мне от этого не легче.

Дикарь что-то сказал Егору. И вытащил руку из-за отворота пиджака.

Деревянный кинжал. Что-то я слышал про эту магию, одновременно наивную и могучую, но сейчас не время вспоминать.

Я выскользнул из своей тени, вошел в человеческий мир и прыгнул на Дикаря со спины.

Максима сбили с ног, когда он занес кинжал. Мир вокруг уже окрасился серым, движения мальчишки стали замедленными, он видел, как неторопливо опускаются ресницы в последний раз перед тем, как широко распахнуться от боли. Ночь превратилась в сумрачный подиум, где он привык вершить суд и выносить приговор, который ничто не могло остановить.

Его остановили. Сбили, швырнули на асфальт. В последний миг Максим успел подставить руку, перекатился, вскочил.

На сцене появился третий персонаж. Как Максим его не заметил? Как тот подкрался к нему, занятому важной работой, всегда огражденному от зрителей и лишних участников самой Светлой в мире силой, что вела его в бой?

Мужчина — молодой, чуть младше Максима, пожалуй. В джинсах, свитере, с сумкой через плечо — сейчас он небрежно ее сбросил, шевельнув плечом. С пистолетом в руке!

Как нехорошо.

— Остановись, — сказал мужчина, словно Максим собирался куда-то бежать. — Выслушай меня.

Случайный прохожий, принявший его за банального маньяка? А пистолет, а та ловкость, с которой он подкрался незамеченным? Спецназовец в штатском? Такой стрелял бы или добил, не дал подняться с земли.

Максим вгляделся в незнакомца, обмирая от страшной догадки. Если это еще один Темный, ему никогда не доводилось сталкиваться сразу с двумя.

Тьмы не было. Вот не было, и все, вовсе!

— Кто ты? — спросил Максим, почти забывая о мальчишке-маге. Тот медленно отступал к неожиданному спасителю.

— Дозорный. Антон Городецкий, Ночной Дозор. Выслушай меня.

Свободной рукой Антон поймал пацана и задвинул за спину. Намек был вполне прозрачен.

— Ночной Дозор? — Максим все пытался уловить в незнакомце дыхание Тьмы. Не находил, и это пугало еще больше. — Ты из Тьмы?

Он ничего не понимал. Пытался зондировать меня: я чувствовал этот свирепый, неукротимый и в то же время неумелый поиск. Даже не знаю, возможно ли было закрыться. В этом человеке, или Ином, тут годились оба понятия, чувствовалась какая-то первобытная сила, безумный, фанатичный напор. Я и не закрывался.

— Ночной Дозор? Ты из Тьмы?

— Нет. Как тебя зовут?

— Максим. — Дикарь медленно подходил ближе. Вглядывался, будто чувствовал, что мы уже встречались, вот только я имел другой облик. — Кто ты?

— Работник Ночного Дозора. Я все объясню, выслушай меня. Ты — Светлый маг.

Лицо Максима дрогнуло, окаменело.

— Ты убиваешь Темных. Я знаю это. Сегодня утром ты убил женщину-оборотня. Вечером, в ресторане, прикончил Темного мага.

— Ты тоже?

Может быть, мне показалось. Может быть, в его голосе и вправду дрогнула надежда. Я демонстративно засунул пистолет в кобуру.

— Я Светлый маг. Не очень сильный, правда. Один из сотен в Москве. Нас много, Максим.

У него даже глаза расширились, и я понял, что попал в цель. Он не был безумцем, вообразившим себя Суперменом и гордящимся этим. Наверное, ничего он так сильно не хотел в жизни, как встретить соратника.

— Максим, мы не заметили тебя вовремя, — сказал я. Неужели удастся решить все миром, без кровопролития, без безумной схватки двух белых магов? — Это наша вина. Ты принялся воевать в одиночку, ты наломал дров. Максим, все еще исправимо. Ты ведь не знал о Договоре?

Он не слушал меня, ему плевать было на неведомый Договор. То, что он не один, было для него главным.

— Вы боретесь с Тьмой?

— Да.

— Вас много?

— Да!

Максим опять посмотрел на меня, и вновь пронизывающее дыхание сумрака сверкнуло в его глазах. Он пытался увидеть ложь, увидеть Тьму, увидеть злобу и ненависть — то, что только и дано было ему видеть.

— Ты ведь не Темный, — почти жалобно сказал он. — Я вижу. Я не ошибался, никогда!

— Я дозорный, — повторил я. Оглянулся — никого. Что-то отпугивало людей. Наверное, это тоже было частью способностей Дикаря.

— Этот мальчик...

— Тоже Иной, — быстро ответил я — Еще не определившийся, либо он станет Светлым, либо...

Максим покачал головой:

— Он Темный.

Я взглянул на Егора. Мальчишка медленно поднял глаза.

— Нет, — сказал я.

Аура была видна отчетливо — яркая чистая радуга, переливающаяся, обычная для совсем маленьких детей, но не для подростков. Своя судьба, несформированное будущее.

— Темный. — Максим покачал головой. — Ты не видишь? Я не ошибаюсь, никогда. Ты остановил меня и не дал уничтожить посланника Тьмы.

Наверное, он не врал. Ему дано немногое — зато в полной мере. Максим умеет видеть Тьму, выискивать самые крошечные ее пятна в чужих душах. Более того, как раз такую, зарождающуюся Тьму он видит лучше всего.

— Мы не убиваем всех Темных подряд.

— Почему?

— У нас перемирие, Максим.

— Как может быть перемирие с Тьмой?

Меня пробил озноб: в его голосе не было ни тени сомнения.

— Любая война хуже мира.

— Только не эта. — Максим поднял руку с кинжалом. — Видишь? Это подарок моего друга. Он погиб, и, может быть, — из-за таких, как этот мальчик. Тьма коварна!

— Ты мне это говоришь?

— Конечно. Может быть, ты и Светлый. — Его лицо скривилось в горькой усмешке. — Только тогда Свет ваш давно потускнел. Нет прощения Злу. Нет перемирия с Тьмой.

— Нет прощения Злу? — Теперь и я был зол. И еще как. — Когда ты заколол в туалете Темного мага, почему бы тебе было не остаться еще на десять минут? Не посмотреть, как будут кричать его дети, как будет плакать жена? Они — не Темные, Максим! Они обычные люди, у которых нет наших сил! Ты выхватил из-под пуль девушку...

Он вздрогнул, но лицо его все равно не утратило каменного спокойствия.

— Молодец! А то, что ее готовы были убить из-за тебя, из-за твоего преступления? Этого ты не знаешь?

— Это война!

— Ты сам породил свою войну, — прошептал я. — Ты сам ребенок, со своим детским кинжалом. Лес рубят — щепки летят, да? Все дозволено в великой борьбе за Свет?

— Я борюсь не за Свет. — Он тоже понизил голос. — Не за Свет, а против Тьмы. Но это все, что мне дано. Понимаешь? И не думай, для меня это не лес и не щепки. Я не просил этой силы, я не мечтал о ней. Но если уж она пришла, я не могу иначе.

Да кто же его упустил?

Почему мы не нашли Максима сразу, как только он стал Иным?

Из него вышел бы прекрасный оперативник. После долгих споров и объяснений. После месяцев обучения, после годов тренировок, после срывов, ошибок, запоев, попыток покончить с собой. В конце концов, когда не сердцем, ибо это ему не дано, а своим холодным, бескомпромиссным разумом он понял бы правила противостояния. Законы, по которым Свет и Тьма ведут войну, законы, по которым нам приходится отворачиваться от оборотней, преследующих жертву, и убивать своих, не сумевших отвернуться.

Вот он стоит передо мной. Светлый маг, за несколько лет уложивший больше Темных, чем оперативник со столетним стажем работы. Одинокий, затравленный. Умеющий ненавидеть и не способный любить.

Я повернулся, взял Егора за плечи, тот так и стоял, тихо, не высовываясь, напряженно слушая наш спор. Вытолкнул вперед, перед собой. Сказал:

— Он Темный маг? Наверное. Я боюсь, что ты прав. Пройдет несколько лет, и этот мальчик ощутит свои возможности. Он будет идти по жизни, а вокруг него поползет Тьма. С каждым шагом ему будет все легче и легче жить. Каждый его шаг оплатит чужая боль. Помнишь сказку про Русалочку? Ведьма дала ей ноги, она шла, а в ступни словно вонзались раскаленные ножи. Так это про нас, Максим! Мы всегда идем по ножам, и к этому не привыкнуть. Только Андерсен не все рассказал. Ведьма могла сделать и по-другому. Русалочка идет, а ножи колют других. Это — путь Тьмы.

— Моя боль со мной, — сказал Максим. И безумная надежда, что он способен понять, вновь коснулась меня. — Но это не должно, не вправе ничего менять.

— Ты готов его убить? — Я качнул головой, показывая на Егора. — Максим, скажи? Я работник Дозора, я знаю грань между Добром и Злом. Даже убивая Темных, ты можешь плодить Зло. Скажи — ты готов убить?

Он не колебался. Кивнул, посмотрел мне в глаза — умиротворенно, радостно.

— Да. Не только готов, я никогда не отпускал порождения Тьмы. Не отпущу и сейчас.

Невидимый капкан щелкнул.

Я не удивился бы, увидев сейчас рядом Завулона. Вынырнувшего из сумрака и одобрительно похлопывающего Максима по плечу. Или насмешливо улыбнувшегося мне.

А в следующий миг я понял, что Завулона здесь нет. Нет и не было.

Поставленный капкан не нуждается в наблюдении. Он сработает и сам. Я попался, причем у любого работника Дневного Дозора есть на этот момент безупречное алиби.

Либо я позволяю Максиму убить мальчика, который станет Темным магом. И превращаюсь в пособника — со всеми вытекающими последствиями.

Либо я вступаю в схватку. Уничтожаю Дикаря — все-таки наши силы несравнимы. Своей собственной рукой ликвидирую единственного свидетеля, и, мало того, убиваю Светлого мага.

Максим ведь не отступит. Это его война, его маленькая голгофа, на которую он себя тащил несколько лет. Либо он победит, либо погибнет.

И зачем Завулону самому лезть в схватку?

Он все сделал правильно. Вычистил ряды Темных от балласта, подставил меня, нагнал напряжение, даже «изобразил движение», постреляв мимо. Вынудил меня кинуться навстречу Дикарю. А сейчас Завулон далеко. Может быть, и не в Москве. Возможно, что он наблюдает за происходящим: существует достаточно и технических, и магических средств, позволяющих это. Наблюдает — и смеется.

Я влип.

Что бы я ни совершил, меня ждет сумрак.

Злу вовсе не обязательно уничтожать Добро своими руками. Куда как проще позволить Добру самому вцепиться в себя.

И единственный шанс, который у меня еще оставался, был исчезающе крошечным и чудовищно подлым.

Не успеть.

Позволить Максиму убить мальчишку, да нет, не позволить, просто не суметь помешать. После этого он успокоится. После этого он пойдет со мной в штаб Ночного Дозора, выслушает, поспорит, стихнет, задавленный железными аргументами и беспощадной логикой шефа, поймет, что совершил, сколь хрупкое равновесие нарушил. И сам отдастся Трибуналу, где у него есть пусть исчезающе маленький, но все-таки есть шанс быть оправданным.

Я ведь не оперативник. Я сделал все, что мог. Даже сумел понять игру Тьмы, комбинацию, придуманную кем-то неизмеримо более мудрым. Мне просто не хватило сил, времени, реакции.

Максим взмахнул рукой с кинжалом.

Время вдруг стало тягучим и медленным, будто я вошел в сумрак. Вот только краски не поблекли, даже ярче стали, и сам я двигался в том же ленивом кисельном потоке. Деревянный кинжал скользил к груди Егора, меняясь, то ли обретая металлический блеск, то ли окутываясь серым пламенем; лицо Максима было сосредоточенным, лишь закушенная губа выдавала напряжение, а мальчишка вообще ничего не успел понять, даже не пытался отстраниться.

Я откинул Егора в сторону — мышцы не повиновались, им не хотелось совершать столь нелепое и самоубийственное движение. Для него, маленького Темного мага, взмах кинжала был смертью. Для меня — жизнью. Всегда ведь так было, есть и будет.

Что для Темного жизнь — для Светлого смерть, и наоборот. Не мне менять...

Я успел.

Егор упал, влетев головой в дверь подъезда, плавно осел — я толкнул слишком сильно, мне важно было спасти, а не беспокоиться об ушибах. Во взгляде Максима мелькнула почти детская обида. И все-таки он еще способен был разговаривать:

— Он враг!

— Он ничего не совершил!

— Ты защищаешь Тьму.

Максим не спорил, кто я, Темный или Светлый. Он все-таки умел это видеть.

Просто он сам был белее белого. И перед ним никогда не стояло альтернативы — кто должен жить, а кто умереть.

Взмах кинжала — уже не на мальчишку нацеленного, а метящего в меня. Я уклонился, нашел взглядом тень, потянул — та послушно метнулась навстречу.

Мир посерел, звуки стихли, движения замедлились. Ворочающийся Егор стал совсем неподвижен, машины неуверенно ползли по улице, рывками проворачивая колеса, ветви деревьев забыли о ветре. Только Максим не замедлился.

Он шел вслед за мной, сам того не понимая. Соскользнул в сумрак с той же непринужденностью, с которой человек ступает с дороги на обочину. Сейчас ему было все равно: он черпал силы в своей убежденности, в своей ненависти, светлой-пресветлой ненависти, в злобе белого цвета. Он даже не палач Темных. Он инквизитор. Куда более грозный, чем вся наша Инквизиция.

Я вскинул руки, растопыривая пальцы в знаке Силы, простом и безотказном, ах как смеются молодые Иные, когда им впервые показывают этот прием: «пальцы веером». Максим даже не остановился — его чуть шатнуло, он упрямо склонил голову и снова пошел на меня. Уже начиная понимать, я отступал, лихорадочно вспоминая магический арсенал.

Агапэ — знак любви, он не верит в любовь.

Тройной ключ — порождающий веру и понимание, он не верит мне.

Опиум — сиреневый символ, дорога сна, я почувствовал, как смежаются мои собственные веки.

Вот как он побеждает Темных. Его неистовая вера, замешенная на скрытых способностях Иного, работает словно зеркало. Возвращает нанесенный удар. Подтягивает до уровня противника. А вместе со способностью видеть Тьму и дурацким магическим кинжалом почти дарует неуязвимость.

Нет, конечно, все ему не отразить. Удары возвращаются не сразу. Знак Танатоса или белый меч скорее всего сработают.

Вот только убив его, я убью и себя. Отправлю единственной дорогой, что всем нам суждена: в сумрак. В тусклые сны, в бесцветные наваждения, в вечный мглистый холод. Мне не хватит сил признать его врагом, тем врагом, каким он так легко счел меня.

Мы кружили друг против друга, иногда Максим делал выпады — неумелые, он толком и не сражался никогда, он привык убивать свои жертвы быстро и легко. И где-то далеко-далеко я слышал насмешливый смех Завулона. Мягкий, вкрадчивый голос:

«Решил сыграть против Тьмы? Играй. Тебе дано все. Враги, друзья, любовь и ненависть. Выбирай свое оружие. Любое. Ты ведь все равно знаешь итог. Теперь — знаешь».

Может быть, я сам придумал этот голос. А может быть, он и вправду звучал.

— Ты же и себя убиваешь! — крикнул я. Кобура колотила по телу, словно напрашиваясь, предлагая выхватить пистолет и послать в Максима рой маленьких серебряных ос. С той же легкостью, как в сторону собственного тезки.

Он не слышал — ему это было не дано.

Света, ты так хотела узнать, где наши барьеры, где граница, на которой мы должны остановиться, сражаясь с Тьмой. Почему тебя нет сейчас здесь — ты бы увидела и поняла.

Только нет никого вокруг, ни Темных, которые вдоволь насладились бы дуэлью, ни Светлых, что могли бы помочь, навалиться, скрутить Максима, прервать наш смертельный сумеречный танец. Только неуклюже поднимающийся мальчишка, будущий Темный маг, и неумолимый палач с окаменевшим лицом — непрошеный паладин Света. Причинивший зла не меньше, чем дюжина оборотней или вампиров.

Я сгреб холодный туман, струящийся сквозь пальцы. Позволил ему всосаться в пальцы. И влил чуть больше Силы в правую руку.

Белый огненный клинок вырос из ладони. Сумрак шипел, сгорая. Я поднял белый меч, простое и безотказное оружие. Максим замер.

— Добро, Зло. — Какая-то новая, кривая ухмылка появилась на моем лице. — Иди ко мне. Иди, и я убью тебя. Ты можешь быть трижды Светлым, но суть-то не в этом.

На другого это подействовало бы. Наверняка. Я представляю, что это такое: впервые увидеть возникающий из ничего огненный клинок. А Максим пошел ко мне.

Он так и прошел разделявшие нас пять шагов. Спокойно, не хмурясь, не глядя на белый меч. А я стоял, все повторяя про себя то, что так легко и уверенно выпалил вслух.

Потом деревянный кинжал вошел мне под ребра.

Далеко-далеко, в своем логове, глава Дневного Дозора Завулон зашелся в смехе.

Я рухнул на колени, потом — навзничь. Прижал ладонь к груди. Было больно, пока только больно. Сумрак возмущенно взвизгнул, почувствовав живую кровь, и стал расступаться.

Как обидно-то!

Или это и есть мой единственный выход? Умереть?

Светлане некого будет спасать. Она пройдет свой путь, долгий и великий, хотя и ей однажды предстоит войти в сумрак навсегда.

Гесер, может быть, ты это знал? На это и надеялся?

Мир обрел краски. Темные, ночные краски. Сумрак недовольно выплюнул меня, отверг. Я полусидел-полулежал, зажимая кровоточащую рану.

— Почему ты еще жив? — спросил Максим.

Снова была обида в его голосе, он разве что губы не надул. Мне захотелось улыбнуться, но боль мешала. Он поглядел на кинжал и неуверенно занес его снова. В следующий миг Егор оказался рядом. Встал, заслоняя меня от Максима. Вот тут боль не помешала мне засмеяться.

Будущий Темный маг спасал одного Светлого от другого!

— Я жив, потому что твое оружие лишь против Тьмы, — сказал я. В груди нехорошо булькало. Кинжал не достал до сердца, но разорвал легкое. — Не знаю, кто тебе его дал. Но это оружие Тьмы. Против меня оно — не более, чем щепка, хоть и это больно.

— Ты Светлый, — сказал Максим.

— Да.

— Он Темный. — Кинжал неторопливо нацелился на Егора.

Я кивнул. Попытался оттащить мальчишку в сторону; тот упрямо мотнул головой и остался стоять.

— Почему? — спросил Максим. — Ну почему, а? Ты Светлый, он Темный...

Впервые за все время и он улыбнулся, пускай и невесело:

— А кто тогда я? Скажи?

— Полагаю — будущий Инквизитор, — раздалось из-за моей спины. — Почти уверен в этом. Талантливый, беспощадный, неподкупный Инквизитор.

Я скосил глаза и сказал:

— Добрый вечер, Гесер.

Шеф участливо кивнул мне. Светлана стояла за его спиной, лицо у нее было белее мела.

— Ты потерпишь минут пять? — спросил шеф. — Потом я займусь твоей царапиной.

— Конечно, потерплю, — согласился я.

Максим смотрел на шефа — остановившимися, полубезумными глазами.

— Полагаю, тебе не стоит бояться, — обращаясь к нему, произнес шеф. — Да, обычного браконьера Трибунал казнил бы. Слишком много на твоих руках темной крови, а Трибунал обязан беречь равновесие. Но ты великолепен, Максим. Такими не разбрасываются. Ты станешь над нами, над Светом и Тьмой, и даже не важно будет, с какой стороны ты пришел. Только не обольщайся, это не власть. Это каторга. Брось кинжал!

Максим швырнул оружие на землю, словно оно жгло ему пальцы. Вот что такое настоящий маг. Не мне чета.

— Светлана, ты выдержала. — Шеф посмотрел на девушку. — Что я могу сказать? Третий уровень по самоконтролю и выдержке. Вне всяких сомнений.

Я оперся на Егора и попытался подняться. Мне очень хотелось пожать шефу руку. Он опять сыграл по-своему. Использовал всех, кто подвернулся под руку. И обыграл-таки Завулона — как жалко, что тот не присутствует! Как бы я хотел увидеть его лицо, лицо демона, превратившего мой первый весенний день в бесконечный кошмар.

— Но... — Максим попытался что-то сказать, замолчал. На него тоже свалилось слишком много событий. Мне вполне были понятны его чувства.

— Я был уверен, Антон, абсолютно уверен, что и ты, и Светлана справитесь, — мягко сказал шеф. — Самое страшное для волшебниц такой силы, какая дана ей, потеря самоконтроля. Потеря критериев в борьбе с Тьмой, излишняя поспешность или, наоборот, нерешительность. И этот этап обучения никак нельзя затягивать.

Светлана наконец-то сделала шаг мне навстречу. Осторожно подхватила под руку. Взглянула на Гесера — и на миг ее лицо исказилось яростью.

— Не надо, — сказал я. — Света, не надо. Он ведь прав. Я сегодня это понял, впервые понял. Где граница в нашей борьбе. Не сердись. А это, — я отнял ладонь от груди, — всего лишь царапина. Мы же не люди, мы гораздо прочнее.

— Спасибо, Антон, — сказал шеф. Перевел взгляд на Егора: — И тебе, малыш, спасибо. Очень неприятно, что ты встанешь по другую сторону баррикад. Но я был уверен, что за Антона ты все-таки вступишься.

Мальчик сделал было шаг к шефу, и я сжал его плечо. Вот только не надо, чтобы он чего-нибудь ляпнул! Он же не понимает всей сложности этой игры! Не понимает, что все, совершенное Гесером, — лишь ответный ход.

— Я об одном жалею, Гесер, — сказал я. — Только об одном. Что здесь нет Завулона. Что я не увидел его лица, когда вся игра провалилась.

Шеф ответил не сразу.

Наверное, ему было трудно это сказать. Вот только и я не рад был услышать.

— А Завулон здесь ни при чем, Антон. Ты уж извини. Но он действительно совсем ни при чем. Это полностью операция Ночного Дозора.

История третья

Исключительно для своих

ПРОЛОГ

Человечек был маленький, смуглый, узкоглазый. Желанная добыча для любого столичного милиционера. Улыбка — виноватая, растерянная; взгляд — наивный, бегающий; несмотря на смертную жару — темный костюм, старомодный, но почти не ношенный; в довершение всего — древний, советских времен галстук. В одной руке раздутый обшарпанный портфель, с каким в старых фильмах ходили агрономы и председатели передовых колхозов, в другой — длинная азиатская дыня в авоське.

Человечек вышел из плацкартного вагона, непрестанно улыбаясь. Проводнице, попутчикам, толкнувшему его носильщику, парню, торгующему с лотка лимонадом и сигаретами. Человечек поднял глаза, с восторгом поглядел на крышу, закрывающую Казанский вокзал. Человечек побрел по перрону, временами останавливаясь и перехватывая дыню поудобнее. Может быть, ему было тридцать лет, может быть, пятьдесят: на взгляд европейца понять трудно.

Парень, покинувший через минуту купейный вагон того же самого поезда, «Ташкент—Москва», пожалуй, одного из самых грязных и разбитых поездов мира, выглядел его полной противоположностью. Тоже восточный тип, пожалуй — ближе всего к узбекам. Но одет он был скорее по-московски: шорты и футболка, темные очки, на поясе — кожаная сумочка и сотовый телефон. Никаких вещей. Никакого налета провинциальности. Он не смотрел по сторонам, не искал заветную буковку «М». Быстрый кивок проводнику, легкое покачивание головы в ответ на предложения таксистов. Шаг, другой — он вступил в толпу, скользнул между суетящимися приезжими, лицо окрасила легкая неприязнь и отстраненность. Через миг он стал органичной и незаметной частью толпы. Врос в ее тело еще одной клеткой, здоровой и жизнерадостной, не вызывающей вопросов ни у фагоцитов-милиционеров, ни у соседних клеточек.

А человечек с дыней и портфелем пробирался сквозь толпу, бормоча бесчисленные извинения на не очень чистом русском, втягивая голову в плечи, осматриваясь вокруг. Он прошел мимо подземного перехода, покрутил головой, направился к другому, остановился у рекламного щита, где было меньше давки, вытащил, неловко прижимая вещи к груди, какую-то мятую бумажку и погрузился в ее изучение. На лице азиата не отражалось даже тени подозрения, что за ним следят.

Троих, стоявших у стены вокзала, это вполне устраивало. Красивая, яркая, рыжая девушка в плотно облегающем тело шелковом платье, панковатого вида молодой паренек с неожиданно скучными и старыми глазами, мужчина постарше, длинноволосый, прилизанный, с манерами голубого.

— Не похож, — с сомнением сказал паренек с глазами старика. — Все-таки не похож. Я видел его давно и недолго, но...

— Может, прикажешь уточнить у Джору? — насмешливо спросила девушка. — Я вижу. Это он.

— Принимаешь ответственность? — Паренек не выказал ни удивления, ни желания спорить. Просто уточнил.

— Да. — Девушка не отводила взгляд от азиата. — Идем. Брать в переходе.

Первые их шаги были неторопливыми и синхронными. Потом они разделились, девушка продолжала идти прямо, мужчины ушли в стороны.

Человечек сложил бумажку и неуверенно двинулся в переход.

Москвича или частого гостя столицы удивило бы неожиданное безлюдье. Как-никак — самый удобный и короткий путь из метро на перрон вокзала. Но человечек не обратил на это внимания. Как люди останавливаются за его спиной, будто наткнувшись на невидимый барьер, и идут в другие переходы, он не заметил. Как то же самое происходит с другой стороны перехода, внутри вокзала, он видеть вообще не мог.

Навстречу ему вышел улыбающийся, слащавой внешности мужчина. Со спины догоняли симпатичная молодая девушка и небрежно одетый парень с серьгой в ухе и рваных джинсах.

Человечек продолжал идти.

— Постой-ка, отец, — миролюбиво сказал слащавый. Голос у него был под стать внешности, тонкий и манерный. — Не спеши.

Азиат, улыбаясь, закивал, но не остановился.

Слащавый повел рукой, будто проводя черту между собой и человечком. Воздух задрожал, дыхание холодного ветра пронеслось по переходу. Где-то на перроне заплакали дети, взвыла собака.

Человечек остановился, задумчиво глядя перед собой. Сложил губы трубочкой, подул, хитро улыбнулся стоявшему перед ним мужчине. Тонко зазвенело, будто билось невидимое стекло. Лицо слащавого исказилось от боли, он отступил на шаг.

— Браво, *девона*, — сказала девушка, останавливаясь за спиной азиата. — Но теперь тебе точно не следует торопиться.

— Мне спешить надо, ой надо, — скороговоркой сказал человечек. Покосился через плечо: — Хочешь дыньку, красавица?

Девушка улыбалась, разглядывая азиата. Предложила:

— А пойдем с нами, уважаемый? За дастарханом посидим. Съедим твою дыньку, чайку попьем. Мы давно тебя ждем, нехорошо сразу убегать.

На лице человечка отразилась напряженная работа мысли. Потом он закивал:

— Пойдем, пойдем.

Первый же его шаг сбил с ног манерного. Будто перед азиатом теперь двигался невидимый щит, стена — не материальная, скорее из бушующего ветра: мужчину волокло по полу, длинные волосы развевались, глаза щурились, из горла рвался беззвучный крик.

Похожий на панка парень взмахнул рукой — и блики алого света ударили в человечка. Ослепительно яркие, едва срываясь с ладони, они начинали тускнеть на полпути и достигали спины азиата едва видимым мерцанием.

— Ай-ай-ай, — не останавливаясь, сказал человечек. Подергал лопатками, будто на спину уселась надоедливая муха.

— Алиса! — выкрикнул парень, не прекращая своего бесполезного занятия. Пальцы его шевелились, комкали воздух, зачерпывали из него сгустки алого света и бросали в человечка. — Алиса!

Девушка наклонила голову, вглядываясь в уходящего азиата. Что-то тихо шепнула, провела рукой по платью — в ладони невесть откуда появилась тонкая прозрачная призма.

Человечек ускорил шаг, метался влево и вправо, смешно пригнул голову. Слащавый тип продолжал катиться перед ним, но кричать уже не пытался. Лицо его было изодрано в кровь, конечности изломаны и безвольны, будто не три метра по ровному полу он прокатился, а три километра его волочило по каменистой степи то ли безумным ураганом, то ли за пришпоренной лошадью.

Девушка посмотрела на человечка сквозь призму.

Вначале азиат замедлил шаг. Потом застонал, разжимая руки — дыня с хрустом раскололась о мраморный пол, мягко и тяжело шмякнулся портфель.

— Ох, — сказал тот, кого девушка назвала *девоной*. — Охохо.

Человечек оседал, уже в падении съеживаясь. Ввалились щеки, заострились скулы, руки стали по-стариковски тонки и обтянулись сеткой вен. Черные волосы не поседели, но подернулись серой пылью, поредели. Воздух вокруг него задрожал — невидимые жаркие ручейки потекли к Алисе.

— Данное не мной будет моим отныне, — прошипела девушка. — Все твое — мое.

Ее лицо наливалось румянцем столь же стремительно, как усыхал человечек. Губы причмокивали, шептали глухие, странно звучащие слова. Панк поморщился, опустил руку — последний алый луч ударил в пол, заставив камень потемнеть.

— Крайне легко, — сказал он. — Крайне.

— Шеф был очень недоволен, — пряча призму куда-то в складки платья, сказала девушка. Улыбнулась. Лицо ее дышало той силой и энергией, что порой появляется у женщин после бурного сексуального акта. — Легко, но нашему Коленьке не повезло.

Панк кивнул, глядя на неподвижное тело длинноволосого. Особого сочувствия в его тусклых глазах не было, как, впрочем, и неприязни.

— Вот уж точно, — сказал он. Уверенным шагом пошел к ссохшемуся трупу. Провел над ним ладонью — тело рассыпалось в прах. Следующим движением парень превратил в липкую кашу расколотую дыню.

— Портфель, — сказала девушка. — Проверь портфель.

Взмах ладони — потертый кожзаменитель треснул, портфель развернулся, будто жемчужная раковина под ножом умелого ныряльщика. Вот только, судя по взгляду парня, ожидаемого перла там не оказалось. Две пары застиранного белья, дешевое хлопчатобумажное трико, белая рубашка, резиновые тапочки в полиэтиленовом пакете, пенопластовый стаканчик с сухой корейской лапшой, футлярчик с очками.

Парень сделал еще несколько пассов, заставляя стаканчик лопнуть, одежду — расползтись по швам, футлярчик раскрыться. Выругался.

— Он пустой, Алиса! Совсем пустой.

На лице ведьмы медленно проступило удивление.

— Стасик, но ведь это *девона*. Курьер не мог доверить груз — никому!

— Значит, смог, — вороша ногой прах азиата, сказал парень. — Я ведь предупреждал, Алиса? От Светлых всего можно ожидать. Ты взяла ответственность. Я, может быть, и слабый маг. Но опыта у меня больше твоего — на полсотни лет.

Алиса кивнула. Растерянность уже ушла из ее глаз. Рука вновь скользнула по платью, отыскивая призму.

— Да, — согласилась она мягко. — Ты прав, Стасик. Но через полвека мы сровняемся в опыте.

Панк засмеялся, присел возле трупа длинноволосого, начал быстро обшаривать карманы.

— Думаешь?

— Уверена. Зря ты настоял на своем, Стасик. Ведь я предлагала проверить и остальных пассажиров.

Парень обернулся слишком поздно, когда жизнь десятком невидимых горячих нитей стала покидать его тело.

ГЛАВА 1

«Олдсмобиль» был древний, чем мне и нравился. Вот только от жары, безумной жары на раскаленной за день трассе, открытые окна не спасали. Тут нужен был кондиционер.

Илья, вероятно, придерживался того же мнения. Он вел машину, придерживая руль одной рукой, поминутно оглядываясь и заводя разговоры. Я понимал, что маг его уровня видит вероятности минут на десять вперед и никакого столкновения не произойдет, и все-таки становилось не по себе.

— Собирался поставить кондиционер, — виновато сказал он Юле. Девочка от жары страдала больше всех, лицо у нее пошло нехорошими красными пятнами, глаза мутнели. Как бы не стошнило. — Но это же всю машину уродовать, ну не предназначена она для того! Ни кондиционеров, ни мобильников, ни бортовых компьютеров.

— Угу, — сказала Юля. Слабо улыбнулась. Вчера у нас была запарка, спать никто не ложился, сидели до пяти утра, потом заночевали прямо в офисе. Свинство, конечно, заставлять тринадцатилетнюю девочку вкалывать наравне со взрослыми. Но ведь сама хочет, никто ее не неволит.

Светлана, сидящая спереди, тревожно посмотрела на Юлю. Потом, крайне неодобрительно, — на Семена. Под ее взглядом невозмутимый маг едва не поперхнулся «Явой». Вдохнул — кружащий по машине сигаретный дым втянулся в его легкие. Щелчком выкинул окурок. «Ява» и так была уступкой общественному мнению, еще недавно Семен предпочитал «Полет» и прочие чудовищные сорта табака.

— Закройте окна, — попросил Семен.

Через минуту в машине стало стремительно холодать. Запахло морем — солоновато, зыбко. Я даже понял, что это ночное море, и не слишком-то далекое — обыкновенное крымское побережье. Йод, водоросли, тонкая нотка полыни. Черное море. Коктебель.

— Коктебель? — спросил я.

— Ялта, — коротко ответил Семен. — Сентябрь, десятое число, тысяча девятьсот семьдесят второй год, ночь, около трех часов. После легкого шторма.

Илья завистливо цокнул языком:

— Ничего себе! И такой букет ты до сих пор не истратил?

Юля виновато посмотрела на Семена. Консервация климата давалась нелегко любому магу, а истраченный сейчас Семеном букет ощущений мог украсить любую вечеринку.

— Спасибо, Семен Павлович. — Перед ним девочка почему-то робела, словно перед шефом, и звала по имени-отчеству.

— Да мелочь, — спокойно ответил Семен. — У меня в коллекции есть таежный дождь девятьсот тринадцатого, есть тайфун сорокового, есть весеннее утро в Юрмале пятьдесят шестого, кажется, есть зимний вечер в Гаграх.

Илья засмеялся:

— Зимний вечер в Гаграх — фиг с ним. А вот таежный дождь...

— Меняться не буду, — сразу предупредил Семен. — Я твою коллекцию знаю, равноценного у тебя ничего нет.

— А если на два, нет, на три...

— Могу подарить, — предложил Семен.

— Пошел ты, — дергая руль, обиделся Илья. — Чем я отдарю за такое?

— Тогда позову на расконсервацию.

— И на том спасибо.

Он, конечно, надулся. На мой взгляд, они были почти равны по способностям, может быть, даже Илья посильнее. Но у Семена было чутье на тот момент, который достоин магического запечатления. А еще он умел не тратить коллекцию по пустякам.

Конечно, с чьей-то точки зрения совершенный им только что поступок был расточительством: скрасить последние полчаса поездки по жаре таким ценным набором ощущений.

— Вечером бы, за шашлычком, такой нектар вдыхать, — сказал Илья. Иногда он отличался потрясающей толстокожестью. Юля напряглась.

— Помню, однажды оказался я на Востоке, — вдруг сказал Семен. — Вертолет наш,.. в общем, пошли пешком. Технические средства связи погибли, магические применить — все равно что по Гарлему расхаживать с плакатом «Бей черномазых!». Двинулись пешком, по пустыне Хадрамаут. И оставалось идти

285

до местного резидента всего ничего, километров сто, ну, сто двадцать. А сил уже никаких нет. Воды нет. И тут Алешка, хороший паренек, сейчас он в Приморье работает, говорит: «Ну не могу я, Семен Павлович, у меня ведь дома жена и двое детей, я вернуться хочу». Ложится на песок и расконсервирует заначку. У него там ливень оказался. Проливной, минут на двадцать. Мы и напились, и фляги наполнили, и вообще сил прибавилось. Хотел я ему морду начистить за то, что раньше не сказал, но пожалел.

От такой долгой речи в машине на минуту наступила тишина. Семен редко озвучивал факты своей бурной биографии столь красочно.

Первым опомнился Илья.

— А чего же ты свой таежный дождь не использовал?

— Сравнил, — фыркнул Семен. — Коллекционный дождь образца тринадцатого года и серийный весенний ливень, причем набранный в Москве, он бензином вонял, веришь?

— Верю.

— То-то и оно. Всему свое время и место. Вечерок, что я сейчас вспомнил, приятный. Но не выдающийся. Под стать твоему драндулету.

Светлана тихо засмеялась. Легкое напряжение, повисшее было в машине, разрядилось.

Всю неделю Ночной Дозор лихорадило. Вроде бы и происшествий особых по Москве не случалось, обычная рутинная работа. Над городом повисла жара, неслыханная для июня месяца, и сводки происшествий упали до минимума. Ни Светлым, ни Темным это не пришлось по вкусу.

Около суток наши аналитики обрабатывали версию, что неожиданно жаркая погода вызвана готовящейся акцией Темных. Наверняка Дневной Дозор в это время исследовал, не поработали ли с климатом Светлые маги. Когда обе стороны убедились в естественных причинах погодных неурядиц, заниматься стало совершенно нечем.

Темные притихли, будто прибитые дождем мухи. По городу, вопреки всем прогнозам врачей, упало число несчастных случаев и естественных смертей. Светлым тоже было не до работы, маги ссорились по пустякам, простейшие документы из архива приходилось ждать по полдня, аналитики на предложение рассчитать прогноз погоды зло изрекали: «Темна вода в облацех». Борис Игнатьевич бродил по офису совершенно ошалевший: даже его, со всем богатым восточным прошлым и происхождением, московская версия жары подкосила. Вчера утром, в четверг, он созвал личный состав, приказом по Дозору назначил себе в помощь двух добровольцев, а остальным велел выметаться из столицы. Куда угодно — на Мальдивские острова, в Грецию, к дьяволу в преисподнюю, там все равно комфортнее, за город на дачу. Раньше, чем в понедельник к обеду, в офисе велено было не появляться.

Подождав ровно минуту, пока на всех лицах не расплылись счастливые улыбки, шеф добавил, что неожиданное счастье хорошо бы отработать. Ударным трудом. Чтобы не пришлось потом стыдиться бесцельно прожитых дней. Что классики не зря сказали: «Понедельник начинается в субботу», и, получив три дня отдыха, мы обязаны всю рутинную работу выполнить в оставшееся время.

Вот мы и выполняли — некоторые почти до утра. Проверили тех Темных, кто оставался в городе и находился на особом контроле: вампиров, оборотней, инкубов и суккубов, действующих ведьм, прочую беспокойную шушеру из низших разрядов. Все было в порядке. Вампиры сейчас жаждали не горячей крови, а холодного пива. Ведьмы пытались наколдовать не порчу на ближнего, а легкий дождик над Москвой.

Зато теперь мы ехали отдыхать. Не на Мальдивы, конечно, шеф несколько переоценивал щедрость бухгалтерии. Но и два-три дня за городом — это прекрасно. Бедные добровольцы, оставшиеся с шефом в столице, — бдить и охранять.

— Мне домой надо позвонить, — сказала Юля. Она явно ожила, когда Семен сменил царившую в машине жару на морскую прохладу. — Света, дай трубку.

Я тоже наслаждался прохладой. Поглядывал на машины, которые мы обгоняли: в большинстве стекла были опущены, а на нас смотрели с завистью, беспочвенно подозревая старый автомобиль в наличии мощной климатической установки.

— Скоро сворачивать, — сказал я Илье.

— Да помню. Я однажды ездил тут.

— Тихо! — страшным голосом прошипела Юля. И затара-торила в трубку: — Мамочка, это я! Да, уже доехали. Конечно, хорошо! Тут озеро, нет, мелкое. Мамочка, я на минутку, мне Светин папа свой сотовый дал. Нет, больше никого. Свете? Сейчас.

Светлана вздохнула, взяла у девочки трубку. Мрачно по-смотрела на меня, и я попытался придать лицу серьезное выра-жение.

— Здравствуйте, тетя Наташа, — тонким детским голосом ска-зала Светлана. — Да, очень рады. Да. Нет, со взрослыми. Мама далеко, позвать? Да, я передам. Обязательно. До свидания.

Она выключила телефон и сказала в пространство:

— Девочка, а что будет, когда твоя мама спросит у настоя-щей девочки Светы, как вы провели выходные?

— А Света ответит, что хорошо провели.

Светлана вздохнула, посмотрела на Семена, будто ища под-держки.

— Использование магических способностей в личных це-лях приводит к непредсказуемым последствиям, — казенным тоном произнес Семен. — Помнится, однажды...

— Каких еще магических? — искренне удивилась Юля. — Я ей сказала, что на тусняк с ребятами поехала, и попросила отмазать. Светка поохала, ну и согласилась, конечно.

Илья за рулем хихикнул.

— Нужен мне тот тусняк, — явно не понимая, что его раз-веселило, возмутилась Юля. — Пусть там человеческие детиш-ки забавляются. Ну что вы все смеетесь? А?

У каждого из нас, дозорных, работа отнимает большую часть жизни. Не потому, что мы восторженные трудоголики — кто в здравом уме не предпочтет труду отдых? Не потому, что рабо-тать уж очень интересно, большая часть нашей деятельности — это скучное патрулирование или просиживание штанов в кан-целяриях. Нас просто мало. Дневной Дозор комплектуется го-раздо легче, любой Темный рвется к возможности властвовать. У нас ситуация совсем другая.

Но, помимо работы, у каждого из нас есть свой маленький кусочек жизни, который мы не отдадим никому: ни Свету, ни Тьме. Это только наше. Тот кусочек жизни, который мы не прячем, но и не выставляем напоказ, который остался от прежней, человеческой сущности.

Кто-то при малейшей возможности путешествует. Илья, например, предпочитает нормальные туры, а Семен — банальный автостоп. Он в свое время проехал без копейки денег от Москвы до Владивостока за какой-то рекордный срок, но регистрировать достижение в Лиге Вольных Путешествий не стал, так как в пути два раза пользовался магическими способностями.

Игнат, да и не только он один, не воспринимает отдых иначе, как сексуальные приключения. Через этот этап проходят почти все, жизнь позволяет Иным гораздо больше, чем людям. То, что к Иным, даже не желающим того, люди испытывают неосознанное, но сильное влечение — известный факт.

Очень много среди нас коллекционеров. От безобидных собирателей перочинных ножиков, брелоков, марок и зажигалок до коллекционеров погоды, запахов, аур и заклинаний. Я когда-то собирал модели автомобилей, просаживал огромные деньги за редкие экземпляры, составляющие ценность лишь для нескольких тысяч идиотов. Сейчас вся эта коллекция свалена в две картонные коробки. Надо как-нибудь вытащить их на улицу и вывалить в песочницу, к радости малышей.

Количество охотников и рыболовов тоже велико. Игорь и Гарик увлекаются экстремальным парашютированием. Милая девочка Галя, наша ненужная программистка, занимается выращиванием бансаев. В общем, весь богатый запас развлечений, накопленный человечеством, нами востребован.

А вот чем увлекается Тигренок, к которой мы сейчас ехали, я даже не предполагал. Мне было интересно узнать это почти в той же мере, как и вырваться из городского пекла. Обычно, побывав у кого-то дома, сразу понимаешь его маленький «бзик».

— Долго еще ехать? — с капризной ноткой воскликнула Юля. Мы уже свернули с трассы и отмотали километров пять по грунтовке, мимо маленького дачного поселка и мелкой речушки.

— Почти приехали, — сверившись с образом дороги, оставленным для нас Тигренком, ответил я.

— То есть совершенно совсем приехали, — сказал Илья и бросил машину в сторону, прямо на деревья. Юля ойкнула, закрывая лицо руками. Светлана отреагировала более спокойно и все-таки вытянула вперед руки в ожидании удара.

Машина, промчавшись сквозь густой кустарник и непроходимый бурелом, врезалась в стоящие сплошной стеной деревья. Но удара, конечно, не было. Мы проскочили сквозь морок и оказались на отличной асфальтированной дороге. Впереди поблескивало зеркальце маленького озера, на берегу которого стоял двухэтажный кирпичный дом, обнесенный высоким забором.

— Что меня поражает в оборотнях, — сказала Светлана, — так это их тяга к скрытности. Мало того, что мороком прикрылась, так еще и забор.

— Тигренок не оборотень! — возмутилась девочка. — Она маг-перевертыш!

— Это одно и то же, — мягко сказала Света.

Юля посмотрела на Семена, видимо, ожидая поддержки. Маг вздохнул:

— По сути, Света права. Узкоспециализированные боевые маги — те же самые оборотни. Только с другим Знаком. Будь Тигренок чуть в другом настроении, впервые войдя в сумрак, она превратилась бы в Темную, в оборотня. Очень мало людей, у которых все определено заранее. Как правило, идет борьба. Подготовка к инициации.

— А со мной как было? — спросила Юля.

— Я же рассказывал, — буркнул Семен. — Довольно легко.

— Лёгкая реморализация учителей и родителей, — посмеиваясь, сказал Илья, останавливая машину у ворот. — И маленькая девочка сразу преисполнилась любви и доброты к окружающему миру.

— Илья! — одернул его Семен. Он был наставником Юли, наставником достаточно ленивым, практически не вмешивающимся в развитие юной волшебницы. Но сейчас ему явно не понравилось излишнее ерничанье Ильи.

Юля была девочкой талантливой, и Дозор возлагал на нее серьезные надежды. Но все же не такие, чтобы прогонять ее по лабиринтам моральных головоломок в таком темпе, как Светлану, будущую Великую Волшебницу.

Наверное, эта мысль пришла нам со Светой одновременно — мы посмотрели друг на друга. Посмотрели и разом отвели глаза в сторону.

Давила нас незримая стена, давила, разводя в разные стороны. Я навсегда останусь магом третьего уровня. Светлана вот-вот перерастет меня, а через какой-то короткий срок — очень короткий, ибо это считает необходимым руководство Дозора, — станет волшебницей вне категорий.

И тогда все, что нам останется, — дружеские рукопожатия при встрече и открытки на день рождения и Рождество.

— Заснули они там, что ли? — возмутился Илья, который подобными проблемами не терзался. Высунулся из окна — в машину сразу потянуло жарким, пусть и чистым воздухом. Помахал рукой, глядя в объектив телекамеры, закрепленной над воротами. Просигналил.

Ворота стали медленно открываться.

— Вот так-то лучше, — фыркнул маг, заводя машину во двор.

Участок оказался большим и густо засаженным деревьями. Удивительно, как возводили особняк, не повредив этих исполинских сосен и елей. Кроме маленького цветника вокруг неработающего фонтанчика, никаких грядок, конечно же, не наблюдалось. На бетонной площадке перед домом уже стояло пять машин. Я узнал старую «ниву», которой из патриотизма пользовался Данила, спортивный автомобиль Ольги — как она на нем добралась, по грунтовке? Между ними стоял обшарпанный фургончик, на котором ездил Толик, еще две машины я встречал у офиса, но чьи они, не знал.

— Нас не дождались, — возмущался Илья. — Идет гульба, все веселятся, а лучшие люди Дозора тащатся по проселочным дорогам.

Он заглушил мотор, и в этот миг Юля радостно взвизгнула:

— Тигренок!

Легко перемахнула через меня, открыла дверцу и выскочила из машины.

Семен коротко выругался и неуловимым движением последовал за ней. Вовремя.

Где эти собаки прятались, не знаю. Во всяком случае, они себя никак не демаскировали до того момента, как Юля покинула машину. Но как только ее ноги коснулись земли, со всех сторон беззвучно мотнулись палевые тени.

Девочка взвизгнула. Ей хватило бы способностей справиться с волчьей стаей, не то что с пятью-шестью собаками. Вот только в настоящей схватке бывать не доводилось, и она растерялась. Честно говоря, и я не ожидал нападения — здесь. И уж тем более такого. Собаки вообще не атакуют Иных. Темных они боятся. Светлых любят. Надо очень серьезно поработать с животным, чтобы задавить в нем природный страх перед ходячим источником магии.

Светлана, Илья, я — мы рванулись наружу. Но Семен нас уже опередил. Одной рукой он подхватил девочку, другой — провел в воздухе черту. Я решил, что он воспользуется отпугивающей магией, или уйдет в сумрак, или спалит собак в пепел. Обычно «на рефлекс» подвешивают самые простые заклинания.

А Семен провел «фриз», темпоральную заморозку. Двух собак она настигла в воздухе: окутанные синим сиянием тела повисли над землей, вытянув вперед узкие оскаленные морды. Сорвавшиеся капли слюны сверкающим голубым градом падали с клыков.

Те три пса, которых заморозило на земле, выглядели менее эффектно.

Тигренок уже подбежала к нам. Лицо у нее побелело, глаза расширились. Секунду она смотрела на Юлю: девочка продолжала визжать, но уже затихая, по инерции.

— Все целы? — наконец произнесла она.

— Твою налево, — пробормотал Илья, опуская магический жезл. — Ты что за зверей разводишь?

— Они бы ничего не сделали! — виновато сказала Тигренок.

— Да? — Семен вынул из-под мышки Юлю, поставил на землю. Задумчиво провел пальцем по оскаленному клыку зависшего в воздухе пса. Упругая пленка заморозки пружинила под его рукой.

— Клянусь! — Тигренок прижала руку к груди. — Ребята, Света, Юленька, простите. Я не успела их остановить. Псы натренированы сбивать и удерживать незнакомых.

— Даже Иных?

— Да.

— Даже Светлых? — В голосе Семена появилось непритворное восхищение.

Тигренок потупилась и кивнула.

Юля подошла к ней, прижалась и сказала, довольно спокойно:

— А я не испугалась. Растерялась только.

— Хорошо, что и я растерялся, — мрачно заметил Илья, пряча оружие. — Жареная собачатина — слишком экзотическое блюдо. Тигра, но ведь меня-то твои псы знают!

— Тебя они и не тронули бы.

Напряжение спадало медленно. Разумеется, ничего страшного не произошло бы, лечить друг друга мы умеем, но пикник накрылся бы медным тазом.

— Простите, — еще раз сказала Тигренок. Обвела нас умоляющим взглядом.

— Слушай, зачем тебе это? — Света взглядом указала на псов. — Ну объясни ты мне, зачем? Твоих способностей хватит отбиться от взвода зеленых беретов, зачем эти ротвейлеры?

— Это не ротвейлеры, это стаффордширские терьеры.

— Какая разница!

— Они однажды грабителя поймали. Я же здесь бываю дня два в неделю, каждый раз из города не наездишься.

Объяснение было не слишком убедительным. Простое отпугивающее заклинание — и никто из людей сюда близко бы не подошел. Но сказать об этом никто не успел — Тигренок обезоружила нас:

— Характер такой.

— А долго собаки провисят? — по-прежнему прильнув к ней, спросила Юля. — Я хочу с ними подружиться. Иначе у меня останется скрытый психологический комплекс, который неизбежно отразится на характере и сексуальных предпочтениях.

Семен фыркнул. Своей репликой, интересно лишь, насколько непосредственной, а насколько расчетливой, Юля погасила конфликт.

— К вечеру оживут. Хозяйка, в дом позовешь?

Оставив псов висеть-стоять вокруг машины, мы двинулись к дому.

— Тигренок, а у тебя здорово! — сказала Юля. Она уже напрочь игнорировала нас, приклеившись к девушке. Похоже, волшебница была ее кумиром, которой прощалось все, даже чересчур бдительные псы.

Интересно, вот почему фетишем всегда становятся недоступные способности?

Юля — великолепная волшебница-аналитик, способная раскручивать нити реальностей, находить скрытые магические причины, казалось бы, обыденных событий. Она умница, ее в отделе обожают, и не только как маленькую девочку, но и как боевого товарища, ценную, порой незаменимую сотрудницу. Но кумир ее — Тигренок, волшебница-оборотень, боевой маг. Нет бы ей подражать доброй старушке Полине Васильевне, подрабатывающей в аналитическом на половину ставки, или влюбиться в начальника отдела, импозантного пожилого ловеласа Эдика.

Нет, кумиром стала Тигренок.

Я начал что-то насвистывать, идя в хвосте процессии. Поймал взгляд Светланы, легонько качнул головой. Все нормально. Впереди целые сутки ничегонеделания. Никаких Темных и Светлых, никаких интриг, никакого противостояния. Купаться в озере, загорать, есть шашлыки, запивая их красным вином. Вечером — в баню. В таком особняке баня должна быть неплохой. Потом с Семеном взять бутылку-другую водки, банку соленых грибов, забраться куда-нибудь подальше от остальной толпы и напиться до умопомрачения, глядя на звезды и ведя философские разговоры на возвышенные темы.

Здорово.

Хочу побыть человеком. Хотя бы сутки.

Семен остановился и кивнул мне:

— Возьмем две бутылки. Или три. Еще кто-нибудь подойдет.

Удивляться не стоило, возмущаться — тем более. Мои мысли он не читал, просто его жизненный опыт был куда больше.

— Договорились, — кивнул я. Светлана вновь подозрительно покосилась на меня, но промолчала.

— Тебе проще, — добавил Семен. — Мне очень редко удается стать человеком.

— А это надо? — спросила Тигренок, уже останавливаясь у двери.

Семен пожал плечами:

— Нет, конечно. Но хочется.

И мы вошли в особняк.

* * *

Двадцать гостей, пожалуй, было многовато даже для этого дома. Будь мы людьми — другое дело. А так от нас слишком много шума. Попробуйте собрать вместе два десятка детей, перед этим несколько месяцев прилежно учившихся, дайте им в руки полный ассортимент магазина игрушек, разрешите делать все что угодно и понаблюдайте за результатом.

Пожалуй, лишь мы со Светой оставались чуть в стороне от этих шумных забав. Прихватили с фуршетного столика по бокалу вина и уселись на кожаном диванчике в углу гостиной.

Семен с Ильей все-таки схлестнулись в магическом поединке. Очень культурном, мирном и для окружающих поначалу приятном. Видимо, в машине Семен задел самолюбие друга: теперь они по очереди меняли в гостиной климат. Мы уже ощутили и зиму в подмосковном лесу, и осенний туман, и лето в Испании. На дожди и ливни Тигренок решительно наложила запрет, но вызывать буйство стихии маги и не собирались. Они, видимо, ввели какие-то внутренние ограничения на изменение климата и соревновались не столько в редкости запечатленного природного мига, сколько в его адекватности минуте.

Гарик, Фарид и Данила играли в карты. В самые обычные, без затей, вот только воздух над столом искрился от магии. Они использовали все доступные способы магического шулерства и защиты от него. Тут уже было не важно, какие карты выпали на руки и что в прикупе.

У открытых дверей стоял Игнат, окруженный девчонками из научного отдела, к которым прибились и наши горе-программистки. Очевидно, наш сексофил ухитрился потерпеть поражение на любовном фронте и теперь зализывал раны в узком кругу.

— Антон, — вполголоса спросила Света, — как ты полагаешь, все это — по-настоящему?

— Что именно?

— Веселье. Ты же помнишь, что сказал Семен?

Я пожал плечами:

— Когда нам будет по сто лет, вернемся к этому вопросу? Мне — хорошо. Просто хорошо. Что никуда не надо бежать, ничего не надо рассчитывать, что Дозоры высунули языки и прилегли в тенечек.

— Мне тоже хорошо, — согласилась Светлана. — Но ведь нас здесь только четверо таких, молодых или почти молодых. Юля, Тигренок, ты, я. Что с нами будет — через сто лет? Через триста?

— Увидим.

— Антон, ты пойми. — Света легонько коснулась моей руки. — Я очень горжусь тем, что вошла в Дозор. Я счастлива, что моя мама снова здорова. Я живу теперь лучше, тут даже спорить смешно. Я даже могу понять, почему шеф подверг тебя тому испытанию...

— Не надо, Света. — Я взял ее за руку. — Даже я его понял, а мне пришлось тяжелее. Не надо об этом.

— Да я и не собираюсь. — Света глотнула вина, отставила пустой бокал. — Антон, я вот о чем — я не вижу радости.

— Где? — Наверное, иногда я бываю потрясающим тугодумом.

— Здесь. В Ночном Дозоре. В нашей дружной компании. Ведь каждый день у нас — это какая-то битва. То большая, то маленькая. Со спятившим оборотнем, с Темным магом, со всеми силами Тьмы разом. Напряжение сил, выпяченные подбородки, выпученные глаза, готовность прыгнуть грудью на амбразуру или голой жопой на ежа.

Я фыркнул от смеха.

— Света, но что же здесь плохого? Да, мы солдаты. Все до единого, от Юли до Гесера. На войне не очень-то весело, конечно. Но если мы отступим...

— Что тогда? — вопросом ответила Света. — Придет Апокалипсис? Тысячи лет силы Добра и Зла воевали. Рвали друг другу глотки, стравливали человеческие армии, все — ради высших целей. Но скажи, Антон, разве люди за это время не стали лучше?

— Стали.

— А со времен, когда началась работа Дозоров? Антон, милый, ты мне столько всего говорил, да и не ты один. Что главный бой ведется за души людей, что мы предотвращаем массовые побоища. Ну предотвращаем. Люди сами убивают друг друга. Куда больше, чем двести лет назад.

— Ты хочешь сказать, что наша работа — во вред?

— Нет. — Света устало покачала головой. — Не хочу. Нет у меня такого самомнения. Я одно хочу сказать, может быть, мы и впрямь — Свет. Вот только... Знаешь, в городе появились в продаже фальшивые елочные игрушки. С виду они как настоящие, но радости от них никакой.

Короткий анекдот она произнесла совершенно серьезно и не меняя тона. Заглянула мне в глаза.

— Понимаешь?

— Понимаю.

— Да, наверное. Темные стали приносить меньше Зла, — сказала Светлана. — Эти наши взаимные уступки, доброе дело за злое дело, лицензии на убийство и исцеление можно оправдать, верю. Темныс приносят меньше Зла, чем раньше, мы не несем Зла по определению. А люди?

— При чем здесь люди?

— Да все при том же! Мы их защищаем. Самозабвенно и неустанно. Вот только почему им не становится лучше? Они ведь сами делают работу Тьмы. Почему? Может быть, мы что-то утратили, Антон? Ту веру, с которой Светлые маги посылали на смерть армии, но и сами шли в первых рядах? Умение не только защищать, но и радовать? Чего стоят крепкие стены, если это стены тюрьмы? Люди забыли о настоящей магии, люди не верят в Тьму, но ведь они не верят и в Свет! Антон, мы солдаты. Да! Но армию любят, лишь если идет война.

— Она идет.

— Кто об этом знает?

— Мы не совсем солдаты, наверное, — сказал я. Отступать со своей же насиженной позиции всегда неприятно, но выхода не было. — Скорее гусары. Трам-пам-пам...

— Гусары умели улыбаться. А мы — почти уже нет.

— Тогда скажи, что надо делать. — Я вдруг понял, что обещавший стать прекрасным день стремительно катится под откос, в темный и вонючий овраг, заваленный старым мусором. — Скажи! Ты Великая Волшебница, или скоро ею станешь. Генерал нашей войны. А я простой лейтенант. Отдай мне приказ, и пусть он будет верен. Скажи, что делать?

Я только теперь заметил, что в гостиной наступила тишина, что слушают лишь нас. Но было уже все равно.

— Скажешь — выйти на улицу, убивать Темных? Я пойду. Я плохо умею это делать, но я буду очень, очень стараться!

Скажешь — улыбаться и дарить людям Добро? Я пойду. Только кто ответит за Зло, которому я открою дорогу? Добро и Зло, Свет и Тьма, да, мы твердим эти слова, стирая их смысл, вывешиваем, как флаги, и оставляем гнить на ветру и дожде. Тогда дай нам новое слово! Дай нам новые флаги! Скажи — куда идти и что делать!

У нее задрожали губы. Я осекся, но было уже поздно.

Светлана плакала, закрыв лицо руками.

Да что же я делаю?

Или и впрямь — мы разучились улыбаться даже друг другу? Пусть я сто раз прав, но...

Что стоит моя правда, если я готов защищать весь мир, но не тех, кто рядом? Смиряю ненависть, но не дозволяю любовь?

Я вскочил, обнял Светлану за плечи, поволок из гостиной. Маги стояли, отводя глаза. Может быть, они видели такие сцены не раз. Может быть, они все понимали.

— Антон. — Тигренок возникла рядом абсолютно беззвучно, подтолкнула, отворила какую-то дверь. Посмотрела на меня со смесью укоризны и неожиданного понимания. И оставила нас вдвоем.

Минуту мы стояли неподвижно, Светлана тихо плакала, зарываясь мне в плечо, а я ждал. Поздно теперь говорить. Уже все ляпнул, что только мог.

— Я попробую.

Вот этого я не ожидал. Чего угодно: обиды, ответного выпада, жалобы, только не этого.

Светлана отняла ладони от мокрого лица. Встряхнула головой, улыбнулась.

— Ты прав, Антошка. Совершенно прав. Я пока только жалуюсь и протестую. Ною, как ребенок, ничего не понимаю. А меня тычут носом в манную кашу, разрешают потрогать огонь и ждут, ждут, пока я повзрослею. Значит, это надо. Я попробую, я дам новые флаги.

— Света...

— Ты прав, — отрезала она. — Но и я чуть-чуть права. Только не в том, что распустилась перед ребятами, конечно. Они как умеют, так и веселятся. Как умеют, так и сражаются. У нас сегодня выходной, и нельзя его портить остальным. Договорились?

298

И я снова почувствовал стену. Невидимую стену, которая всегда будет стоять между мной и Гесером, между мной и чинами из высшего руководства.

Ту стену, что время возводит между нами. Сегодня я своими руками уложил в ней несколько рядов холодных хрустальных кирпичей.

— Прости меня, Света, — прошептал я. — Прости.

— Забудем, — очень твердо сказала она. — Давай забудем. Пока еще можем забывать.

Мы наконец-то огляделись.

— Кабинет? — предположила Света.

Книжные шкафы из мореного дуба, тома под темным стеклом. Здоровенный письменный стол, на нем компьютер.

— Да.

— Тигренок ведь живет одна?

— Не знаю. — Я покачал головой. — У нас не принято расспрашивать.

— Похоже, что одна. Во всяком случае, сейчас. — Светлана достала платочек, стала осторожно промакивать слезы. — Хороший у нее дом. Пойдем, всем ведь не по себе.

Я покачал головой:

— Да они наверняка почувствовали, что мы не ругаемся.

— Нет, не могли. Тут барьеры между всеми комнатами, не прощупать.

Посмотрев сквозь сумрак, и я заметил скрытое в стенах мерцание.

— Теперь вижу. Ты с каждым днем становишься сильнее.

Светлана улыбнулась, чуть напряженно, но с гордостью. Сказала:

— Странно. Зачем строить барьеры, если живешь один?

— А зачем их ставить, когда ты не один? — спросил я. Вполголоса, чтобы не требовалось ответа. И Светлана не стала отвечать.

Мы вышли из кабинета обратно в гостиную.

Обстановка была не совсем кладбищенская, но близкая к тому.

То ли Семен, то ли Илья постарались — в комнате царила пахнущая болотом сырость. Игнат, стоя в обнимку с Леной, тоскливо взирал на окружающих. Он предпочитал веселье — во всех его проявлениях, любые ссоры и напряги были ему как ножом по сердцу. Картежники молча смотрели на одну-единственную карту, лежащую на столе, под их взглядами та дергалась, извивалась, меняла масть и достоинство. Надувшаяся Юля о чем-то тихо расспрашивала Ольгу.

— Нальете выпить? — спросила Света, держа меня за руку. — Не знаете, что для истеричек лучшее лекарство — пятьдесят граммов коньяка?

Тигренок, с несчастным видом стоявшая у окна, торопливо пошла к бару. Она что, нашу ссору на свой счет записала?

Мы со Светой взяли по рюмке коньяка, демонстративно чокнулись и поцеловались. Я поймал взгляд Ольги: не обрадованный, не опечаленный, а заинтересованный. И чуть-чуть ревнивый. Причем ревность эта никак не связана была с поцелуем.

Мне вдруг стало нехорошо.

Как будто я вышел из лабиринта, где брел долгие дни и месяцы. Вышел, чтобы увидеть вход в следующие катакомбы.

ГЛАВА 2

Я смог поговорить с Ольгой наедине лишь через два часа. Веселье, каким бы натужным оно ни казалось Светлане, уже переместилось во двор. Семен хозяйничал у мангала, выдавая желающим шашлыки, которые готовились со скоростью, однозначно намекающей на использование магии. Рядом, в теночке, стояли два ящика сухого вина.

Ольга о чем-то дружелюбно болтала с Ильей, у обоих в руках было по шампуру шашлыка и по стакану с вином. Идиллию прерывать было жалко, но...

— Оля, надо поговорить, — сказал я, подходя к ним. Светлана была полностью увлечена спором с Тигренком — девушки с жаром обсуждали традиционный новогодний карнавал Дозора, перескочив на него с жаркой погоды по какой-то прихотливой женской логике. Самый подходящий момент.

— Извини, Илья. — Волшебница развела руками. — Мы еще обсудим, хорошо? Мне очень интересен твой взгляд на причины развала Союза. Хоть ты и не прав.

Маг торжествующе улыбнулся и отошел.

— Спрашивай, Антон, — тем же тоном предложила Ольга.

— Знаешь, о чем спрошу?

— Догадываюсь.

Я оглянулся. Рядом никого не было. Еще длился тот недолгий миг дачного пикника, когда хочется есть, хочется пить и нет тяжести ни в желудке, ни в голове.

— Что ждет Светлану?

— Будущее читать трудно. А будущее великих магов и волшебниц...

— Не виляй, партнерша. — Я заглянул ей в глаза. — Не надо. Ведь мы все-таки были вместе? Работали в паре? Еще когда ты была наказана и лишена всего, даже этого тела. И наказана справедливо.

У Ольги от лица отхлынула кровь.

— Что ты знаешь о моей вине?

— Все.

— Откуда?

— Я же все-таки работаю с данными.

— У тебя не хватит допуска. Случившееся со мной никогда не заносилось в электронные архивы.

— Косвенные данные, Оля. Ты видела круги на воде? Камень может давно лежать на дне, зарасти илом, а круги еще будут идти. Подтачивать откосы, выносить на берег мусор и пену, переворачивать лодки, если камень был большой. А он был очень большой. Считай, что я долго стоял на откосе, Оля. Стоял и смотрел на волны, которые точат берег.

— Ты блефуешь.

— Нет. Ольга, что дальше будет со Светой? Какой этап обучения?

Волшебница смотрела на меня, забыв об остывшем шашлыке и полупустом стакане. И я нанес еще один удар:

— Ты ведь прошла этот этап?

— Да. — Кажется, она перестала играть в молчанку. — Прошла. Но меня готовили более медленно.

— А зачем такая спешка со Светой?

— Никто не предполагал, что в этом столетии родится еще одна Великая Волшебница. Гесеру пришлось импровизировать, перестраиваться на ходу.

— Тебе потому и вернули прежний облик? Не только из-за хорошей работы?

— Ты ведь сам все понимаешь! — Глаза Ольги нехорошо блеснули. — Зачем пытаешь меня?

— Ты контролируешь ее подготовку? Исходя из своего опыта?

— Да. Удовлетворен?

— Ольга, мы же по одну сторону баррикад, — прошептал я.

— Тогда не толкай соратников локтями!

— Ольга, какова цель? Что не смогла сделать ты? Что должна сделать Света?

— Ты, — она действительно растерялась, — Антон, так ты блефовал!

Я молчал.

— Ты ничего не знаешь! Круги по воде, ты не знаешь, куда смотреть, чтобы их увидеть!

— Допустим. Но ведь главное я угадал?

Ольга глядела на меня, покусывая губы. Потом покачала головой:

— Угадал. Прямой вопрос, прямой ответ. Но объяснять я ничего не стану. Ты не должен знать. Это тебя не касается.

— Ошибаешься.

— Никто из нас не желает Свете зла, — резко сказала Ольга. — Ясно?

— Мы и не умеем желать зла. Вот только наше Добро порой ничуть не отличается от Зла.

— Антон, закончим разговор. Я не имею права тебе отвечать. И не надо портить другим этот нечаянный отдых.

— Насколько он нечаянный? — вкрадчиво спросил я. — Оля?

Она уже собралась, и ее лицо осталось непроницаемым. Слишком непроницаемым для такого вопроса.

— Ты и так узнал слишком много. — Голос ее поднялся, обретая былую властность.

— Оля, нас никогда не отправляли в отпуск всех разом. Даже на сутки. Зачем Гесер выгнал Светлых из города?

— Не всех.

— Полина Васильевна и Андрей не в счет. Ты прекрасно знаешь, они кабинетные работники. Москва осталась без единого дозорного!

— Темные тоже притихли.

— Ну и что?

— Антон, хватит.

Я понял, что больше из нее не выдавить ни слова. Кивнул:

— Хорошо, Оля. Полгода назад мы оказались на равных, пусть случайно. Сейчас, видимо, нет. Извини. Не мои проблемы, не моя компетенция.

Ольга кивнула. Это было так неожиданно, что я не поверил своим глазам.

— Ну наконец ты понял.

Она издевается? Или и впрямь поверила, что я решил ни во что не вмешиваться?

— Я вообще очень смышленый, — сказал я. Посмотрел на Светлану: та о чем-то весело болтала с Толиком.

— Не сердишься на меня? — спросила Ольга.

Коснувшись ее ладони, я улыбнулся и пошел в дом. Хотелось что-то делать. Так сильно, будто я был джинном, выпущенным из бутылки после тысячелетнего заточения. Все что угодно: возводить дворцы, разрушать города, программировать на Бейсике или вышивать крестиком.

Дверь я распахнул, не касаясь ее: толкнул через сумрак. Не знаю зачем. Со мной редко такое бывает, иногда если очень много выпью, иногда если сильно разозлюсь. Первая причина сейчас никак не подходила.

В гостиной никого не было. И впрямь, зачем сидеть в помещении, когда во дворе — горячий шашлык, холодное вино и вполне достаточное количество шезлонгов под деревьями.

Я плюхнулся в кресло. Отыскал на столике свою — или Светы — рюмку, наполнил коньяком. Выпил залпом, будто не пятнадцатилетний «Праздничный» был налит, а дешевая водка. Наполнил снова.

В этот момент и вошла Тигренок.

— Не возражаешь? — спросил я.

— Нет, конечно. — Волшебница присела рядом. — Антон, ты расстроился?

— Не обращай внимания.

— Вы поругались со Светой?

Я покачал головой.

— Дело не в этом.

— Антон, я что-то не так сделала? Ребятам не нравится?

Я уставился на нее с неподдельным удивлением.

— Тигренок, брось! Все прекрасно. Всем нравится.

— А тебе?

Никогда раньше я не замечал за волшебницей-оборотнем таких колебаний. Понравилось — не понравилось, всем ведь угодить невозможно.

— Светлану продолжают готовить, — сказал я.

— К чему? — Девушка слегка нахмурилась.

— Не знаю. К чему-то, что не смогла сделать Ольга. К чему-то очень опасному и очень важному одновременно.

— Это хорошо. — Она потянулась за бокалом. Налила себе сама, пригубила коньяк.

— Хорошо?

— Ну да. Что готовят, направляют. — Тигренок поискала что-то взглядом, потом, нахмурившись, посмотрела на музыкальный центр у стены. — Вечно куда-то ленивчик пропадает.

Центр ожил, засветился. Заиграл «Queen» — «Kind of Magic». Я оценил непринужденность жеста. Управлять электронными схемами на расстоянии — это не дырки в стене взглядом сверлить и не комаров файерболами разгонять.

— Сколько ты готовилась к работе в Дозоре? — спросил я.

— Лет с семи. В шестнадцать уже участвовала в операциях.

— Девять лет! А тебе ведь проще, твоя магия — природная. Из Светланы собираются слепить Великую Волшебницу за полгода—год!

— Тяжело, — согласилась девушка. — Ты думаешь, шеф не прав?

Я пожал плечами. Говорить, что шеф не прав, так же глупо, как отрицать восход солнца на востоке. Он сотни, да что там сотни — тысячи лет учился не делать ошибок. Гесер может поступать жестко или даже жестоко Может провоцировать Темных и подставлять Светлых. Он все может. Только не ошибаться.

— Мне кажется, он переоценивает Свету.

— Брось! Шеф просчитывает.

— Все. Я знаю. Он очень хорошо играет в старую игру.

— И Свете он желает добра, — упрямо добавила волшебница. — Понимаешь? Может быть, по-своему. Ты поступил бы иначе, и я, и Семен, и Ольга. Любой из нас делал бы по-другому. Но он руководит Дозором. И имеет на это полное право.

— Ему виднее? — ехидно спросил я.

— Да.

— А как же свобода? — Я вновь наполнил рюмку. Кажется, она уже была лишней, в голове начинало шуметь. — Свобода?

— Ты говоришь, как Темные, — фыркнула девушка.

— Я предпочитаю думать, что это они говорят, как я.

— Да все очень просто, Антон. — Тигренок наклонилась ко мне, заглянула в глаза. От нее пахло коньяком и чем-то легким, цветочным, вряд ли духами: оборотни не любят парфюмерию. — Ты ее любишь.

— Люблю. Для кого это новость?

— Ты знаешь, что скоро ее уровень силы превысит твой.

— Если уже не превысил. — Я не стал об этом говорить, но вспомнил, как легко Света почувствовала магические экраны в стенах.

— Превысит по-настоящему. Вы станете несоизмеримы по силе. Ее проблемы станут тебе непонятными и даже чуждыми. Оставаясь с ней рядом, ты будешь чувствовать себя неуклюжим довеском, жиголо, начнешь цепляться за прошлое.

— Да. — Я кивнул и с удивлением обнаружил, что рюмка уже пуста. Наполнил ее под пристальным взглядом хозяйки. — Значит — не останусь. Это мне не нужно.

— А иного не дано.

Не подозревал, что она умеет быть такой жесткой. И того, что будет нервно переживать, всем ли по вкусу угощение и обстановка, не ожидал, и этой злой правды — тоже.

— Знаю.

— Раз знаешь, то, Антон, ты возмущаешься, что шеф так усиленно тащит Свету вверх, по одной-единственной причине.

— Мое время уходит, — сказал я. — Песком сквозь пальцы, дождем с неба.

— Твое время? Ваше, Антон.

— Оно не было нашим, никогда.

— Почему?

А собственно говоря, почему? Я пожал плечами.

— Знаешь, некоторые звери не размножаются в неволе.

— Опять! — возмутилась девушка. — Ну какая неволя? Ты должен радоваться за нее. Светлана станет гордостью Светлых. Ты первый ее обнаружил, именно ты смог ее спасти.

— Для чего? Для очередной битвы с Тьмой? Ненужной битвы?

— Антон, все-таки ты сам сейчас говоришь, как Темный. Ты ведь ее любишь! Так не требуй и не жди ничего взамен! Это путь Света!

— Там, где начинается любовь, кончаются Свет и Тьма.

От возмущения девушка замолчала. Грустно покачала головой. Неохотно сказала:

— Ты можешь по крайней мере пообещать...

— Смотря что.

— Быть благоразумным. Довериться старшим товарищам.

— Обещаю наполовину.

Тигренок вздохнула. Неохотно произнесла:

— Слушай, Антон, ты, наверное, думаешь, что я тебя совсем-совсем не понимаю. Это не так. Я ведь тоже не хотела быть магом-оборотнем. У меня были способности к целительству, довольно серьезные.

— Правда? — Я с удивлением посмотрел на нее. Никогда бы не подумал.

— Были, были, — легко подтвердила девушка. — Но когда стал выбор, в какую сторону силы развиваться, меня позвал шеф. Мы сидели, пили чай с пирожными. Поговорили, очень серьезно, как взрослые, хоть я и была совсем девчонка, младше Юли. О том, что нужно Свету, в ком нуждается Дозор, чего могу добиться я. И решили, что способности к боевой трансформации надо развивать, пусть даже в ущерб всему остальному. Мне не очень нравилось вначале. Знаешь, как больно перекидываться?

— В тигра?

— Да нет, в тигра ничего, обратно трудно. Но я терпела. Потому что верила шефу, потому что понимала, это правильно.

— А сейчас?

— Сейчас я счастлива, — с жаром ответила девушка. — Как представлю, чего была бы лишена, чем занималась бы. Травки, заклинания, возня с исковерканным психополем, снятие черных воронок и приворотов...

306

— Кровь, боль, страх, смерть, — в тон сказал я. — Бой на двух-трех слоях реальности одновременно. Увернуться от огня, хлебнуть крови, протиснуться сквозь медные трубы.

— Это война.

— Да, наверное. Но разве именно ты должна быть на передовой?

— Кто-то ведь должен? И, в конце концов, такого дома у меня не было бы. — Тигренок обвела гостиную рукой. — Сам знаешь, целительством много не заработаешь. Будешь исцелять в полную силу, кто то начнет убивать без остановки.

— Хорошо тут, — согласился я. — А ты часто здесь бываешь?

— Когда как.

— Догадываюсь, что не очень. Ты хватаешь дежурство за дежурством, лезешь в самое пекло.

— Это мой путь.

Я кивнул. Что я, в самом-то деле. Сказал:

— Да, ты права. Устал, наверное. Вот и несу всякую чушь.

Тигренок подозрительно посмотрела на меня, явно удивленная столь быстрой капитуляцией.

— Мне надо посидеть с бокалом, — добавил я. — Хорошенько напиться в одиночестве, уснуть под столом, проснуться с головной болью. Тогда сразу полегчает.

— Валяй, — с ноткой настороженности сказала волшебница. — Для чего ж еще мы сюда присхали? Бар открыт, выбирай, что по вкусу. Или пошли к остальным. Или мне с тобой за компанию посидеть?

— Нет, лучше в одиночестве, — похлопав рукой по пузатой бутылке, сказал я. — Совершенно гнусно, без закуски и компании. Когда пойдете купаться, загляни. Вдруг я еще сумею передвигаться?

— Договорились.

Она улыбнулась и вышла из комнаты. Я остался в одиночестве, если, конечно, не считать компанией бутылку армянского коньяка, во что иногда хочется верить.

Очень славная девушка. Они все славные и хорошие, мои друзья-товарищи по Дозору. Я слышу сейчас их голоса сквозь музыку «квинов», и мне приятно. С кем-то я в более хороших отношениях, с кем-то — в менее. Но здесь у меня нет и не будет врагов. Мы шли и будем идти вместе, теряя друг друга лишь по одной причине.

Ну почему же тогда я недоволен происходящим? Только я один — и Ольга, и Тигренок одобряют действия шефа, и остальные, спроси их прямо, присоединятся.

И впрямь утратил объективность?

Наверное.

Я хлебнул коньяка и глянул сквозь сумрак, отслеживая тусклые огоньки чужой, неразумной жизни.

В гостиной обнаружились три комара, две мухи и в самом углу, под потолком, паучок.

Пошевелив пальцами, я слепил крошечный, в два миллиметра диаметром, огненный шарик. Нацелился на паука — для разминки лучше выбирать неподвижную мишень — и отправил файербол в путь.

Аморального в моем поведении ничего не было. Мы не буддисты, во всяком случае — большинство Иных в России. Мы едим мясо, мы бьем мух и комаров, мы травим тараканов; если лень каждый месяц осваивать новые отпугивающие заклинания, насекомые быстро вырабатывают иммунитет к магии.

Ничего аморального. Просто это смешно, это притча во языцех, «с файерболом на комара». Это любимая забава дстишек всех возрастов, обучающихся на курсах при Дозоре. Я думаю, что и Темные балуются тем же, вот только они не делают различий между мухой и воробьем, комаром и собакой.

Паука я сжег сразу. Полусонные комары тоже проблем не доставили.

Каждую победу я отмечал рюмкой коньяка, предварительно чокаясь с услужливой бутылкой. Потом принялся бить мух, но то ли алкоголя в крови стало многовато, то ли мухи чувствовали приближение огненной точки куда лучше. На первую я затратил четыре заряда, но хотя бы при промахах успевал рассеять их вовремя. Вторую сбил шестым файерболом, при этом всадив две крошечные шаровые молнии в застекленный стеллаж на стене.

— Как нехорошо, — покаялся я, допивая коньяк. Встал — комната качнулась. Подошел к стеллажу, в котором на черном бархате были закреплены мечи. На первый взгляд, пятнадцатый-шестнадцатый век, Германия. Подсветка была отключена, и точнее определить возраст я не рискнул. В стекле обнаружились маленькие воронки, но сами мечи я не задел.

Некоторое время я размышлял, как исправить проступок, и не нашел ничего лучшего, чем вернуть на место испарившееся и разлетевшееся по комнате стекло. Сил при этом пришлось затратить куда больше, чем если бы я развоплотил все стекло и воссоздал его заново.

Потом я полез в бар. Коньяка почему-то уже не хотелось. Зато бутылочка мексиканского кофейного ликера показалась удачным компромиссом между желанием напиться и взбодриться. И кофе, и спирт — все в одном флаконе.

Я повернулся и обнаружил в своем кресле Семена.

— Все пошли на озеро, — сообщил маг.

— Сейчас, — пообещал я, подходя. — Сей же час.

— Бутылку поставь, — посоветовал Семен.

— Зачем? — заинтересовался я. Но бутылку поставил.

Семен пристально посмотрел мне в глаза. Барьеры не сработали, а подвох я заподозрил слишком поздно. Попытался отвести взгляд, но не смог.

— Сволочь, — выдохнул я, сгибаясь в три погибели.

— По коридору и направо! — крикнул вслед Семен. Взгляд по-прежнему буравил мне спину, вился следом незримой нитью.

До туалета я добежал. Минут через пять подошел и мой мучитель.

— Лучше?

— Да, — тяжело дыша, ответил я. Привстал с колен, сунул голову в умывальник. Семен молча повернул кран, похлопал по спине:

— Расслабься. Начали мы с народных средств, но...

По телу прошла жаркая волна. Я застонал, однако возмущаться больше не стал. Отупение прошло давно, теперь из меня вылетал последний хмель.

— Что ты делаешь? — только и спросил я.

— Печенке твоей помогаю. Глотни водички, легче будет.

Действительно помогло.

Через пять минут я вышел из туалета на своих ногах, потный, мокрый, с красным лицом, но абсолютно трезвый. И даже пытающийся качать права.

— Ну зачем вмешался? Я хотел напиться и напился.

— Молодежь. — Семен укоризненно покачал головой. — Напиться он хотел! Кто же напивается коньяком? Да еще после вина, да еще с такой скоростью, пол-литра за полчаса. Вот однажды мы с Сашкой Куприным решили напиться...

— Каким еще Сашкой?

— Ну, тем самым, писателем. Только он тогда не писал еще. Ну так и напились же по-человечески, культурно, в дым и в драбадан, с танцами на столах, стрельбой в потолок и развратом.

— А он что, Иной был?

— Сашка? Нет, но человек хороший. Четверть выпили, а гимназисток шампанским споили.

Я тяжело плюхнулся на диван. Сглотнул, взглянул на пустую бутылку — снова начало поташнивать.

— И вы с четверти напились?

— Четверть ведра, как же тут не напиться? — удивился Семен. — Напиваться — можно, Антон. Если очень нужно. Только напиваться надо водкой. Коньяк, вино — это все для сердца.

— А водка для чего?

— Для души. Если совсем уж сильно болит.

Он смотрел на меня с легким укором, смешной маленький маг с хитроватым лицом, со своими смешными маленькими воспоминаниями о великих людях и великих битвах.

— Я не прав, — признался я. — Спасибо, что помог.

— Ерунда, старик. Когда-то я твоего тезку три раза за вечер протрезвлял. Ну, там надо было пить и не пьянеть, для дела.

— Тезку? Чехова? — поразился я.

— Нет, что ты. Это другой был Антон, из наших. Погиб он, на Дальнем Востоке, когда самураи... — Семен махнул рукой и замолчал. Потом почти ласково сказал: — Ты не торопись. Вечером все сделаем культурно. А сейчас надо ребят догонять. Идем, Антон.

Вслед за Семеном я послушно вышел из дома. И увидел Свету. Она сидела в шезлонге, уже переодевшись, в купальнике и пестрой юбке — или куске ткани вокруг бедер.

— Нормально? — с легким удивлением спросила она меня.

— Вполне. Что-то шашлык не впрок пошел.

Светлана пристально смотрела на меня. Но, видимо, кроме бурого цвета лица и мокрых волос, ничто не выдавало внезапного опьянения.

— Тебе надо поджелудочную проверить.

— Все нормально, — быстро сказал Семен. — Уж поверь, я тоже лечением занимался. Жарко, кислое вино, жирный шашлык — вот и все причины. Ему сейчас искупаться, а вечером по холодку мы бутылочку раздавим. Вот и все лечение.

Света встала, подошла, сочувственно заглянула мне в глаза.

— Может быть, посидим тут? Я сделаю крепкий чай.

Да, наверное. Хорошо бы. Просто сидеть. Вдвоем. Пить чай. Говорить или молчать. Это ведь все не важно. Смотреть иногда на нее или даже не смотреть. Слышать дыхание — или заткнуть уши. Только знать, что мы рядом. Мы вдвоем, а не дружный коллектив Ночного Дозора. И вместе потому, что этого хочется, а не по программе, намеченной Гесером.

Неужели я и впрямь разучился улыбаться?

Я покачал головой. И вытащил на поверхность лица трусливую, упирающуюся улыбку.

— Пойдем. Я еще не заслуженный старпер магических войн. Пойдем, Света.

Семен уже ушел вперед, но почему-то я понял, что он подмигнул. Одобрительно.

Прохлады ночь не принесла, но избавила от зноя. Уже часов с шести-семи компания раздробилась на маленькие кучки. Остались у озера неутомимый Игнат с Леной и, как ни странно, Ольгой. Ушли побродить по лесу Тигренок с Юлей. Остальные рассредоточились по дому и прилегающей территории.

Мы с Семеном оккупировали большую лоджию на втором этаже. Здесь было уютно, лучше продувал ветерок и стояла совершенно неоценимая в жару плетеная мебель.

— Номер раз, — сказал Семен, доставая из полиэтиленового пакета с рекламой йогурта «данон-кидс» бутылку водки. — «Смирновка».

— Рекомендуешь? — спросил я с сомнением. По водке я себя специалистом не считал.

— Я ее вторую сотню лет пью. А раньше она куда хуже была, уж поверь.

Следом за бутылкой явились два граненых стакана, двухлитровая банка, где под закатанной жестяной крышкой томились маленькие огурчики, большой пакет с соленой капустой.

— А запивать? — спросил я.

— Водку не запивают, мальчик, — покачал головой Семен. — Запивают суррогат.

— Век живи...

— Раньше научишься. И насчет водки не сомневайся, поселок Черноголовка — моя подконтрольная территория. Там на заводе колдун один работает, мелкий, не особо пакостный. Он мне и поставляет правильный продукт.

— Размениваешься по мелочи, — рискнул заметить я.

— Не размениваюсь. Я ему деньги плачу. Все честно, это наши частные отношения, а не дела Дозоров.

Семен ловким движением скрутил бутылке колпачок, разлил по полстакана. Сумка весь день простояла на веранде, но водка оставалась холодной.

— За здоровье? — предположил я.

— Рано. За нас.

Отрезвил он меня днем и впрямь качественно, наверное, не только алкоголь из крови удалил, но и все продукты метаболизма. Я выпил полстакана не дрогнув, с удивлением обнаруживая, что водка может быть приятна не только зимой с мороза, но и летом после жары.

— Ну вот. — Семен удовлетворенно крякнул, развалился поудобнее. — Надо Тигренку намекнуть, что тут кресла-качалки полезно поставить.

Он вытащил свою жуткую «Яву», закурил. Поймав мой недовольный взгляд, сообщил:

— Все равно буду их курить. Я патриот своей страны.

— А я патриот своего здоровья, — буркнул я.

Семен хмыкнул.

— Вот однажды позвал меня в гости знакомый иностранец, — начал он.

— Давно дело было? — непроизвольно подстраиваясь под стиль, спросил я.

— Не очень, в прошлом году. А позвал затем, чтобы научиться пить по-русски. Жил он в «Пенте». Прихватил я одну случайную подружку и ее братца — тот только что с зоны вернулся, некуда было податься, и пошли мы.

Я представил себе эту компанию и покачал головой:

— И вас впустили?

— Да.

— Воспользовался магией?

— Нет, зарубежный друг воспользовался деньгами. Водки и закуски он припас хорошо, стали мы пить тридцатого апреля, а закончили второго мая. Горничных не впускали, телевизор не выключали.

Глядя на Семена, в мятой клетчатой рубашке отечественного производства, затертых турецких джинсах и растоптанных чешских сандалиях, можно было без труда вообразить его пьющим разливное пиво из трехлитровой банки. А вот в «Пенте» он представлялся с трудом.

— Изверги, — с чувством сказал я.

— Нет, почему? Товарищу очень понравилось. Он сказал, что понял, в чем заключается настоящее русское пьянство.

— И в чем же?

— Это когда просыпаешься утром, и все вокруг серое. Небо серое, солнце серое, город серый, люди серые, мысли серые. И единственный выход — снова выпить. Тогда легче. Тогда возвращаются краски.

— Интересный попался иностранец.

— Не говори!

Семен снова наполнил стаканы, теперь — чуть поменьше. Подумал и вдруг налил их до краев.

— Давай выпьем, старик. Выпьем за то, чтобы нам не обязательно приходилось пить, чтобы увидеть небо голубым, солнце — желтым, город — цветным. Давай за это. Мы с тобой ходим в сумрак и видим, что мир с изнанки не такой, как кажется остальным. Но ведь, наверное, есть не только эта изнанка. За яркие краски!

В полном обалдении я выпил полстакана.

— Не сачкуй, пацан, — прежним тоном сказал Семен.

Я допил. Заел горстью хрустящей кисло-сладкой капусты. Спросил:

— Семен, почему ты так себя ведешь? Зачем тебе этот эпатаж, этот имидж?

— Слова больно умные, не пойму.

— Все-таки?

— Так легче, Антошка. Каждый как может бережется. Я — так.

— Что мне делать, Семен? — спросил я. Без всяких объяснений.

— Делай то, что должен.

— А если я не хочу делать то, что должен? Если наша светлая-пресветлая правда, наше честное дозорное слово и наши замечательные благие намерения встают поперек горла?

— Ты одно пойми, Антон. — Маг захрустел огурчиком. — Давно бы пора тебе понять, но засиделся ты у своих железяк. Наша правда, какая бы большая и Светлая она ни была, состоит из множества маленьких правдочек. И пусть у Гесера сто пядей во лбу и опыт такой, что, не дай Бог, приснится. Но вдобавок у него еще магически залеченный геморрой, эдипов комплекс и привычка перелицовывать старые удачные схемы на новый лад. Это все к примеру, я его тараканов не ловил, начальство все-таки.

Он достал новую сигарету, и на этот раз я не рискнул возражать.

— Антон, дело ведь в чем. Ты парень молодой, пришел в Дозор и обрадовался. Наконец-то весь мир поделился на черное и белое! Сбылась мечта человечества, стало ясно, кто хороший, а кто плохой. Так вот, пойми. Не так это. Не так. Когда-то мы все были едины. И Темные, и Светлые. Сидели у костров в пещере, глядели сквозь сумрак, на каком пастбище поближе мамонт пасется, с песнями и плясками искры из пальцев пускали, а файерболами чужие племена поджаривали. И было, для полной наглядности примера, два брата — Иных. Тот, что первым в сумрак вошел, может быть, он тогда сытый был, а может быть, полюбил в первый раз. А второй — наоборот. Живот болел от зеленого бамбука, женщина отвергла под предлогом головной боли и усталости от скобления шкур. Так и пошло. Один на мамонта наведет и доволен. Другой кусок от хобота требует и дочку вождя в придачу. Так и разделились мы на Темных и Светлых, на добрых и злых. Азбука, да? Мы так маленьких детишек-Иных учим. Только кто тебе сказал, старина, что все это остановилось?

Семен резко, так, что хрустнуло кресло, подался ко мне:

314

— Было оно, есть и будет. Всегда, Антошка. Конца-то нет. Сейчас мы того, кто сорвется и пойдет сквозь толпу, добро без разрешения творя, развоплощаем. В сумрак его, нарушителя равновесия, психопата и истерика, в сумрак. А что завтра будет? Через сто лет, через тысячу? Кто заглянет? Ты, я, Гесер?

— Так что тогда?

— Есть твоя правда, Антон? Скажи, есть? Ты в ней уверен? Тогда в нее и верь, а не в мою, не в Гесера. Верь и борись. Если духа хватит. Если сердце не ёкнет. Темная свобода, она ведь не тем плоха, что свобода от других. Это, опять же, для детей объяснение. Темная свобода — в первую очередь от себя свобода, от своей совести и души. Почувствуешь, что ничего в груди не болит, — тогда кричи караул. Правда, поздно уже будет.

Он замолчал, полез в пакет, извлек еще одну бутылку водки. Вздохнул:

— Вторая. Ведь не напьемся мы, чувствую. Не получится. А насчет Ольги и ее слов...

Как он ухитряется все и всегда слышать?

— Она не тому завидует, что ею несделанное может Светлана совершить. Не тому, что у Светки впереди все, а у Ольги, если уж откровенно, позади. Она завидует, что ты есть рядом и хотел бы любимую остановить. Пусть даже и не можешь ничего сделать. Гесер мог, но не хотел. Ты не можешь, но хочешь. В итоге, может быть, и нет никакой разницы. А что-то все равно цепляет. Душу рвет, сколько бы ей лет ни было.

— Ты знаешь, к чему готовят Светлану?

— Да. — Семен расплескал по стаканам водку.

— К чему?

— Я не могу ответить. Я подписку дал. Что мог — сказал.

— Семен...

— Говорю же — подписку дал. Снять рубашку, чтобы знак карающего огня на спине увидел? Ляпну чего — сгорю вместе с этим креслицем, пепел в сигаретную пачку уместится. Так что прости, Антон. Не пытай.

— Спасибо, — сказал я. — Давай выпьем. Вдруг получится напиться? Мне надо.

— Вижу, — согласился Семен. — Приступаем.

ГЛАВА 3

Проснулся я очень рано. Тишина стояла, живая дачная тишина, с шорохом ветерка, к утру наконец-то прохладного. Только меня это не радовало. Постель была мокрая от пота, а голова раскалывалась. На соседней кровати — нам отвели комнату на троих — монотонно похрапывал Семен. Прямо на полу, завернувшись в одеяло, спал Толик: от предложенного гамака он отказался, сказав, что разболелась травмированная при какой-то заварушке в семьдесят шестом году спина и ему лучше поспать на жестком.

Обхватив затылок ладонями, чтобы не развалился при резком движении, я сел на кровати. Взглянул на тумбочку, с удивлением обнаружил там две таблетки аспирина и бутылку «Боржоми». Кто же эта добрая душа?

Выпили мы вчера три бутылки на двоих. Потом подошел Толик. Потом еще кто-то, и принесли вина. Но вино я не пил. Хватило остатков ума.

Запив аспирин половиной бутылки минералки, я некоторое время тупо сидел, ожидая действия лекарства. Боль не проходила. Кажется, не вытерплю.

— Семен, — хрипло позвал я. — Семен!

Маг открыл один глаз. Выглядел он вполне прилично. Будто и не пил куда больше меня. Вот что значат лишние столетия опыта.

— Голова, сними...

— Топора нет под рукой, — буркнул маг.

— Да иди ты, — простонал я. — Боль сними?

— Антон, мы пили добровольно? Никто нас не принуждал? Удовольствие получали?

Он перевернулся на другой бок.

Я понял, что от Семена мне помощи не добиться. И в общем-то он был прав, вот только терпеть я больше не мог. Нашарив ногами кроссовки, переступив через спящего Толика, я выбрался из комнаты.

Комнат для гостей было две, но в другой дверь оказалась заперта. Зато в конце коридора, в спальне хозяйки, — открыта. Вспомнив слова Тигренка о способностях к целительству, я без колебаний рванулся туда.

Нет, похоже, сегодня все ополчилось против меня. Не было ее там. Игната с Леной, против моих подозрений, тоже не оказалось. Ночевала Тигренок с Юлей. Девочка спала, по-детски свесив руку и ногу с кровати.

Мне сейчас было все равно, у кого просить помощи. Я осторожно подошел, присел рядом с широченной кроватью, шепотом позвал:

— Юля, Юленька...

Девочка открыла глаза, поморгала. И сочувственно спросила:

— Похмелье?

— Да. — Кивнуть я не решился, в голове как раз взорвали маленькую гранату.

— Угу?

Она закрыла глаза и, по-моему, даже задремала снова, при этом обняв меня за шею. Несколько секунд ничего не происходило, потом боль стала стремительно отступать. Будто в затылке открыли потайной краник и стали выпускать скопившуюся бурлящую отраву.

— Спасибо, — только и прошептал я. — Юленька, спасибо.

— Не пей так много, ты же не умеешь, — пробормотала девочка и засопела — ровно, будто переключилась мгновенно от работы на сон. Так умеют только дети и компьютеры.

Я встал, с восторгом ощущая, что мир обрел краски. Семен, конечно, прав. Надо нести ответственность. Но иногда на это просто нет сил, совершенно нет. Оглядел комнату. Спальня вся была в бежевых тонах, даже наклонное окно чуть тонировано, музыкальный центр — золотистый, ковер на полу — пушистый, светло-коричневый.

В общем-то нехорошо. Сюда меня не звали.

Я тихонько пошел к двери и, уже когда выходил, услышал голос Юли:

— «Сникерс» мне купишь, ладно?

— Два, — согласился я.

Можно было пойти досыпать, но с постелью были связаны достаточно неприятные воспоминания. Будто стоит лечь — и притаившаяся в подушке боль набросится снова. Я только заглянул в комнату, подхватил джинсы и рубашку, стоя на пороге, оделся.

Ну неужели все спят? Тигренок вон где-то бродит, а кто-то наверняка за беседой и бутылочкой засиделся до утра.

На втором этаже был еще маленький холл, там я обнаружил Данилу и Настю из научного отдела, мирно спящих на диванчике, и поспешно ретировался. Покачал головой: у Данилы была очень милая, симпатичная жена, а у Насти — пожилой и безумно влюбленный в нее муж.

Правда, они были только люди.

А мы — Иные, волонтеры Света. Что ж тут поделать, у нас и мораль иная. Как на фронте, с военно-полевыми романами и медсестричками, утешающими офицерский и рядовой состав не только на госпитальной койке. На войне слишком остро чувствуешь вкус жизни.

Еще здесь была библиотека. Там я обнаружил Гарика и Фарида. Вот они — точно вели беседу всю ночь, за бутылочкой, и не за одной. И заснули прямо в креслах, видимо, совсем недавно: перед Фаридом на столе еще чуть дымилась трубка. На полу валялись стопки вытащенных из стеллажей книг. О чем-то они долго спорили, призывая в союзники писателей и поэтов, философов и историков.

Я пошел вниз по деревянной винтовой лестнице. Ну кто-нибудь найдется разделить со мной это тихое мирное утро?

В гостиной тоже все спали. Заглянув на кухню, я не обнаружил там никого, кроме забившегося в угол пса.

- Ожил? — спросил я.

Терьер оскалил клыки и жалобно заскулил.

— Ну а кто тебя просил вчера воевать? — Я присел перед собакой. Взял со стола кусок колбасы, воспитанный пес сам не рискнул. — Бери.

Пасть щелкнула над ладонью, сметая колбасу.

— Будь добрым, и к тебе — по-доброму! — объяснил я. — И не жмись по углам.

Нет, ну все-таки кто-нибудь бодрствующий найдется?

Я взял и себе кусочек колбасы. Прожевывая, прошел через гостиную и заглянул в кабинет.

И тут спали.

Угловой диванчик, даже разложенный, был узким. Поэтому лежали они тесно. Игнат посередине, раскинув мускулистые руки и сладко улыбаясь. Лена прижималась к нему с левого бока, одной рукой вцепившись в его густую светлую шевелюру, другую закинув через его грудь, на вторую партнершу нашего донжуана. Светлана зарылась Игнату лицом куда-то под бритую подмышку, руки ее тянулись под полусброшенное одеяло.

Я очень аккуратно и тихо закрыл дверь.

Ресторанчик был уютный. «Морской волк», как и намекало название, славился рыбными блюдами и симпатичным «корабельным» интерьером. К тому же — совсем рядом с метро. А для хиленького среднего класса, готового иногда гульнуть в ресторане, но экономящего на такси, это был фактор немаловажный.

Этот посетитель приехал на машине, старенькой, но вполне приличной «шестерке». Наметанному взгляду официантов он, впрочем, показался куда более платежеспособным, чем его машина. То спокойствие, с которым мужчина поглощал дорогую датскую водку, не интересуясь ни ценой, ни возможными проблемами с ГАИ, только укрепляло это мнение.

Когда официант принес заказанную осетрину, мужчина на миг поднял на него глаза. Раньше сидел, водя зубочисткой по скатерти, а временами застывал, глядя на пламя стеклянной масляной лампы, а тут вдруг посмотрел.

Официант никому не стал рассказывать о том, что почудилось на миг. Показалось — будто заглянул в два сверкающих колодца. Ослепительных до той меры, когда Свет обжигает и неотличим от Тьмы.

— Спасибо, — сказал посетитель.

Официант ушел, борясь с желанием убыстрить шаг. Повторяя про себя: это только отблески лампы в уютном полумраке ресторана. Только отблески света во тьме неудачно легли на глаза.

Борис Игнатьевич продолжал сидеть, ломая зубочистки. Осетрина остыла, водка в хрустальном графинчике нагрелась. За перегородкой из толстых канатов, фальшивых штурвалов и поддельной парусины большая компания справляла чей-то день рождения, сыпала поздравлениями, ругала жару, налоги и каких-то «неправильных» бандитов.

Гесер, шеф московского отделения Ночного Дозора, ждал.

Те собаки, что остались во дворе, шарахнулись при моем появлении. Тяжело им дался *фриз*, тяжело. Тело не подчиняется, не вдохнуть и не залаять, слюна застыла во рту, воздух давит тяжелой ладонью горячечного больного.

А душа живет.

Тяжело пришлось собачкам.

Ворота были полуоткрыты, я вышел, постоял, не совсем понимая, куда иду и что собираюсь делать.

Не все ли равно?

Обиды не было. Даже боли не было. Мы ни разу не были с ней близки. Более того, я сам старательно ставил барьеры. Я ведь не живу минутой, мне нужно все, сразу и навсегда.

Нашарив на поясе дискмен, я включил случайный выбор. Он у меня всегда удачный. Может быть, потому что я, подобно Тигренку, давным-давно управляю нехитрой электроникой, сам того не замечая?

> Кто виноват, что ты устал?
> Что не нашел, чего так ждал?
> Все потерял, что так искал,
> Поднялся в небо — и упал?
> И чья вина, что день за днем
> Уходит жизнь чужим путем,
> И одиноким стал твой дом,
> И пусто за твоим окном,
> И меркнет свет, и молкнут звуки,
> И новой муки ищут руки,
> И если боль твоя стихает —
> Значит будет новая беда.

Я сам этого хотел. Сам добивался. И теперь не на кого пенять. Вместо того чтобы рассуждать весь вчерашний вечер с Семеном о сложностях мирового противостояния Добра и Зла, надо было остаться со Светой. Чем смотреть волком на Гесера и Ольгу с их лукавой правдой — отстаивать свою. И не думать, никогда не думать о том, что победить невозможно.

Стоит так подумать — и ты уже проиграл.

> Кто виноват, скажи-ка, брат,
> Один женат, другой богат,
> Один смешон, другой влюблен,
> Один дурак, другой твой враг,
> И чья вина, что там и тут
> Друг друга ждут и тем живут,
> Но скучен день, и ночь пуста,

Забиты теплые места,
И меркнет свет, и молкнут звуки,
И новой муки ищут руки,
И если боль твоя стихает —
Значит будет новая беда.

Кто виноват и в чем секрет,
Что горя нет и счастья нет,
Без поражений нет побед,
И равен счет удач и бед.
И чья вина, что ты один,
И жизнь одна, и так длинна,
И так скучна, а ты все ждешь,
Что ты когда-нибудь умрешь.

— Вот уж нет, — прошептал я, стаскивая наушники. — Не дождетесь.

Нас так долго учили — отдавать и ничего не брать взамен. Жертвовать собой ради других. Каждый шаг — как на пулеметы, каждый взгляд — благороден и мудр, ни одной пустой мысли, ни одного греховного помысла. Ведь мы — Иные. Мы встали над толпой, развернули свои безупречно чистые знамена, напраили хромовые сапоги, натянули белые перчатки. О да, в своем маленьком мирке мы позволяем себе все что угодно. Любому поступку найдется оправдание, честное и возвышенное. Уникальный номер: впервые на арене мы — в белом, а все вокруг — в дерьме.

Надоело!

Горячее сердце, чистые руки, холодная голова... Не случайно же во время революции и гражданской войны Светлые почти в полном составе прибились к ЧК? А те, кто не прибился, большей частью сгинули. От рук Темных, а еще больше — от рук тех, кого защищали. От человеческих рук. От человеческой глупости, подлости, трусости, ханжества, зависти. Горячее сердце, чистые руки. Голова пусть остается холодной. Иначе нельзя. А вот с остальным не согласен. Пусть сердце будет чистым, а руки — горячими. Мне так больше нравится!

— Не хочу вас защищать, — сказал я в тишину лесного утра. — Не хочу! Детей и женщин, стариков и юродивых — никого, живите, как вам хочется. Получайте то, чего достойны! Бегайте от вампиров, поклоняйтесь Темным магам, целуйте козла под хвост! Если заслужили — получайте! Если моя любовь меньше, чем ваша счастливая жизнь, я не хочу вам счастья!

Они могут и должны стать лучше, они наши корни, они наше будущее, они наши подопечные. Маленькие и большие люди, дворники и президенты, преступники и полицейские. В них теплится Свет, что может разгореться животворящим теплом или смертоносным пламенем...

Не верю!

Я видел вас всех. Дворников и президентов, бандитов и ментов. Видел, как матери избивают сыновей, а отцы насилуют дочерей. Видел, как сыновья выгоняют матерей из дома, а дочери подсыпают отцам мышьяк. Видел, как, едва закрывая за гостями дверь, не прекращающий улыбаться муж бьет по лицу беременную жену. Видел, как, закрывая дверь за пьяненьким мужем, выбежавшим в магазин за добавкой, жена обнимает и жадно целует его лучшего друга. Это очень просто — видеть. Надо лишь уметь смотреть. Потому нас и учат раньше, чем учить смотреть сквозь сумрак, — нас учат не смотреть.

Но мы все равно смотрим.

Они слабые, они мало живут, они всего боятся. Их нельзя презирать и преступно ненавидеть. Их можно только любить, жалеть и оберегать. Это наша работа и долг. Мы — Дозор.

Не верю!

Никого не заставишь совершить подлость. В грязь нельзя столкнуть, в грязь ступают лишь сами. Какой бы ни была жизнь вокруг, оправданий нет и не предвидится. Но оправдания ищут и находят. Всех людей так учили, и все они оказались прилежными учениками.

А мы, наверное, лишь лучшие из лучших.

Да, наверное, да, конечно, были, есть и будут те, кто не стал Иным, но ухитрился остаться Человеком. Вот только их мало, так мало. А может быть, просто мы боимся посмотреть на них пристальнее? Боимся увидеть то, что может открыться?

— Ради вас — жить? — спросил я. Лес молчал, он был заранее согласен с любыми моими словами.

Почему мы должны жертвовать всем? Собой и теми, кого любим?

Ради тех, кто никогда не узнает и никогда не оценит?

А если даже узнает, единственное, что мы заслужим, — удивленное покачивание головы и возглас: «Лохи!»

Может быть, стоит однажды показать человечеству, что это такое — Иные? Что может один-единственный Иной, не скованный Договором и вырвавшийся из-под контроля Дозоров?

Я даже улыбнулся, представив себе всю картину. Картину в общем, а не себя в ней: меня-то остановят быстро. Как любого Великого Мага или Великую Волшебницу, что решат нарушить Договор и откроют перед миром мир Иных.

То-то будет шума!

Никакие инопланетяне, высадившиеся в Кремле и Белом доме одновременно, такого не натворят.

Нет, конечно.

Не мой это путь.

И, в первую очередь, потому что не нужна мне власть над миром или всеобщий переполох.

Я одного хочу: чтобы женщину, которую люблю, не заставляли жертвовать собой. Потому что путь Великих — это именно жертва. Те чудовищные силы, которые они обретают, меняют их без остатка.

Мы все — не совсем люди. Но мы хотя бы помним, что были людьми. И можем еще радоваться и грустить, любить и ненавидеть. Великие маги и волшебницы уходят за пределы человеческих эмоций. Наверное, они испытывают какие-то свои, вот только нам их не понять. Даже Гесер, маг вне классификации, не Великий. Ольга так и не смогла стать Великой.

Что-то они напортачили. Не вытянули грандиозную операцию по борьбе с Тьмой.

И теперь готовы кинуть в прорыв новую кандидатку.

Ради людей, которым плевать на Свет и Тьму.

Ее прогоняют по всем кругам, что положено пройти Иному. Ее уже подняли до третьей ступени по силе, теперь подтягивают вслед сознание. В очень-очень быстром темпе.

Наверняка в этой бешеной гонке к неведомой цели есть место и мне. Гесер использует все, что только подворачивается под руку, включая меня. Что бы я ни делал: охотился на вампиров, гонялся за Дикарем, в облике Ольги общался со Светой, — все это играло лишь на шефа.

Что бы я ни сделал сейчас — это тоже предусмотрено наверняка.

Единственная надежда, что даже Гесеру не дано предугадать все.

Что я найду тот единственный поступок, который сломает его план. Великий план сил Света.

И при этом не принесет Зла. Потому что тогда меня ждет сумрак.

А Светлану все равно — великое служение.

Я поймал себя на том, что стою, прижимаясь лицом к стволу тощей сосенки. Стою и молочу кулаком по дереву. То ли в ярости, то ли в горе. Остановил руку, уже исцарапанную в кровь. Но звук не прекратился. Он шел из леса, с самой границы магического барьера. Такие же ритмичные удары, нервная дробь.

Пригибаясь, будто недоигравший в войну пэйнтболист, я побежал между деревьями. В общем-то я догадывался, что увижу.

На маленькой полянке прыгал тигр. Тигрица, точнее. Черно-оранжевая шкура лоснилась в лучах восходящего солнца. Тигрица не видела меня, она никого и ничего сейчас не замечала. Носилась между деревьями, и острые кинжалы когтей рвали кору. Белые шрамы вскипали на соснах. Иногда тигрица замирала, вставала на задние лапы и принималась рвать стволы когтями.

Я медленно двинулся назад.

Каждый из нас отдыхает как может. Каждый из нас ведет борьбу не только с Тьмой, но и со Светом. Потому что тот порой ослепляет.

Только не надо нас жалеть: мы очень, очень гордые. Солдаты мировой войны Добра и Зла, вечные волонтеры.

ГЛАВА 4

Парень вошел в ресторан так уверенно, будто каждый день заходил сюда завтракать. Но это было не так.

Он сразу направился к столику, за которым сидел невысокий смуглый мужчина, как будто они давно были знакомы. Впрочем, это тоже не было правдой. На последнем шаге он плавно опустился на колени. Не рухнул, не бросился ниц — опустился спокойно, не теряя достоинства и не сгибая спины.

Официант, проходивший мимо, сглотнул и отвернулся. Он повидал всякое, а не только такие мелочи, как мафиозную шестерку, раболепствующую перед боссом. Правда парень не походил на шестерку, а мужчина на босса.

И неприятности, запах которых он почувствовал, грозили быть посерьезнее, чем бандитская разборка. Он не знал, что именно произойдет, но ощутил, потому что сам был Иным, хотя и неинициированным.

Впрочем, через мгновение он начисто забыл об увиденной сцене. Что-то смутно давило ему на сердце, но что — он уже не помнил.

— Встань, Алишер, — тихо сказал Гесер. — Встань. У нас это не принято.

Парень поднялся с колен и сел напротив главы Ночного Дозора. Кивнул:

— У нас — тоже. Теперь не принято. Но отец просил упасть пред тобой на колени, Гесер. Он был старых правил. Он стал бы на колени. Но он уже не сможет.

— Ты знаешь, как он погиб?

— Да. Я видел его глазами, слышал его ушами, страдал его болью.

— Дай и мне его боль, Алишер, сын девоны и человеческой женщины.

— Прими то, что просишь, Гесер, искоренитель Зла, равный богам, которых нет.

Они посмотрели друг другу в глаза. Потом Гесер кивнул.

— Я знаю убийц. Твой отец будет отомщен.

— Это должен сделать я.

— Нет. Ты не сможешь, и ты не в праве. Вы приехали в Москву нелегально.

— Возьми меня в свой Дозор, Гесер.

Шеф Ночного Дозора покачал головой.

— Я был лучшим в Самарканде, Гесер. — Парень пристально посмотрел на него. — Не улыбайся, я знаю, что здесь стану последним. Возьми меня в Дозор. Учеником учеников. Цепным псом. Памятью отца прошу — возьми меня в Дозор.

— Ты просишь слишком много, Алишер. Ты просишь, чтобы я подарил тебе твою смерть.

— Я уже умирал, Гесер. Когда у отца выпили душу — я умер вместе с ним. Я шел, улыбаясь, а он отвлекал Темных. Я спустился в метро, а его прах топтали ногами. Гесер, я прошу по праву.

Гесер кивнул.

— Да будет так. Ты в моем Дозоре, Алишер.

На лице юноши не отразилось никаких эмоций. Он кивнул и на мгновение прижал ладонь к груди.

— Где то, что вы везли, Алишер?

— Со мной, господин.

Гесер молча протянул через стол руку.

Алишер расстегнул сумочку на поясе. Достал, очень бережно, маленький прямоугольный сверток из грубой ткани.

— Прими ее, Гесер, сними с меня долг.

Ладонь Гесера накрыла ладонь юноши, пальцы сомкнулись. Через миг, когда он убрал руку, в ней уже ничего не было.

— Твое служение окончено, Алишер. Теперь мы просто отдохнем. Будем есть, пить и вспоминать твоего отца. Я расскажу тебе все, что смогу вспомнить.

Алишер кивнул. Непонятно было, приятны ему слова Гесера, или он просто подчиняется любым его желаниям.

— У нас будет полчаса, — мимоходом заметил Гесер. — Потом сюда придут Темные. Они все-таки взяли твой след. Слишком поздно, но взяли.

— Будет бой, господин?

— Не знаю. — Гесер пожал плечами. — Какая разница? Завулон далеко. Остальные мне не страшны.

— Будет бой, — задумчиво сказал Алишер. Обвел взглядом зал.

— Разгони всех посетителей, — посоветовал Гесер. — Мягко, неназойливо. Я хочу увидеть твою технику. А потом будем отдыхать и ждать гостей.

К одиннадцати народ стал просыпаться.

Я ждал на террасе, разлегшись в шезлонге, вытянув ноги, временами посасывая джин-тоник из высокого стакана. Мне было хорошо — сладкой болью мазохиста. Когда кто-то появлялся из дверей, я приветствовал их дружелюбным взмахом руки и маленькой радугой, срывающейся в небо с растопыренных пальцев.

Забава была детская, и все улыбались. Позевывающая Юля, увидев такое приветствие, взвизгнула и запустила ответную радугу. Минуты две мы соревновались, потом выстроили дугу на двоих, довольно большую, уходящую в лес. Юля сообщила, что пойдет искать горшочек с золотом, и гордо зашагала под разноцветной аркой. Один из терьеров послушно бежал у ее ног.

Я ждал.

Первой из тех, кого я ждал, вышла Лена. Веселая, бодрая, в одном купальнике. Увидев меня, на миг смутилась, но тут же кивнула и побежала к воротам. Приятно было смотреть, как она двигается: стройная, пластичная, полная жизни. Сейчас окунется в прохладную воду, порезвится в одиночестве и с проснувшимся аппетитом вернется завтракать.

Следом появился Игнат. В купальных трусах и резиновых шлепанцах.

— Привет, Антон! — радостно крикнул он. Подошел, подтянул соседний шезлонг, плюхнулся в него. — Как настроение?

— Боевое! — приподняв стакан, сообщил я.

— Молодец. — Игнат поискал взглядом бутылки, не нашел, потянулся губами к трубочке и по-свойски глотнул из моего стакана. — Слишком слабый, мешаешь.

— Я вчера уже накушался.

— Это верно, тогда поберегись, — посоветовал Игнат. — А мы вчера весь вечер шампанское хлестали. Потом еще ночью коньяком добавили. Боялся, голова разболится, но ничего. Обошлось.

На него даже обижаться нельзя было.

— Игнат, ты кем в детстве хотел стать? — спросил я.

— Санитаром.

— Чего?

— Ну, мне сказали, что медсестрами мальчики не работают, а я хотел людей лечить. Я и решил, что вырасту — буду санитаром.

— Здорово, — восхитился я. — А почему не врачом?

— Ответственность слишком большая, — самокритично признал Игнат. — И учиться надо слишком долго.

— Стал?

— Да. На «скорой помощи» ездил, в психиатрической бригаде. Со мной все врачи любили работать.

— Почему?

— Во-первых, я очень обаятельный, — объяснил Игнат, с тем же простодушием нахваливая себя. — Я могу и с мужчиной, и с женщиной так поговорить, что они успокоятся и сами согласятся в больницу ехать. А во-вторых, я видел, когда человек на самом деле больной, а когда видит невидимое. Иногда можно было пошептаться, объяснить, что все нормально и никаких уколов не требуется.

— Медицина многое потеряла.

— Да. — Игнат вздохнул. — Но шеф меня убедил, что в Дозоре я больше пользы принесу. Ведь так?

— Наверное.

— Скучно стало, — задумчиво произнес Игнат. — Тебе не скучно? Я уже на работу хочу.

— Я тоже, пожалуй. Игнат, а у тебя хобби есть? Вот помимо работы.

— А что ты меня пытаешь? — удивился маг.

— Интересно. Или это секрет?

— Какие у нас секреты? — Игнат пожал плечами. — Я бабочек собираю. У меня одна из лучших коллекций в мире. Две комнаты занимает.

— Достойно, — согласился я.

— Заходи как-нибудь, посмотришь, — предложил Игнат. — Со Светой заходите, она говорит, ей тоже бабочки нравятся.

Я смеялся так долго, что даже его проняло. Игнат поднялся, неуверенно улыбаясь, пробормотал:

— Пойду помогу завтрак готовить.

— Удачи, — только и выдавил я. Но все-таки не удержался и, когда наш светоносный ловелас подошел к двери, еще раз окликнул его: — Слушай, шеф не зря о Светке беспокоится?

Игнат картинным жестом подпер подбородок. Подумал:

— Ты знаешь, не зря. Она действительно напряженная какая-то, все никак не расслабится. А ей ведь предстоят великие дела, не то что нам.

— Но ты старался?

— Спрашиваешь! — обиделся Игнат. — Вы заходите, честное слово, рад буду видеть!

Джин стал теплым, лед в стакане растаял. На трубочке остался легкий отпечаток губной помады. Я покачал головой и отставил стакан.

Гесер, ты не можешь предусмотреть все.

Но чтобы сразиться с тобой не в магическом поединке, конечно, об этом и думать смешно, сразиться на единственно доступном поле из слов и поступков, я должен знать, чего ты хочешь. Должен знать расклад карт в колоде. И то, что у тебя на руках.

Кто в игре?

Гесер — организатор и вдохновитель. Ольга — его любовница, проштрафившаяся волшебница, консультант. Светлана — старательно пестуемый исполнитель. Я — одно из орудий ее воспитания. Игната, Тигренка, Семена, всех остальных Светлых можно в расчет не брать. Это тоже орудия, но второго плана. И рассчитывать на них я не могу.

Темные?

Разумеется, они участвуют, но не в явном виде. И Завулон, и все его подручные обеспокоены появлением в нашем лагере Светланы. Но впрямую они ничего сделать не могут. Либо пакостить исподтишка, либо готовить сокрушительный удар, который поставит Дозоры на грань войны.

Что еще?

Инквизиция?

Я побарабанил пальцами по подлокотнику шезлонга.

Инквизиция. Структура над Дозорами. Она рассматривает спорные случаи, наказывает оступившихся — с любой стороны. Она бдит. Собирает данные о каждом из нас. Но ее вмешательство — редчайший случай, да и сила ее — скорее в скрытности, чем в боевой мощи. Когда Инквизиция рассматривает дело о достаточно могучем маге, она привлекает боевиков со стороны Дозоров.

И все-таки Инквизиция замешана. Я шефа знаю. Он из всего извлекает по меньшей мере две-три выгоды. И недавняя история с Максимом, диким Иным, Светлым, ушедшим работать в Инквизицию, тому пример. Шеф натаскал в этом деле Светлану, дал ей уроки самоконтроля и интриги, но попутно выявил нового Инквизитора.

Знать бы, к чему готовят Светлану!

Пока я иду в темноте. И что самое страшное — удаляюсь от Света.

Я надел наушники, закрыл глаза.

В эту ночь дивным цветом
                              распустится папоротник,
В это ночь домовые вернутся домой,
Тучи с севера, ветер с запада,
Значит, скоро колдунья махнет мне рукой.
Я живу в ожидании чуда, как маузер в кобуре,
Словно я паук в паутине,
Словно дерево в пустыне,
Словно черная лиса в норе.

Я рискую. Я очень рискую. Великие Волшебники идут по своим, но даже они не рискуют идти *против* своих. Одиночки не выживают.

Я бежал сквозь подзорные трубы
                              от испуганных глаз детей,
Я хотел переспать с русалкой,
                              но не знал, как быть с ней,
Я хотел обернуться трамваем
                              и въехать в твое окно,
Ветер дует с окраин, нам уже все равно,
Ветер дует с окраин, а нам уже все равно.
Будь моей тенью, скрипучей ступенью,
                              цветным воскресеньем, грибным дождем,
Будь моим богом, березовым соком,
                              электрическим током, кривым ружьем.
Я был свидетель тому, что ты ветер,
                              ты дуешь в лицо мне, а я смеюсь,
Я не хочу расставаться
                              с тобою без боя, покуда тебе я снюсь.
Будь моей тенью...

Рука легла на мое плечо.

— Доброе утро, Света, — сказал я и открыл глаза.

Она была в шортах и купальнике. Волосы влажные и аккуратно уложены. Наверное, душ приняла. А я, свинья, даже не подумал.

— Как ты после вчерашнего? — полюбопытствовала она.

— Нормально. А ты?

— Ничего. — Она отвернулась.

330

Я ждал. В наушниках наигрывал «Сплин».

— Чего ты от меня ждал? — резко спросила Света. — Я нормальная, здоровая, молодая женщина. У меня с зимы мужика не было. Понимаю, ты вбил себе в голову, что Гесер нас свел, как лошадей на случку, вот и уперся.

— Ничего я не ждал.

— Тогда извини за неожиданность!

— Ты почувствовала мой след в комнате? Когда проснулась?

— Да. — Светлана с трудом вытянула из узкого кармана пачку сигарет, закурила. — Я устала. Пусть я только учусь, а не работаю, но устала. И приехала сюда отдыхать.

— Ты ведь сама заговорила о наигранном веселье...

— А ты и рад был подхватить!

— Верно, — согласился я.

— А потом пошел жрать водку и строить заговоры.

— Какие еще заговоры?

— Против Гесера. И против меня, между прочим. Смешно! Даже я почувствовала! Не считай себя великим магом, который... Она осеклась. Но слишком поздно.

— Я не великий маг, — сказал я. — Третья ступень. Может быть, вторая. Не дальше. У каждого свои рамки, которые не переступить, даже если тысячу лет проживешь.

— Извини, я не хотела тебя обидеть, — растерянно сказала Света. Опустила руку с сигаретой.

— Брось. Мне не на что обижаться. Знаешь, почему Темные так часто образуют семьи, а мы предпочитаем искать жен и мужей среди людей? Темные легче переносят неравенство и непрерывную конкуренцию.

— Человек и Иной — это еще большее неравенство.

— Это уже не считается. Мы — два разных вида. Тут ничего не считается.

— Я хочу, чтобы ты знал. — Светлана глубоко затянулась. — Я не собиралась заводить дело так далеко. Ждала, что ты спустишься, увидишь, приревнуешь.

— Извини, я же не знал, что должен ревновать, — искренне покаялся я.

— А потом как-то все закрутилось. Я уже не могла остановиться.

— Да все я понимаю, Света. Все нормально.

Она растерянно посмотрела на меня:

— Нормально?

— Конечно. С кем не бывает. Дозор — одна большая и крепкая семья. Со всеми вытекающими последствиями.

— Какая ты скотина, — выдохнула Светлана. — Антон, ты бы посмотрел сейчас на себя со стороны! Как ты еще оказался с нашей стороны!

— Света, ты же пришла мириться? — удивленно спросил я. — Так вот, я мирюсь. Все нормально. Ничего не считается. Это жизнь, и в ней всякое бывает.

Она вскочила, секунду буравила меня ледяным взглядом. Я часто и растерянно моргал.

— Идиот, — выпалила Светлана и пошла в дом.

Так чего ты ждала? Обиды, обвинений, грусти?

Впрочем, это не важно. Чего ждал Гесер? Что изменится, если я выйду из роли невезучего возлюбленного Светы? Это место займет кто-то другой? Или ей уже пора остаться одной — одной наедине с великой судьбой?

Цель. Я должен знать цель Гесера.

Рывком поднявшись с шезлонга, я вошел в дом. И сразу же увидел Ольгу. В гостиной она была одна. Стояла перед раскрытыми витринами с мечами, держала на вытянутых руках длинный узкий клинок. Смотрела на него, нет, так не смотрят на антикварную игрушку. Тигренок, наверное, тоже смотрит на свои мечи похожим взглядом. Но для нее эта любовь к старому оружию абстрактная. Для Ольги — нет.

Когда Гесер переехал жить и работать в Россию, из-за нее, между прочим, такие мечи еще могли быть в ходу.

Восемьдесят лет назад, когда Ольгу лишили всех прав, воевали уже иначе.

Бывшая Великая Волшебница. Бывшая Великая цель. Восемьдесят лет.

— А ведь как задумано было, — сказал я.

Ольга вздрогнула и обернулась.

— Самим Тьму не победить. Надо, чтобы людишки просветлели. Стали добрыми и ласковыми, трудолюбивыми и умными. Чтобы каждый Иной, кроме Света, ничего не видел. Какая цель, как долго круги шли, когда она в крови утонула.

— Ты все-таки выяснил, — сказала Ольга. — Или догадался?

— Догадался.

— Хорошо. Что дальше?

— В чем ты прокололась, Ольга?

— Я пошла на компромисс. Маленький компромисс с Тьмой. И в итоге мы проиграли.

— Мы ли? Мы всегда уцелеем. Подладимся, подстроимся, вживемся. И будем вести прежнюю борьбу. Проигрывают только люди.

— Отступления неизбежны. — Ольга легко перехватила двуручник одной рукой, взмахнула над головой. — Похожа я на вертолет на холостом ходу?

— Ты похожа на женщину, которая машет мечом. Ольга, неужели мы ничему не учимся?

— Учимся, еще как. В этот раз все будет иначе, Антон.

— Новая революция?

— Мы и той не хотели. Все должно было пройти почти бескровно. Ты же понимаешь: мы побеждаем лишь через людей. Через их просветление, через возвышение духа. Коммунизм был прекрасно рассчитанной системой, и только моя вина, что он не был реализован.

— Ого! Почему ты еще не в сумраке, если это твоя вина?

— Да потому, что все было согласовано. Каждый шаг одобрен. Даже тот злосчастный компромисс, даже он казался допустимым.

— И теперь новая попытка изменить людей?

— Очередная.

— Почему — здесь? — спросил я. — Почему опять у нас?

— Где у нас?

— В России! Сколько она еще должна вынести?

— Сколько потребуется.

— Так почему снова — у нас?

Ольга вздохнула, легким движением отправила меч в ножны. Вернула на стенд.

— Потому, милый мой мальчик, что на этом поле еще можно чего-то добиться. Европа, Северная Америка — эти страны уже отработаны. Что возможно — было опробовано. Кое-что и сейчас отрабатывается. Но они уже в дреме, они уже засыпают. Крепкий пенсионер в шортах и с видеокамерой — вот что такое благополучные западные страны. А экспериментировать

333

надо на молодых. Россия, Азия, арабский мир — плацдармы сегодняшнего дня. И не строй возмущенного лица, я родину люблю не меньше тебя! Я за нее крови пролила больше, чем у тебя в жилах течет. Ты пойми, Антошка, поле боя — весь мир. Ты ведь знаешь это не хуже меня.

— Боя с Тьмой, а не с людьми!

— Да, с Тьмой. Но победить мы сможем, лишь создав идеальное общество. Мир, в котором будут царствовать любовь, доброта, справедливость. Работа Дозоров — это ведь не отлов магов-психопатов на улицах и выдача лицензий вампирам! Все эти мелочи занимают время, силы, но они вторичны, как тепло от электрической лампочки. Лампы должны светить, а не греть. Мы должны менять человеческий мир, а не ликвидировать мелкие прорывы Тьмы. Вот — цель. Вот — путь к победе!

— Ольга, это я понимаю.

— Прекрасно. Тогда пойми и то, о чем прямо не говорят. Мы боремся тысячи лет. И все это время мы пытались переломить ход истории. Создать новый мир.

— Дивный новый мир.

— Не иронизируй. Кое-чего мы все-таки добились. Через кровь, через страдания мир все же становится гуманнее. Но нужен настоящий, подлинный переворот.

— Коммунизм был нашей идеей?

— Не нашей, но мы ее поддержали. Она казалась достаточно привлекательной.

— А что теперь?

— Ты увидишь. — Ольга улыбнулась. Дружелюбно, искренне. — Антон, все будет хорошо. Верь мне.

— Я должен знать.

— Нет. Вот это как раз не нужно. Ты можешь не волноваться, никаких революций не планируется. Никаких лагерей, расстрелов, трибуналов. Мы не повторим старых ошибок.

— Зато наделаем новых.

— Антон! — Она повысила голос. — Да в конце-то концов, что ты себе позволяешь? У нас прекрасные шансы победить. У нашей страны — получить мир, покой, процветание! Встать во главе человечества. Преодолеть Тьму. Двенадцать лет подготовки, Антон. И не только Гесер работал, все высшее руководство.

— Что?

— Да. А ты думал, все делается наобум?

Я был ошеломлен.

— Вы следили за Светланой двенадцать лет?

— Конечно же, нет! Была разработана новая социальная модель. Проведены испытания отдельных элементов плана. Даже я не в курсе всех деталей. С тех пор Гесер ждал, когда участники плана сойдутся воедино в пространстве и времени.

— Кто именно? Светлана и инквизитор?

У нее на миг сузились зрачки, и я понял, что угадал. Частично.

— Кто еще? Какая роль отведена мне? А что будешь делать ты?

— Узнаешь в свое время.

— Ольга, еще никогда вмешательство магии в человеческую жизнь не приводило к добру.

— Не надо школьных аксиом. — Она и впрямь завелась. — Не считай себя умнее других. Мы не собираемся использовать магию. Успокойся и отдыхай.

Я кивнул:

— Хорошо. Ты изложила свою позицию, я с ней не согласен.

— Официально?

— Нет. В частном порядке. И как частное лицо я считаю себя вправе противодействовать.

— Кому? Гесеру? — У Ольги округлились глаза, кончики губ приподнялись в улыбке. — Антон!

Я повернулся и вышел.

Да, смешно.

Да, нелепо.

Не просто сумбурная акция, которую проводят Гесер и Ольга. Не просто попытка повторить неудавшийся социальный эксперимент. Подготовленная, давно запланированная операция, в которую я имел несчастье влипнуть.

Одобренная высшим руководством.

Одобренная Светом.

Почему я дергаюсь? У меня и права-то на это нет. Никакого. И шансов нет. Абсолютно. Можно утешаться мудростью о песчинке в часовом механизме, но я сейчас — песчинка на мельничных жерновах.

И, что самое печальное, на дружелюбных и заботливых жерновах. Никто не будет преследовать меня. Никто не станет со мной бороться. Просто помешают делать глупости, от которых все равно нет и не будет прока.

Почему же тогда так больно, так нестерпимо больно в груди?

Я стоял на террасе, сжимая в бессильной ярости кулаки, когда на плечо легла рука.

— Похоже, ты кое-что выяснил, Антон?

Глянув на Семена, я кивнул.

— Тяжело?

— Да, — признался я.

— Ты только одно помни, пожалуйста. Ты — не песчинка. Никто из людей не песчинка. И уж тем более — из Иных.

— Сколько надо прожить, чтобы так угадывать мысли?

— Лет сто, Антон.

— Тогда Гесер может читать любого из нас, как открытую книгу.

— Конечно.

— Значит, я должен разучиться думать, — сказал я.

— Вначале этому надо научиться. Ты в курсе, что в городе была заварушка?

— Когда?

— Четверть часа назад. Все уже закончилось.

— А что случилось?

— К шефу приехал курьер, откуда-то с Востока. Темные пытались его отследить и уничтожить. На глазах у шефа. — Семен ухмыльнулся.

— Это же война!

— Нет, они в своем праве. Курьер приехал нелегально.

Я посмотрел вокруг. Никто никуда не спешил. Машины не заводили, вещи не собирали. Игнат и Илья снова протапливали мангал.

— Нам не нужно возвращаться?

— Нет. Шеф справился сам. Была небольшая схватка, без жертв. Курьера приняли в наш Дозор, и Темные были вынуждены удалиться ни с чем. Вот только ресторан слегка пострадал.

— Какой еще ресторан?

— В котором шеф встретился с курьером, — терпеливо разъяснил Семен. — Нам разрешили продолжить отдых.

Я посмотрел в небо — ослепительно синее, наливающееся жарой.

— Знаешь, мне что-то не хочется отдыхать. Я вернусь в Москву. Думаю, никто не обидится.

— Конечно, нет.

Семен достал сигареты, закурил. И небрежно бросил:

— На твоем месте я узнал бы, что именно привез курьер с Востока. Может быть, это твой шанс.

Я горько рассмеялся.

— Темные не смогли это узнать, а ты предлагаешь мне порыться в сейфе у шефа?

— Темные не смогли это забрать. Чем бы оно ни было. Забирать или даже касаться груза ты не вправе, конечно. А вот узнать...

— Спасибо. Действительно спасибо.

Семен кивнул, без лишней скромности принимая благодарность.

— В сумраке сочтемся. Да, ты знаешь, я тоже устал от отдыха. После обеда возьму у Тигренка мотоцикл и поеду в город. Подбросить?

— Угу.

Мне было стыдно. Наверное, этот стыд могут испытывать в полной мере лишь Иные. Мы всегда понимаем, когда нам идут навстречу, когда делают незаслуженные подарки, от которых, однако, нет сил отказаться.

Не мог я больше тут оставаться. Никак не мог. Видеть Светлану, Ольгу, Игната. Слышать их правду.

Моя правда навсегда останется со мной.

— А ты мотоцикл-то водить умеешь? — спросил я, неуклюже уводя разговор в сторону.

— Я в первом ралли Париж—Дакар участвовал. Идем поможем ребятам.

Я мрачно посмотрел на Игната, колющего дрова. Топором он орудовал виртуозно. А после каждого удара на миг застывал, мимолетно окидывая взглядом окружающих, поигрывал бицепсами.

Он очень себя любил. Весь остальной мир, впрочем, не меньше. Но себя — в первую очередь.

— Поможем, — согласился я. Размахнулся и бросил сквозь сумрак знак тройного лезвия. Несколько чурбанов разлетелись аккуратными поленьями, Игнат, как раз занесший топор для очередного удара, потерял равновесие и едва не упал. Завертел головой.

Разумеется, след от моего удара в пространстве остался. Сумрак звенел, жадно впитывая энергию.

— Антоша, ну зачем? — с легкой обидой спросил Игнат. — Ну зачем? Неспортивно же так!

— Зато эффективно, — ответил я, спускаясь с террасы. — Еще поколоть?

— Да ну тебя. — Игнат нагнулся, собирая поленья. — Так докатимся до того, что шашлык файерболами станем жарить.

Вины я за собой не чувствовал, но все-таки стал помогать. Дрова были нарублены чисто, срезы сверкали сочной янтарной желтизной. Даже жалко такую красоту — на дрова.

Потом я взглянул на дом и увидел в окне первого этажа Ольгу.

Очень серьезно она наблюдала за моей эскападой. Слишком серьезно.

Я помахал ей рукой.

ГЛАВА 5

Мотоцикл у Тигренка был хороший, если это невнятное слово вообще применимо к «харлею». Пусть даже самой простой модели — все равно бывают «Харлей-Дэвидсоны», а бывают другие мотоциклы.

Зачем он Тигренку, я не знал, судя по всему, на нем ездили раз-другой в год. Наверное, для того же, что и огромный особняк, где волшебница жила по выходным. Зато мы приехали в город, когда еще не было двух после полудня.

Семен управлял тяжелой двухколесной машиной виртуозно. Я бы никогда так не смог, даже активировав заложенные в памяти «экстремальные навыки» и проглядывая линии реальности. Мог бы проехать почти с той же скоростью, истратив изрядную часть запасенной Силы. А Семен просто вел — и все его преимущество перед водителем-человеком было разве что в большем опыте.

Даже на скорости в сотню километров воздух оставался горячим. Ветер шершавым горячим полотенцем хлестал по щекам.

Словно мы неслись сквозь топку — бесконечную, асфальтовую, полную натужно ползущих, уже поджаренных на солнышке машин. Раза три мне казалось, что мы врежемся в какой-нибудь автомобиль или в услужливо подвернувшийся столб.

Вряд ли разобьемся до смерти, ребята почувствуют, приедут, соберут нас по кусочкам, но приятного все равно мало.

Мы доехали без приключений. После кольцевой дороги Семен раз пять пользовался магией, но лишь для того, чтобы отвести глаза гаишникам.

Адреса Семен не спросил, хотя и не был у меня ни разу. Остановил у подъезда, заглушил мотор. Подростки, глушащие дешевое пиво на детской площадке, моментально затихли, уставившись на мотоцикл. Хорошо иметь в жизни такие простые и ясные мечты: пиво, экстази на дискотеке, заводную подружку и «харлей» под задницей.

— У тебя давно были предвидения? — спросил Семен.

Я вздрогнул. В общем-то я особо не распространялся, что они у меня вообще бывают.

— Довольно давно.

Семен кивнул. Посмотрел вверх, на мои окна. Чем был вызван вопрос, он уточнять не стал.

— Может быть, подняться с тобой?

— Слушай, я вроде не девушка, чтобы провожать меня до двери.

Маг усмехнулся:

— Ты меня с Игнатом не путай. Ладно, пустое все. Будь осторожен.

— В чем?

— Да во всем, наверное.

Мотор мотоцикла взвыл. Маг покачал головой:

— Что-то идет, Антон. Надвигается. Будь осторожен.

Он рванул с места, вызвав одобрительные восклицания у молодежи, легко вписался в узкий проход между запаркованной «волгой» и медленно едущим «жигуленком». Я посмотрел вслед, покачал головой. Без всякого предвидения скажу, что Семен будет весь день мотаться по Москве, потом прибьется к какой-нибудь компании рокеров, впишется туда за четверть часа и породит множество легенд о сумасшедшем старом мотоциклисте.

Будь осторожен...

В чем?

И зачем, самое главное?

Я вошел в подъезд, автоматически оттарабанив на замке код, вызвал лифт. Еще утром был отдых, были друзья, было хорошо.

Все осталось, только меня там уже нет.

Говорят, когда Светлый маг срывается, этому всегда предшествуют «проблески», как у больных перед эпилептическим припадком. Бессмысленное применение силы, вроде истребления мух файерболами и рубки дров боевыми заклинаниями. Ссоры с любимыми. Неожиданные размолвки с одними друзьями и столь же неожиданные теплые отношения с другими. Все это известно, и все мы знаем, чем кончается срыв Светлых.

Будь осторожен...

Я подошел к двери и потянулся за ключами.

Вот только дверь была отперта.

Вообще-то ключи имелись у родителей. Но они никогда не приехали бы ко мне из Саратова, не предупредив. Да и почувствовал бы я их приближение.

Простой человеческий бандит ко мне в квартиру никогда не вломится, его остановит простенький знак у порога. Для Иных тоже есть свои преграды. Конечно, преодоление их — вопрос Силы. Но сторожевые системы должны были сработать!

Я стоял, глядя на узкую щель между дверью и косяком, на щель, которой не могло быть. Посмотрел сквозь сумрак — но не увидел ничего.

Оружия у меня с собой не было. Пистолет — в квартире. Десяток боевых амулетов — тоже.

Можно было поступить по инструкции. Работник Ночного Дозора, обнаруживший чужое проникновение в жилище, находящееся под магической охраной, обязан уведомить оперативного дежурного и куратора, после чего...

Я только представил себе, что сейчас буду взывать к Гесеру, два часа назад между делом разогнавшему весь Дневной Дозор, и всякое желание следовать инструкциям отпало. Сложил пальцы, подвешивая на быстрое заклятие «заморозку». Наверное, вспомнив эффектный жест Семена.

Будь осторожен?

Толкнув дверь, я вошел в собственную, но вмиг ставшую чужой квартиру.

И уже входя, сообразил, кому могло хватить сил, полномочий и самой банальной наглости, чтобы прийти ко мне без приглашения.

— Добрый день, шеф! — сказал я и заглянул в кабинет.

В чем-то, конечно, я не ошибся.

Завулон, сидящий в кресле у окна, удивленно приподнял брови. Отложил газету «Аргументы и факты», которую читал. Аккуратно снял очки в тонкой золотой оправе. И лишь после этого ответил:

— Добрый день, Антон. Знаешь, я был бы рад оказаться твоим шефом.

Он улыбался, Темный маг вне категорий, глава Дневного Дозора Москвы. Как обычно, он был в безукоризненно сидящем черном костюме, светло-серой рубашке. Худощавый, коротко стриженный Иной непонятного возраста.

— Я ошибся, — сказал я. — Что ты здесь делаешь?

Завулон пожал плечами:

— Возьми амулет. Он где-то в столе, я его чувствую.

Подойдя к столу, я открыл ящик, вынул костяной медальон на медной цепочке. Сжал в кулаке — ощутил, как амулет теплеет.

— Завулон, в тебе нет власти надо мной.

Темный маг кивнул:

— Хорошо. Я не хочу, чтобы ты испытывал сомнения в собственной безопасности.

— Что ты делаешь в доме Светлого, Завулон? Я вправе обратиться в трибунал.

— Знаю. — Завулон развел руками. — Все знаю. Не прав. Глуп. Подставляюсь сам и подставляю Дневной Дозор. Но я пришел к тебе не как к врагу.

Я промолчал.

— Да, об устройствах наблюдения можешь не беспокоиться, — небрежно обронил Завулон. — Как о ваших, так и о тех, что ставит Инквизиция. Я позволил себе их, скажем так, усыпить. Все, что мы скажем друг другу, навсегда останется между нами.

— Человеку верь наполовину, Светлому — на четверть, Темному — ни в чем, — пробормотал я.

— Конечно. Ты вправе мне не верить. Даже обязан! Но я прошу тебя выслушать. — Завулон вдруг улыбнулся, удивительно открыто и примиряюще. — Ты ведь Светлый. Ты обязан помогать. Всем, кто попросит помощи, даже мне. Вот я и прошу.

Поколебавшись, я прошел к диванчику, сел. Не разуваясь, не снимая подвешенного фриза, как бы ни было смешно представить себя сражающимся с Завулоном.

Чужой в собственной квартире. Мой дом — моя крепость, я почти поверил в это за годы работы в Дозоре.

— Вначале — как ты вошел? — спросил я.

— Вначале я взял самую обыкновенную отмычку, но...

— Завулон, ты знаешь, о чем я. Сигнальные барьеры можно уничтожить, но не обмануть. Они обязаны были сработать при чужом проникновении.

Темный маг вздохнул.

— Мне помог войти Костя. Ты ведь дал ему допуск.

— Я надеялся, что он мой друг. Хоть и вампир.

— А он и есть твой друг. — Завулон улыбнулся. — И хочет тебе помочь.

— По-своему.

— По-нашему. Антон, я вошел в твой дом, но не собираюсь причинять вреда. Я не смотрел служебных документов, которые у тебя хранятся. Не оставлял следящих знаков. Я пришел поговорить.

— Говори.

— У нас обоих проблема, Антон. Одна и та же. И сегодня она выросла до критических величин.

Я знал, едва увидев Завулона, к чему сведется разговор. Поэтому лишь кивнул.

— Хорошо, ты понимаешь. — Темный маг подался вперед, вздохнул. — Антон, я не строю иллюзий. Мы видим мир по-разному. И свой долг понимаем неодинаково. Но даже в таких ситуациях случаются точки пересечения. Нас, Темных, можно в чем-то упрекнуть — с вашей точки зрения. Мы порой поступаем достаточно неоднозначно. И к людям, пусть вынужденно, по природе своей, относимся менее бережно. Да, это все есть. Однако никто, заметь, никто и никогда не упрекал нас в попытке глобального вмешательства в судьбы человечества!

После заключения Договора мы живем своей жизнью и хотели бы того же и от вас.

— Никто не упрекал, — согласился я. — Потому что время, как ни крути, работает на вас.

Завулон кивнул:

— А что это означает? Может быть, мы ближе к людям? Может быть, мы — правы? Впрочем, оставим эти споры, они бесконечны. Я повторю свои слова: мы чтим Договор. И зачастую придерживаемся его куда тщательнее, чем силы Света.

Обычная практика в спорс. Вначале признать какую-нибудь общую вину. Потом — мягко упрекнуть собеседника в столь же общей небезгрешности. Пожурить и тут же отмахнуться — забудем.

И лишь после этого перейти к главному.

— Впрочем, давай о главном. — Завулон посерьезнел. — Что мы все вокруг да около. За последнее столетие силы Света трижды производили глобальные эксперименты. Революция в России, Вторая мировая война. И вот снова. По тому же самому сценарию.

— Не понимаю, о чем ты, — сказал я. В груди тоскливо заныло.

— Правда? Я объясню. Отрабатываются социальные модели, которые — пусть путем чрезвычайных потрясений, огромной крови, но приведут человечество, или значительную его часть, к идеальному обществу. К идеальному с вашей точки зрения, но я не спорю! Отнюдь. Каждый имеет право на мечту. Но то, что путь ваш уж очень жесток... — И снова грустная улыбка. — Вы нас упрекаете в жестокости, да, и есть основания, но что стоит загубленный на черной мессе ребенок по сравнению с заурядным фашистским детским концлагерем? А ведь фашизм — тоже ваша разработка. Опять же — вышедшая из-под контроля. Вначале интернационализм и коммунизм — не вышло. Потом национал-социализм. Тоже ошибка? Столкнули вместе, понаблюдали за итогом. Вздохнули, все стерли и принялись экспериментировать по-новой.

— Ошибки — вашими стараниями.

— Конечно! А у нас ведь есть инстинкт самосохранения! Мы не строим социальных моделей на основе своей этики. Так почему же должны допускать ваши проекты?

Я промолчал.

Завулон кивнул, явно удовлетворенный.

— Так вот, Антон. Мы можем быть врагами. Мы и есть враги. Этой зимой ты помешал нам, и достаточно серьезно. Весной ты снова перешел мне дорогу. Уничтожил двух сотрудников Дневного Дозора. Да, конечно, Инквизиция признала твои действия совершенными в порядке самообороны и крайней необходимости, но поверь — мне неприятно. Что за глава организации, если он не может защитить своих сотрудников? Итак, мы враги. Но сейчас возникла уникальная ситуация. Очередной эксперимент. И ты в нем косвенно замешан.

— Не знаю, о чем ты говоришь.

Завулон засмеялся. Поднял руки:

— Антон, я ничего не хочу из тебя выуживать. И не стану задавать вопросов. И просить ни о чем не буду. Выслушай мой рассказ. Потом я уйду.

Я вдруг вспомнил, как этой зимой на крыше многоэтажного дома ведьмочка Алиса использовала свое право на вмешательство. Совсем слабенькое, она лишь разрешила мне сказать правду. И эта правда повернула мальчика Егора в сторону Темных.

Почему же так происходит?

Ну почему Свет действует через ложь, а Тьма — через правду? Почему наша правда оказывается беспомощной, тогда как ложь — действенной? И почему Тьма прекрасно обходится правдой, чтобы творить Зло? В чьей это природе, в человеческой или нашей?

— Светлана — прекрасная волшебница, — сказал Завулон. — Но ее будущее — не руководство Ночным Дозором. Ее собираются использовать для одной-единственной цели. Для миссии, которую неудачно выполнила Ольга. Ты ведь знаешь, что этим утром в город прорвался курьер из Самарканда?

— Знаю, — почему-то признался я.

— А я могу сказать, что он привез. Ты ведь хочешь это знать?

Я сжал зубы.

— Хочешь. — Завулон кивнул. — Курьер привез кусочек мела.

Темным не верь никогда. Но почему-то мне казалось, что он не врет.

— Маленький кусочек мела. — Темный маг улыбнулся. — Им можно писать на школьной доске. Или рисовать классики на асфальте. Или натирать кий на бильярде. Все это можно делать так же легко, как колоть орехи большой королевской печатью. Но вот если этот мелок возьмет в руки Великая Волшебница, именно Великая — рядовой не хватит силы. Именно Волшебница — в мужских руках мел останется простым мелом. К тому же Волшебница должна быть Светлой. Для Тьмы этот артефакт бесполезен.

Мне показалось, или он вздохнул? Я смолчал.

— Маленький кусочек мела. — Завулон откинулся в кресле, покачался взад-вперед. — Он уже весь сточен, его не раз брали тонкие пальчики красивых девушек, чьи глаза горят светлым огнем. Его пускали в дело, и земля вздрагивала, таяли границы государств, поднимались империи, пастухи становились пророками, а плотники — богами, подкидышей признавали королями, сержанты возвышались до императоров, недоучки-семинаристы и бесталанные художники вырастали в тиранов. Маленький огрызок мела. Всего лишь.

Завулон встал. Развел руками.

— Вот и все, дорогой мой враг, что я хотел сказать. Остальное ты поймешь сам, если захочешь, конечно.

— Завулон. — Я разжал кулак и посмотрел на амулет. — Ты — порождение Тьмы.

— Конечно. Но лишь той Тьмы, что была во мне. Той, которую я выбрал сам.

— Даже твоя правда несет Зло.

— Кому? Ночному Дозору? Конечно. Людям? Позволь не согласиться.

Он пошел к двери.

— Завулон, — снова окликнул я его. — Я видел твой истинный облик. Я знаю, кто ты и что ты есть.

Темный маг остановился как вкопанный. Потом медленно повернулся, провел ладонью по лицу — на миг оно исказилось, вместо кожи мелькнула тусклая чешуя, глаза стали узкими щелями.

Морок рассеялся.

— Да, конечно. Ты видел. — Завулон вновь обрел человеческий облик. — А я — видел тебя. И позволь признаться, что ты не был белым ангелом со сверкающим мечом. Все зависит от того, откуда смотришь. Прощай, Антон. Поверь, я с удовольствием уничтожу тебя как-нибудь потом. Но сейчас желаю удачи. От души, которой у меня все равно нет.

За ним хлопнула дверь.

И тут же, будто очнувшись, взвыл из сумрака сторожевой знак. Маска Чхоен на стене скривилась, в деревянных прорезях глаз сверкнула ярость, рот оскалился.

Охраннички...

Знак я заставил замолчать двумя пассами, а в маску выпалил припасенный *фриз*. Вот и пригодилось заклинание.

— Кусочек мела, — сказал я.

Что-то я слышал. Но совсем давно, и краем уха. То ли несколько фраз, оброненных преподавателем на лекции, то ли треп в компании, то ли курсантские байки. Именно о кусочке мела...

Я встал с дивана и поднял руку. Бросил амулет на пол.

— Гесер! — закричал я сквозь сумрак. — Гесер, ответь мне!

Тень метнулась ко мне с пола, впилась в тело, всосала в себя. Свет потускнел, комната поплыла, очертания мебели смазались. Стало нестерпимо тихо. Жара отступила. Я стоял, раскинув руки, и жадный сумрак пил мои силы.

— Гесер, именем твоим призываю!

Нити серого тумана плыли сквозь комнату. Мне плевать было, кто еще способен услышать мой крик.

— Гесер, мой наставник, призываю тебя — ответь?

Далеко-далеко вздохнула невидимая тень.

— Я слышу тебя, Антон.

— Ответь!

— На что ты хочешь получить ответ?

— Завулон — не соврал?

— Нет.

— Гесер, остановитесь!

— Поздно, Антон. Все идет, как должно идти. Доверься мне.

— Гесер, остановитесь!

— Ты ничего не в праве требовать.

— Вправе! Если мы — часть Света, если мы несем Добро — вправе!

Он замолчал. Я даже подумал, что шеф решил не говорить со мной вообще.

— Хорошо. Жду тебя через час в парабаре.

— Где-где?

— Бар парашютистов. Метро «Тургеневская». За бывшим главпочтамтом.

Повисла тишина.

Я отступил на шаг, выбираясь из сумрака. Оригинальное место для встречи. Это там, что ли, Гесер разбирался с Дневным Дозором? Нет, вроде бы это было в каком-то ресторане.

Ладно, хоть в парабар, хоть в «Рози», хоть в «Шанс». Не важно. Хоть парашютисты, хоть яппи, хоть геи.

Но вот другую вещь перед встречей с Гесером я обязан узнать.

Достав мобильник, я набрал номер Светланы. Она отозвалась сразу.

— Привет, — просто сказал я. — Ты на даче?

— Нет. — Кажется, она растерялась от деловитости тона. — Еду в город.

— С кем?

Она запнулась:

— С Игнатом.

— Хорошо, — искренне сказал я. — Слушай, ты ничего не знаешь про мел?

— Про что?

Вот теперь растерянность была явной.

— Про магические свойства мела. Тебя не учили его применению в магии?

— Нет. Антон, с тобой все в порядке?

— Да более чем.

— Ничего не случилось?

Вечная женская манера: задавать каждый вопрос в двух-трех вариациях.

— Ничего особенного.

— Хочешь... — Она запнулась. — Хочешь, я спрошу у Оли?

— Она тоже с вами?

— Да, мы втроем в город поехали.

— Пожалуй, не надо. Спасибо.

— Антон...

— Что, Света?

Я подошел к столу, открыл ящик со всяким магическим барахлом. Поглядел на тусклые кристаллы, на неумело вырезанный магический жезл — тогда я еще хотел сам стать боевым магом. Задвинул ящик обратно.

— Прости меня.

— Тебе не за что просить прощения.

— Можно, я приеду к тебе?

— Вы далеко?

— На полдороги.

Покачав головой, я ответил:

— Не получится. У меня важная встреча. Перезвоню попозже.

Я отключил связь и улыбнулся. Правда может быть злой и лживой во многих случаях. Например, если сказать лишь половину правды. Сказать, что не хочешь разговаривать, и не объяснить — почему.

Позвольте мне творить Добро через Зло. Ничего другого под рукой нет.

На всякий случай я прошел по квартире, заглянул в спальню, в туалет, в ванную, на кухню. Насколько я смог почувствовать, Завулон и впрямь не оставил «подарочков».

Вернувшись в кабинет, я запустил ноутбук, вставил диск с информационной базой по магии. Набрал пароль. И ввел слово «мел».

На особенный результат я не рассчитывал. То, что я хотел знать, могло принадлежать к такому высокому уровню допуска, что никогда не заносилось в компьютерные базы.

В базе слово «мел» нашлось трижды.

В первом случае речь шла о меловом карьере, где в пятнадцатом веке произошла дуэль Светлого и Темного магов первого уровня. Они погибли оба, погибли от элементарного истощения сил, не сумев выйти из сумрака в конце схватки. За последующие полтысячелетия в этом районе погибло почти три тысячи человек.

Второй случай касался использования мела для начертания магических знаков и защитных кругов. Здесь информации было куда больше, и я торопливо прочитал все. Ничего особенного. Использование мела не имело никаких особых преимуществ перед углем, карандашом, кровью или масляной краской. Разве что стирался он легче всего.

А вот третье упоминание шло в разделе «Мифы и неподтвержденные данные». Конечно, здесь было полно чуши, вроде использования серебра и чеснока для борьбы с вампирами или описаний несуществующих обрядов и ритуалов.

Но мне уже приходилось сталкиваться с тем, что среди «мифов» встречались истинные, но хорошо забытые сведения.

Мел упоминался в статье «Книги Судьбы».

Я дочитал до половины, когда понял, что попал в точку. Информация была совершенно открытой, она лежала на виду, она была доступна для любого начинающего мага, а возможно — встречалась и в открытых для людей источниках.

Книги Судьбы. Мел.

Все сходилось.

Закрыв файл, я отключил машину. Посидел, кусая губы. Посмотрел на часы.

Пора было ехать в точку нашего странного рандеву.

Я принял душ и переоделся. Из амулетов оставил при себе медальон Завулона, знак Ночного Дозора и подаренный когда-то Ильёй боевой диск — древнюю бронзовую кругляшку размером чуть побольше пятирублевой монетки. Диск я не использовал никогда. Как сказал маг, в амулете оставался один, от силы — два заряда.

Из тайника я достал пистолет. Проверил обойму. Разрывные серебряные пули. Хорошо против оборотней, сомнительно против вампиров, вполне эффективно против Темных магов.

Словно я собрался воевать, а не шел на разговор с начальником.

Мобильник зазвонил в кармане, когда я стоял перед дверью.

— Антон?

— Света?

— Ольга хочет с тобой поговорить, я дам ей трубку.

— Давай, — согласился я, отпирая замок.

— Антон, я очень тебя люблю. Не делай глупостей, пожалуйста.

Я даже не нашелся, что ответить. — Трубку взяла Ольга.

— Антон. Хочу, чтобы ты знал: все уже решено. И все произойдет очень скоро.

— Сегодня ночью, — поддакнул я.

— Откуда ты знаешь?

— Чувствую. Просто чувствую. Для этого Дозор и удалили из города, ведь верно? И Светлану привели в необходимое расположение духа.

— Что ты знаешь?

— Книга судьбы. Мел. Я уже все понял.

— Зря, — коротко ответила Ольга. — Антон, ты должен...

— Я не должен ничего и никому. Только Свету во мне.

Оборвав связь, я выключил мобильник. Хватит. Гесер может связаться со мной и так, без всяких технических средств. Ольга продолжит уговоры. Светлана все равно не поймет, что и зачем я делаю.

Решил идти до конца, так иди один. И никого не зови с собой.

— Садись, Антон, — сказал Гесер.

Помещение оказалось совсем крошечным. Шесть-семь столиков, разделенных перегородками. Барная стойка. Накурено. По телевизору с выключенным звуком — затяжные прыжки. На стенах фотографии — то же самое, распластавшиеся в полете тела в ярких комбинезонах. Народу оказалось немного, может быть, из-за времени: для обеда поздно, до вечернего пика еще далеко. Я окинул взглядом столики — и за угловым увидел Бориса Игнатьевича.

Шеф был не один. Он сидел перед блюдом с фруктами, лениво отрывая от грозди виноградины. Чуть в стороне, скрестив руки, сидел высокий смуглый парень. Наши взгляды пересеклись, и я почувствовал мягкое, но ощутимое давление.

Тоже Иной.

Секунд пять мы смотрели друг на друга, постепенно усиливая нажим. Способности у него были, изрядные способности, вот только опыта маловато. В какой-то миг я ослабил сопротивление, уклонился от его зонда и, прежде чем парень успел поставить защиту, просканировал его.

Иной. Светлый. Четвертый уровень.

Парень скривился, как от боли. Глянул на Гесера глазами побитой собаки.

— Познакомьтесь, — предложил Гесер. — Антон Городецкий, Иной, Ночной Дозор Москвы. Алишер Ганиев, Иной, Ночной Дозор Москвы с недавних пор.

Курьер.

Я протянул ему руку и снял защиту.

— Светлый, второй уровень, — сказал Алишер, посмотрев мне в глаза. Поклонился.

Покачав головой, я ответил:

— Третий.

Парень снова посмотрел на Гесера. Теперь не виновато, а удивленно.

— Второй, — подтвердил шеф. — Ты на пике своей формы, Антон. Я очень рад за тебя. Садись, поговорим. Алишер, наблюдай.

Я уселся напротив шефа.

— Знаешь, почему я назначил встречу именно здесь? — спросил Гесер. — Виноград бери, вкусный виноград.

— Откуда мне знать? Может быть, здесь самый вкусный виноград в Москве.

Гесер засмеялся.

— Браво. Ну, это не главное. Фрукты мы на рынке купили.

— Значит, обстановка приятная.

Шеф пожал плечами:

— Ничего особенного. Маленький зал, если пройти в ту дверь — бильярд и еще пара столиков.

— Вы тайно прыгаете с парашютом, шеф.

— Лет двадцать как не прыгал, — невозмутимо отпарировал Гесер. — Антон, дорогой, я зашел сюда покушать картошечки с бефстрогановом и закусить виноградом, лишь чтобы показать тебе микросреду. Маленькое-маленькое общество. Вот ты расслабься, посиди. Алишер, кружку пива Антону! Посмотри вокруг, солдат. Погляди на лица. Послушай треп. Вдохни воздух.

Я отвернулся от шефа. Сдвинулся к краю деревянной скамьи, чтобы хоть немного видеть окружающих. Алишер уже стоял у стойки, ожидая пиво для меня.

У них были странные лица, у завсегдатаев парабара. Чемто неуловимо схожие между собой. Особенные глаза, особенные жесты. Ничего особенного, вот только невидимое клеймо на каждом.

— Коллектив, — сказал шеф. — Микросреда. Я мог бы провести этот разговор в гейском клубе «Шанс», или в ресторане ЦДЛ, или в забегаловке рядом с каким-нибудь заводом. Не важно. Главное, чтобы там сложился именно узкий, замкнутый коллектив. В той или иной мере изолированный от общества. Не «Макдоналдс», не шикарный ресторан, а явный или скрытый клуб. Знаешь почему? Это мы. Это модель нашего Дозора.

Я молчал. Я смотрел, как парень на костылях подошел к соседнему столику, отмахнулся от предложения сесть и, опершись на перегородку, начал что-то рассказывать. Музыка перекрывала слова, но общий смысл я мог впитать через сумрак. Нераскрывшийся и отстегнутый парашют. Посадка на запаске. Перелом. Полгода, блин, не прыгать!

— Здешняя компания очень показательна, — неторопливо продолжал шеф. — Риск. Острые впечатления. Непонимание окружающих. Сленг. Совершенно непонятные для нормальных людей проблемы. И, кстати, регулярные травмы и смерть. Тебе здесь нравится?

Подумав, я ответил:

— Нет. Здесь надо быть своим. Или не быть совсем.

— Конечно же. В любую такую микросреду любопытно заглянуть — один раз. Далее ты либо принимаешь ее законы и входишь в ее маленький социум, либо отторгаешься. Так вот, мы ничем не отличаемся. По сути своей. Каждый Иной, найденный, осознавший свою сущность, встает перед выбором. Либо он входит в Дозор своей стороны, становится солдатом, бойцом, неизбежным смертником. Либо продолжает жить почти человеческой жизнью, не развивая особенно магических способностей, пользуясь рядом преимуществ Иного, но и недостатки такой жизни вкушая в полной мере. Самое неприятное, когда изначальный выбор сделан неправильно. Иной не хочет уже принимать законы Дозора по тем или иным причинам. Но выйти из нашей структуры почти невозможно. Вот скажи, Антон, ты мог бы существовать вне Дозора?

Конечно же, шеф никогда не ведет абстрактных разговоров.

— Наверное, нет, — признал я. — Мне трудно, практически невозможно будет удержаться в границах допустимого для рядового Светлого мага.

— А не входя в Дозор, ты не сможешь оправдывать магические воздействия интересами борьбы с Тьмой. Так ведь?

— Так.

— Вот в чем вся сложность, Антошка, вся беда. — Шеф вздохнул. — Алишер, не стой столбом.

Он прямо-таки помыкал этим парнем. Но о причинах я догадывался без труда: курьер выбил, выпросил себе место в московском Дозоре и сейчас вкушал неизбежные последствия.

— Ваше пиво, Светлый Антон. — С легким кивком парень поставил передо мной кружку.

Я молча взял пиво. Ни в чем он не был виновен, этот молодой и талантливый маг. Наверняка мы сможем подружиться. Но сейчас я зол даже на него: Алишер привез в Москву то, что навсегда разъединит меня и Светлану.

— Антон, что будем делать? — спросил шеф.

— А в чем, собственно говоря, проблемы? — глядя на него преданными глазами старого сенбернара, ответил я.

— Светлана. Ты выступаешь против ее миссии.

— Конечно.

— Антон, это ведь азбучные истины. Аксиомы. Ты не вправе возражать против политики Дозора, исходя из своих личных интересов.

— При чем тут мои личные интересы? — искренне удивился я. — Я считаю, что вся готовящаяся операция аморальна. Она не принесет пользы людям. Так или иначе — все попытки кардинально изменить человеческое общество терпели крах.

— Рано или поздно мы преуспеем. Заметь, я даже не пытаюсь утверждать, что именно в этот раз нас ждет удача. Но шансы велики как никогда.

— Я не верю.

— Ты можешь подать апелляцию высшему руководству.

— Ее успеют рассмотреть до того дня, когда Светлана возьмет в руки мелок и откроет Книгу Судьбы?

Шеф прикрыл глаза. Вздохнул.

— Нет. Не успеют. Все произойдет сегодня ночью, едва лишь придет наше время. Удовлетворен? Узнал время акции?

— Борис Игнатьевич. — Я специально назвал его тем именем, под которым впервые узнал. — Послушайте меня. Прошу вас. Когда-то вы бросили родину и приехали в Россию. Не из-за интересов Света, не из-за карьеры. Из-за Ольги. Я немножко знаю, что у вас за спиной. Сколько всего: и ненависти, и любви, и предательства, и благородства. Но вы должны меня понять. Можете.

Не знаю, чего я ждал. Какого ответа, отведенных глаз или брошенного сквозь зубы обещания отменить акцию.

— Я прекрасно тебя понимаю, Антон. — Шеф кивнул. — Ты даже не представляешь, насколько хорошо. Именно поэтому акция будет продолжаться.

— Но почему?

— Да потому, мальчик мой, что есть такая вещь — судьба. И нет ничего сильнее. Кому-то предназначено менять мир. Кому-то этого не дано. Кому-то предназначено сотрясать государства, а кому-то — стоять за кулисами с ниточками от марионеток в перепачканных мелом руках. Антон, поверь, я знаю, что делаю. Поверь.

— Не верю.

Я встал, оставив нетронутое пиво с уже стаявшей пенной шапкой. Алишер вопросительно посмотрел на шефа, будто готов был меня остановить.

— Ты вправе делать все, что хочешь, — сказал шеф. — Свет в тебе, но за спиной — сумрак. Ты знаешь, что принесет любой неверный шаг. И знаешь, что я готов и должен прийти тебе на помощь.

— Гесер, мой наставник, спасибо за все, чему меня научил. — Я поклонился, вызвав любопытные взгляды парашютистов. — Я не считаю себя вправе и дальше ждать твоей помощи. Прими мою благодарность.

— Ты свободен от всех обязательств передо мной, — спокойно ответил Гесер. — Поступай так, как велит твоя судьба.

Все. Очень легко он отказался от бывшего ученика. Впрочем, сколько у него было таких учеников, не осознавших высших целей и священных идеалов?

Сотни, тысячи.

— Прощай, Гесер, — сказал я. Взглянул на Алишера. — Удачи тебе, новый дозорный.

Парень укоризненно посмотрел на меня:

— Если мне будет позволено сказать...

— Говори, — разрешил я.

— Я не стал бы торопиться на твоем месте, Светлый Антон.

— Я и так слишком долго медлил, Светлый Алишер. — Я улыбнулся. В Дозоре я привык считать себя одним из самых младших магов, но все проходит. А уж для этого новичка я являлся авторитетом. Пока еще являлся. — Однажды ты еще услышишь, как время шелестит, песком протекая сквозь пальцы. Тогда — вспомни меня. Удачи тебе.

ГЛАВА 6

Жара.

Я шел по Старому Арбату. Художники, рисующие шаблонные портреты, музыканты, играющие стереотипную музыку, торговцы, продающие однообразные сувениры, иностранцы со стандартным интересом в глазах, москвичи, с привычным раздражением пробегающие мимо матрешечной бутафории...

Вас — встряхнуть?

Показать маленькое представление?

Пожонглировать молниями? Поглотать настоящий огонь? Заставить брусчатку расступиться и выдать фонтан минеральной воды? Исцелить десяток нищих калек? Накормить шныряющих беспризорников сотворенными из воздуха пирожными?

А зачем?

Мне накидают пригоршню мелочи за файерболы, которыми надо бить нечисть. Минеральный фонтан окажется прорванным водопроводом. Эти нищие калеки и так поздоровее и побогаче большинства прохожих. Беспризорники разбегутся, потому что давно усвоили: бесплатных пирожных не бывает.

Да, я понимаю Гесера, понимаю всех высших магов, что тысячи лет борются с Тьмой. Нельзя вечно жить с ощущением бессилия. Нельзя вечно сидеть в окопах: это убивает армию вернее, чем вражеские пули.

Но при чем тут я?

Разве обязательно шить знамя победы из моей любви?

А при чем тут эти люди?

Мир легко перевернуть и поставить на ноги, но кто поможет людям не упасть?

Неужели мы не способны ничему научиться?

Я знал, что собирается делать Гесер, точнее, что будет делать Светлана по его приказу. Понимал, чем это может обернуться, и даже представлял, через какие лазейки в Договоре будет оправдываться вмешательство в Книгу Судьбы. Располагал сведениями о времени акции. Единственное, чего я не представлял, — место и объект операции.

И вот это было фатальным.

В пору идти на поклон к Завулону.

А потом прямиком в сумрак.

Я дошел до середины Арбата, когда уловил — слегка, на пределе чувствительности — движение Силы. Совсем рядом со мной происходило магическое воздействие, несильное, но...

Тьма!

Что бы я ни думал о Гесере, как бы ни спорил, но я оставался солдатом Ночного Дозора.

Потянувшись одной рукой к амулету в кармане, я вызвал свою тень и шагнул в сумрак.

Ой, как все запущено!

Давно я не ходил по центру Москвы в сумраке.

Синий мох покрывал все сплошным ковром. Медленно шевелящиеся нити создавали иллюзию колеблющейся воды. От меня расходились круги — мох одновременно и пил мои эмоции, и старался отползти подальше. Но мелкие шалости сумрака меня сейчас не интересовали.

В сером пространстве под лишенным солнца небом я был не один.

Секунду я смотрел на девушку, стоявшую ко мне спиной. Смотрел, чувствуя, как злая улыбка наползает на лицо. Недостойная Светлого мага улыбка. Ничего себе «несильное воздействие»!

Магическое вмешательство третьего порядка?

Ой-ей-ей!

Это очень серьезно, девочка. Это настолько серьезно, что ты, наверное, сошла с ума. Третий уровень — вообще не по твоим силам, ты пользуешься чужим амулетом.

А я попробую разобраться своими силами.

Я подошел к ней, и она даже не услышала шагов по мягкому синему ковру. Смутные тени людей скользили вокруг, и она была слишком увлечена.

— Антон Городецкий, Ночной Дозор, — сказал я. — Алиса Донникова, вы арестованы.

Ведьмочка вскрикнула, развернулась. В руке у нее был амулет — хрустальная призма, через которую она только что обозревала прохожих. Первым инстинктивным жестом она попыталась спрятать амулет, следующим — посмотреть через призму на меня.

Перехватив руку, я заставил ее остановиться. Секунду мы стояли рядом, и я, медленно усиливая давление, выворачивал ведьме кисть. Подобная сцена между мужчиной и женщиной выглядела бы достаточно постыдной. У нас, Иных, истоки физической силы лежат не в половой принадлежности и даже не в накачанной мускулатуре. Сила вокруг — в сумраке, в окружающих нас людях. Неизвестно, сколько ее могла вытащить из окружающего мира Алиса, очень может быть, что больше меня.

Но я застал ее на месте преступления. И рядом могли быть другие дозорные. Сопротивление работнику другого Дозора, официально заявившему о задержании, — повод для уничтожения на месте.

— Не оказываю сопротивления, — сказала Алиса и разжала ладонь. Призма мягко упала в мох — и тот вскипел, забурлил, обволакивая хрустальный амулет. .

— Призма силы? — риторически спросил я. — Алиса Донникова, вы совершили магическое вмешательство третьего порядка.

— Четвертого, — быстро ответила она.

Я позволил себе пожать плечами.

— Третьего, четвертого — это даже не принципиально. Все равно трибунал, Алиса. Ты влипла.

— Я ничего не совершала. — Ведьма тщетно пыталась выглядеть спокойной. — У меня есть персональное разрешение на ношение призмы. Я не пускала ее в ход.

— Алиса, любой высший маг снимет с этой штуковины всю информацию.

Опустив руку, я заставил синий мох разойтись, а призму — прыгнуть мне в ладонь. Она была холодной, очень холодной.

— Даже я могу считать с нее историю, — сказал я. — Алиса Донникова, Иная, Темная, ведьма Дневного Дозора, четвертый уровень силы, я предъявляю вам официальное обвинение в нарушении Договора. При попытке сопротивления я вынужден буду вас уничтожить. Руки за спину.

Она подчинилась. И заговорила, быстро, убедительно, вкладывая в голос все, чем владела:

— Антон, подожди, я прошу, выслушай меня. Да, я опробовала призму, но ты пойми, мне первый раз доверили амулет такой силы! Антон, я же не дурочка — посреди Москвы нападать на людей, да и зачем мне это? Антон, мы же оба — Иные! Давай уладим все это миром? Антон!

— Какой тут мир? — пряча призму в карман, спросил я. — Пошли.

— Антон, вмешательство четвертого, третьего уровня! Любое вмешательство третьего уровня, совершенное в интересах Света! Не моя глупая игра с призмой, а полноценное вмешательство!

Причину ее паники я мог понять. Дело пахло развоплощением. Работник Дневного Дозора, в личных целях высасывающий жизнь из людей, — это скандал такого масштаба! Алису сдадут без всяких колебаний.

— У тебя нет полномочий на подобные компромиссы. Руководство Темных дезавуирует твое обещание.

— Завулон подтвердит!

— Да? — Я растерялся от уверенности ее тона. Вероятно, она любовница Завулона? Все равно удивительно. — Алиса, однажды я заключал с тобой мировое соглашение...

— Конечно, и ведь я сама предложила простить твое вмешательство.

— И чем это обернулось? — Я улыбнулся. — Помнишь?

— Сейчас другая ситуация, закон преступила я. — Алиса опустила глаза. — У тебя будет право ответного удара. Тебе не нужно разрешение на Светлую магию третьего уровня? На любую Светлую магию? Ты сможешь реморализовать два десятка негодяев до праведников! Испепелить на месте десяток убийц! Предотвратить катастрофу, произвести локальную свертку времени! Антон, разве это не стоит моей глупой выходки? Посмотри, вокруг все живы! Я не успела ничего сделать, я только начала...

— Все, что ты скажешь, может быть использовано против тебя.

— Да знаю я, знаю!

У нее на глазах блестели слезы. И даже притворства, наверное, никакого в этом не было. Под своей сутью ведьмы она еще оставалась самой обычной девушкой. Симпатичной, перепуганной, оступившейся. Разве она виновата, что стала на путь Тьмы?

Я почувствовал, как прогибается мой эмоциональный щит, и покачал головой:

— Не стоит давить.

— Антон, я прошу, давай решим все миром! Нужно ли мне право на вмешательство третьей степени?

Ого-го, еще как нужно. Любой Светлый маг мечтает получить подобный карт-бланш! Хоть на миг почувствовать себя полноценным солдатом, а не вшивым окопником, уныло глядящим на белый флаг перемирия.

— У тебя нет прав на подобные предложения, — твердо сказал я.

— Будут! — Алиса мотнула головой, глубоко вдохнула: — Завулон!

Сжимая в руке маленький диск боевого амулета, я ждал.

— Завулон, взываю! — Ее голос перешел в визг. Я заметил, что человеческие тени вокруг стали двигаться чуть быстрее: люди ощущали непонятную тревогу и ускоряли шаги.

Сможет ли она вновь дозваться шефа Темных?

Как в тот раз, у ресторана «Магараджа», где Завулон едва не убил меня Плетью Шааба?

А ведь не убил. Промахнулся.

Несмотря на то что ту провокацию готовил Гесер, Завулон вроде бы искренне считал меня виновным в убийствах Темных.

Значит, у него были еще какие-то планы на мой счет?

Или тайно, незаметно вмешивался Гесер, отводил от меня удары?

Не знаю. Как всегда — не хватает информации для анализа. Можно придумать тридцать три версии, и все будут противоречить одна другой.

Я даже хотел, чтобы Завулон не отозвался. Тогда я вытащил бы Алису из сумрака, вызвал шефа или кого-нибудь из оперативников, сдал дуру с рук на руки, получил бы премию в конце месяца. Да уж до премий ли мне теперь?

— Завулон! — В ее голосе была искренняя мольба. — Завулон!

Она уже плакала, не замечая того. У нее под глазами поплыла тушь.

— Бесполезно, — сказал я. — Пошли.

И в этот миг метрах в двух открылся Темный Портал.

Вначале нас обдало холодом — до самых костей. Так, что царящая в человеческом мире жара вспомнилась с симпатией. Мох вспыхнул, выгорая вдоль всей улицы. Разумеется, Завулон не сжигал его намеренно, просто открытие портала выплеснуло столько Силы, что мох не успел ее переработать.

— Завулон, — прошептала Алиса.

Метрах в пяти из брусчатки ударил в небо фиолетовый луч. Вспышка резала глаза, я невольно зажмурился, а когда снова посмотрел в эту сторону — в сером тумане повис иссиня-черный пузырь. Из него медленно выбиралось что-то щетинистое, поросшее чешуей, смутно напоминающее человека. Завулон шел на зов через второй или третий слой сумрака, по сравнению с которым здешнее время было столь же медленным, как человеческое — для нас.

Я вдруг ощутил бессилие, с которым вроде бы давно успел примириться. Возможности, какими легко пользовались Завулон или Гесер, были не просто недостижимы, а даже и непостижимы для меня.

— Завулон! — По-прежнему держа руки за спиной, Алиса кинулась к чудовищному монстру. Приникла к нему, зарылась лицом в колючую чешую. — Помоги, помоги мне!

Разумеется, Завулон появился в демоническом облике не для того, чтобы произвести на меня впечатление. В человеческом он и минуты не выжил бы на глубоких слоях сумрака. А ему, наверное, пришлось идти несколько часов, а то и дней.

Монстр окинул меня взглядом узких глаз. Из пасти выскользнул длинный раздвоенный язык, скользнул по голове Алисы, оставляя на волосах капли белой слизи. Когтистая лапа взяла Алису за подбородок, бережно приподняла голову — их взгляды встретились. Обмен информацией был скоротечен.

— Дура! — проревел демон. Язык втянулся в пасть между клацнувшими, едва не прикусившими его клыками. — Жадная дура!

Да. Не видать мне права на вмешательство третьей степени.

Короткий хвост демона стегнул Алису по ногам, разрывая шелковое платье, сбивая на землю. Глаза монстра полыхнули — голубое сияние окутало ведьму, она окаменела.

Не видать Алисе помощи.

— Я могу уводить арестованную, Завулон? — спросил я.

Монстр стоял, чуть покачиваясь на кривых лапах. Когти на пальцах то втягивались, то выскальзывали обратно. Потом он сделал шаг, становясь между мной и неподвижной девушкой.

— Прошу подтвердить законность задержания, — сказал я. — Иначе я буду вынужден обратиться за помощью.

Демон начал трансформироваться. Пропорции тела менялись, чешуя рассасывалась, втянулся хвост, а пенис перестал напоминать утыканную гвоздями дубину. Потом на Завулоне возникла одежда.

— Подожди, Антон.

— Чего мне ждать?

Лицо Темного мага оставалось непроницаемым. Пожалуй, в облике демона он испытывал куда больше эмоций или же не считал необходимым их скрывать.

— Я подтверждаю обещание, сделанное Алисой.

— Что?!

— Если делу не будет дан официальный ход. Дневной Дозор смирится с любым твоим вмешательством — до третьей степени включительно.

Он казался абсолютно серьезным.

Я сглотнул. Получить такое обещание от главы Дневного Дозора...

— Темным не верь никогда.

— Любое вмешательство до второй степени включительно.

— Ты так не хочешь скандала? — спросил я. — Или она тебе зачем-то нужна?

По лицу Завулона прошла судорога:

— Нужна. Я люблю ее.

— Не верю.

— Как глава Дневного Дозора Москвы я прошу вас, дозорный Антон, решить дело примирением. Это возможно, ведь моя подопечная Алиса Донникова не успела нанести значительного вреда людям. В качестве компенсации за ее попытку, — Завулон особо выделил последнее слово, — совершить Темное магическое воздействие третьей степени Дневной Дозор смирится с любым Светлым воздействием до второй степени включительно, которое ты совершишь. Я не прошу о секретности данного соглашения. Я не ввожу никаких ограничений на твои действия. Я подчеркиваю, что за совершенный проступок дозорная Алиса понесет строгое наказание. Пусть Тьма будет свидетелем моих слов.

Тонкая-тонкая дрожь. Подземный гул, рев приближающегося урагана. В ладони Завулона возник и закружился крошечный черный шарик.

— Слово за тобой, — сказал Завулон.

Облизнув губы, я посмотрел на скованную заклятием Алису. Стерва, что ни говори. И личный счетец у меня к ней есть.

Может быть, потому мне и не хочется решать дело компромиссом? А вовсе не из-за опасности соглашения с Тьмой? Алиса пыталась, используя призму силы, выпить часть жизненной энергии кого-то из людей. Это магия третьей или четвертой степени. Я же сумею совершить вмешательство второй степени. А это — много, очень много. Фактически — глобальное воздействие! Город, в котором сутки не будет совершено ни одного преступления. Гениальное и однозначно доброе изобретение. Сколько раз в истории Ночного Дозора нам было нужно право на вмешательство третьей-четвертой степени, а права не было, и приходилось поступать наобум, с ужасом ожидая ответного хода!

А тут — вмешательство второй степени, фактически — задаром.

— Пусть Свет будет свидетелем твоих слов, — сказал я. И протянул руку к Завулону.

Мне никогда не приходилось призывать изначальные силы в свидетели. Я лишь знал, что это не требует никаких специальных заклинаний. Впрочем, и гарантии, что Свет снизойдет до наших дел, было немного.

В моей руке вспыхнул лепесток белого огня.

Завулон поморщился, но руку не убрал. Когда мы скрепили договор рукопожатием, Тьма и Свет встретились между наших ладоней. Я почувствовал укол боли, будто тупой иглой пронзили плоть.

— Договор заключен, — сказал Темный маг.

Он тоже поморщился. И его коснулась боль.

— Ты надеешься получить выгоду и от этого? — спросил я.

— Конечно. Я всегда и из всего надеюсь получить выгоду. Обычно это удается.

Но по крайней мере явной радости по поводу заключенного соглашения Завулон не испытывал. На что бы там он ни рассчитывал в итоге нашего соглашения, но полной уверенности в успехе у него не было.

— Я узнал, что и зачем доставил в Москву курьер с востока.

Завулон слегка улыбнулся:

— Прекрасно. Меня напрягает ситуация, и очень приятно узнать, что теперь беспокойство будет разделено с другими.

— Завулон! Было когда-нибудь такое, что Ночной и Дневной Дозор сотрудничали? По-настоящему, а не в поимке отступников и психопатов?

— Нет. Любое сотрудничество будет проигрышем для одной из сторон.

— Я учту.

— Учти.

Мы даже обменялись вежливыми поклонами. Будто не два мага противоборствующих сил, адепт Света и слуга Тьмы, а вполне миролюбиво относящиеся друг к другу знакомые.

Потом Завулон подошел к неподвижному телу Алисы, легко поднял его, перекинул через плечо. Я ожидал, что они выйдут из сумрака, но вместо этого, одарив меня снисходительной улыбкой, глава Темных вошел в портал. Еще миг тот держался, потом начал исчезать. Мне — в другую сторону.

Я только теперь понял, как устал. Сумрак любит, когда в него входят, а еще больше — когда при этом дергаются. Сумрак — ненасытная шлюха, которая рада всем.

Выбрав место, где людей было поменьше, я рывком выбрался из своей тени.

Глаза прохожих привычно метнулись в стороны. Сколько раз в день вы встречаете нас, люди... Светлых и Темных, магов и оборотней, ведьм и целительниц. Вы смотрите на нас — но не вправе увидеть. Пусть так будет и впредь.

Мы можем жить сотни и даже тысячи лет. Нас очень нелегко убить. И те проблемы, что составляют человеческую жизнь, для нас — что расстройство первоклассника от косо нарисованных в тетрадке палочек.

Но все имеет оборотную сторону. Я поменялся бы с вами, люди. Заберите умение видеть тень и входить в сумрак. Возьмите защиту Дозора и способность менять сознание окружающих.

Дайте мне тот покой, которого я навсегда лишен!

Меня пихнули, отстраняя с дороги. Крепкий бритоголовый парень, с мобильником на поясе и золотой цепью на шее, смерил меня презрительным взглядом, процедил что-то сквозь зубы и вразвалку двинулся по улице. Подружка, прилипшая к его руке, не слишком успешно сымитировала его взгляд, предназначенный мелкими бандитами для «сладких лохов».

Я от души расхохотался.

Да, наверное, и впрямь хорошо я выглядел!

Застывший посреди улицы, причем, на первый взгляд, таращась на стенд с какими-то убогими бронзовыми статуэтками, матрешками с лицами государственных деятелей и поддельной «хохломой».

В моем праве сейчас встряхнуть всю эту улицу. Провести глобальную реморализацию — и бритоголовый пойдет работать санитаром в больницу для душевнобольных, его подружка бросится на вокзал и уедет к успешно позабытой старенькой матери, прозябающей где-то в провинции.

Добро хочется творить — даже руки чешутся!

Потому и нельзя.

Пусть сердце будет чистым, руки горячими, но голова все равно должна быть холодной.

Я обычный, рядовой Иной. Во мне нет и не будет силы, данной Гесеру или Завулону. Может быть, потому у меня свой взгляд на происходящее. И даже нежданный подарок — право на Светлую магию — я не могу использовать. Это будет в рамках игры, что ведется над моей головой.

А мой шанс — выйти из игры.

И увести Светлану.

Да, сломать этим долго готовившуюся операцию Ночного Дозора! Да, перестать быть оперативником! Превратиться в рядового Светлого мага, пользующегося крохами своих сил. И это в лучшем случае, в худшем — меня ждет вечный сумрак.

Сегодня, сегодня в полночь.

Где? И кто? Чью Книгу Судьбы откроет волшебница? Как сказала Ольга, двенадцать лет готовили операцию. Двенадцать лет искали Великую Волшебницу, способную взять в руку припасенный до поры мелок. Стоп!

Я завопил бы на весь Арбат, какой я дурак. Но мое лицо и так было достаточно красноречивым.

К чему уж озвучивать все, написанное на физиономии.

Высшие маги считают на много ходов вперед. В их играх нет случайностей. Есть ферзи, а есть пешки. Но только не лишние фигуры!

Егор!

Мальчик, едва не ставший жертвой нелицензионной охоты. Вошедший из-за этого в сумрак в таком состоянии души, которое толкнуло его на Темную сторону. Мальчик, чья судьба не определена, чья аура еще сохраняет все многоцветье младенца. Да, уникальный случай, я поразился, еще увидев его впервые.

Удивился — и забыл. Едва узнав, что потенциальные способности мальчика были искусственно завышены шефом: и чтобы отвлечь Темных, и чтобы Егор смог хоть чуть-чуть противостоять вампирам.

Так он и остался для меня — и личной неудачей, ведь я впервые определил в нем Иного, и хорошим, пока еще, человеком, и будущим противником в вечной битве Добра и Зла. Лишь где-то на самом донышке осталась память о его неопределенной судьбе.

Он еще может стать кем угодно. Расплывчатый потенциал будущего. Открытая книга. Книга Судьбы.

Вот кто станет перед Светланой, когда та возьмет в руки мелок. И встанет охотно — едва лишь Гесер рассудительно и серьезно объяснит ему происходящее. Он умеет объяснять, шеф Ночного Дозора, глава Светлых Москвы, великий древний маг. Гесер скажет об исправлении ошибок. И это будет правдой. Гесер скажет о великом будущем, которое откроется перед Егором. И это, вот ведь в чем дело, тоже окажется правдой! Темные могут подать тысячу протестов — Инквизиция, несомненно, учтет тот факт, что вначале мальчик пострадал от их действий.

А Светлане наверняка будет рассказано, что неудача с Егором гнетет меня. Что во многом мальчик пострадал из-за того, что Дозор был занят ее, Светланы, спасением.

Она даже не станет колебаться.

Выслушает все, что должна сделать.

Коснется мелка, обычного мелка, которым можно рисовать классики на асфальте или писать «2+2=4» на школьной доске.

И начнет кроить судьбу, которая так еще и не определена.

Что из него собираются сделать?

Кого?

Лидера, вождя, предводителя новых партий и революций?

Пророка еще не придуманной религии?

Мыслителя, что создаст новое социальное учение? Музыканта, поэта, писателя, чье творчество изменит сознание миллионов?

На сколько еще лет в будущее тянется неторопливый план сил Света?

Да, сути, что дается Иному от природы, не изменишь. Егор будет очень-очень слабеньким магом. Благодаря вмешательству Дозора — все-таки Светлым магом.

Но для того, чтобы менять судьбы человеческого мира, быть Иным не обязательно. Это даже мешает. Гораздо лучше пользоваться поддержкой Дозора и вести, вести за собой человеческие толпы, что так нуждаются в придуманном нами счастье.

И он поведет. Не знаю как, не знаю куда, но поведет. Вот только ведь и Темные сделают свой ход. На каждого президента находится свой киллер. На каждого пророка — тысяча толкователей, что извратят суть религии, заменят светлый огонь жаром инквизиторских костров. Каждая книга когда-нибудь полетит в огонь, из симфонии сделают шлягер и станут играть по кабакам. Под любую гадость подведут прочный философский базис.

Да, мы ничему не научились. Наверное, не хотим.

Но по крайней мере у меня есть немного времени. И право сделать свой ход. Единственный.

Знать бы еще какой.

Призвать Светлану не соглашаться с Гесером, не приобщаться к высшей магии, не править чужую судьбу?

А почему, собственно? Ведь все правильно. Исправляются допущенные ошибки, творится счастливое будущее для отдельно взятого человечка и человечества в целом. С меня снимается груз допущенной ошибки. Со Светланы — сознание того, что ее удача оплачена чужой бедой. Она входит в ряды Великих Волшебниц. Какова цена моих смутных сомнений? И что в них — искренняя забота, а что — маленькая личная корысть? Что Свет, что Тьма?

— Эй, друг!

Торговец, рядом с лотком которого я стоял, глядел на меня. Не слишком зло, но раздраженно.

— Берешь что-нибудь?

— Я на идиота похож? — осведомился я.

— Еще как. Или покупай, или отойди.

В чем-то он был прав. Но я сейчас был настроен огрызаться:

— Не понимаешь своего счастья. Я тебе толпу создаю, покупателей привлекаю.

Колоритный был торговец. Плотный, краснолицый, с толстенными ручищами, где равномерно перемешались жир и мышцы. Он окинул меня оценивающим взглядом, явно не обнаружил ничего угрожающего и собрался было что-то съязвить.

И вдруг улыбнулся.

— Ну, создавай. Только поактивнее тогда. Изобрази покупку. Можешь даже деньги мне понарошку заплатить.

Это было так странно, так неожиданно.

Я улыбнулся в ответ:

— Хочешь, правда куплю что-нибудь?

— Да тебе зачем, это для туристов хлам. — Продавец перестал улыбаться, но прежней напряженной агрессивности в лице все равно не осталось. — Жара чертова, на всех срываюсь. Хоть бы дождь пошел.

Глянув в небо, я пожал плечами. Кажется, что-то менялось. Что-то сдвинулось в прозрачной сини небесной духовки.

— Думаю, будет, — заявил я.

Хорошо бы.

Мы кивнули друг другу, и я пошел, влился в поток людей.

Пусть я не знал, что делать, но уже знал, куда идти. И это немало.

ГЛАВА 7

Наши силы — во многом заемные.

Темные черпают их в чужом страдании. Им куда проще. Даже не обязательно причинять людям боль. Достаточно выжидать. Достаточно внимательно смотреть по сторонам и тянуть, тянуть чужое страдание, словно коктейль через соломинку.

Нам это тоже доступно. Пусть немного по-другому. Мы можем брать силу, когда людям хорошо, когда они счастливы.

Вот только есть одна деталь, которая делает процесс доступным для Темных и практически запретным для нас. Счастье и горе — вовсе не два полюса на шкале человеческих эмоций. Иначе не было бы светлой печали и злобной радости. Это два параллельных процесса, два равноправных потока Силы, которую Иным дано ощущать и использовать.

Когда Темный маг пьет чужую боль, она лишь прибывает.

Когда Светлый маг берет чужую радость, она тает.

Мы можем вобрать Силу в любой момент. И очень редко позволяем себе это сделать.

Сегодня я решил, что мне дозволено.

Я взял немного у обнявшейся парочки, застывшей у входа в метро. Они были счастливы, очень счастливы сейчас. И все-таки я чувствовал, что они расстаются, причем надолго, и печаль все равно неизбежно коснется влюбленных. Я решил, что вправе это сделать. Их радость была яркой и пышной, словно букет алых роз, таких нежных и заносчивых роз.

Я коснулся пробегающего мимо ребенка — ему было хорошо, он не чувствовал давящей, тяжелой жары, он бежал покупать мороженое. Он быстро восстановится. Сила была простой и чистой, будто полевые цветы. Букет ромашек, сорванных моей недрогнувшей рукой.

Я увидел старушку в окне. Тень смерти была уже где-то рядом с ней, наверное, она сама это чувствовала. И все-таки старушка улыбалась. Сегодня к ней заходил внук. Скорее всего просто проверить, жива ли еще бабка, не освободилась ли дорогая квартира в центре Москвы. Это она тоже понимала. И все-таки была счастлива. Мне было стыдно, нестерпимо стыдно, но я коснулся ее и взял немного Силы. Увядающий желто-оранжевый букет астр и осенних листьев...

Я шел, как порой ходил в своих ночных кошмарах, раздавая налево и направо счастье. Всем, и пусть никто обиженный не уйдет. Вот только за мной сейчас тянулся совсем другой след. Чуть-чуть угасшие улыбки, морщинки, собравшиеся на лбу, закушенные на миг губы.

В общем, было видно, где я шел.

Меня не остановит патруль Дневного Дозора, попадись он на пути.

Впрочем, и Светлые, увидев происходящее, смолчат.

Я делаю то, что считаю нужным. То, что счел вправе совершить. Взять — взаймы. Украсть. И то, как я поступлю с полученной Силой, определит мою судьбу.

Либо я рассчитаюсь за все сполна.

Либо сумрак распахнется передо мной.

Светлый маг, начавший черпать Силу в людях, ставит на карту все. И здесь не сработают обычные расценки между действиями Дозоров. Количество принесенного Добра не просто обязано превзойти причиненное мной Зло.

У меня даже тени сомнений быть не должно, что я рассчитался сполна.

Влюбленные, дети, старики. Компания, распивающая пиво у памятника. Я боялся, что их радость будет наигранной, но она оказалась настоящей, и я взял их Силу.

Простите.

Я могу трижды извиниться перед каждым. Я могу заплатить за похищенное. Только все это будет неправда.

Я ведь просто воюю за свою любовь. В первую очередь. А уж потом — за вас, которым готовят новое неслыханное счастье.

Только, может быть, и это тоже правда?

И, сражаясь за свою любовь, каждый раз сражаешься за весь мир?

За весь мир — а не с целым миром.

Сила!

Сила.

Сила?

Я собирал ее крупицы, иногда бережно и осторожно, иногда грубо и резко, чтобы не дрогнула рука, чтобы не отвести от стыда глаза, забирая почти последнее.

Может быть, для этого парня — счастье и без того редкий гость?

Не знаю.

Сила!

Может быть, лишившись этой улыбки, женщина потеряет чью-то любовь?

Сила.

Может быть, завтра этот крепкий, иронично улыбающийся мужчина умрет?

Сила.

Мне не помогут амулеты в карманах. Боя не будет. Мне не поможет «пик формы», о котором говорил шеф. Этого все равно мало. И право на беспрепятственное вмешательство второй степени, так щедро отданное Завулоном, — ловушка. Даже капли сомнений нет. Он подставил свою подругу, свел линии вероятностей так, чтобы мы пересеклись, и со скорбным лицом вручил смертельный подарок. Я не могу смотреть в будущее так далеко, чтобы мое Добро никогда не превратилось в Зло.

Но если нет оружия — прими его из рук врага.

Сила!

Сила.

Сила!

Если бы я еще сохранял ту тонкую нить связи с Гесером, что соединяет молодого мага и его наставника, он давно почувствовал бы происходящее. Ощутил, как переполняет меня энергия, чудовищная, взятая наобум и неизвестно для какой цели.

Что он сделал бы?

Бессмысленно останавливать мага, который начал этот путь.

Я шел к ВДНХ пешком. Я знал, где все будет происходить. Случайностей не бывает, когда ими управляют высшие маги. Неуклюжий «дом на ножках», спичечный коробок, поставленный на торец, — там Завулон проиграл бой за Светлану, там Гесер выявил и ввел в Инквизицию своего ставленника, попутно потренировав Светлану.

Центр силы для всей этой комбинации.

Третий раз.

Мне уже не хотелось ни есть, ни пить. Один раз я все-таки остановился, купил и выпил стаканчик кофе. Он был безвкусный, будто начисто лишенный кофеина. Люди стали расступаться с дороги, хоть я и шел в обычном мире. Напряжение магии вокруг росло.

Мне не скрыть своего приближения.

Но я и не хочу подкрадываться из засады.

Молодая беременная женщина шла осторожно, бережно. Я вздрогнул, когда увидел, что· она улыбается. И чуть было не свернул, когда понял, что не рожденный еще ребенок тоже улыбается в своем крошечном и надежном мире.

Их Сила была подобна бледно-розовому пиону — большой цветок и еще не раскрывшийся шарик бутона.

Я должен собрать все, что встретится мне на пути.

Без колебаний, без жалости.

Что-то происходило и в окружающем мире.

Казалось, жара стала сильнее. Причем сильнее каким-то отчаянным, судорожным рывком.

Не зря, наверное, Темные и Светлые маги все эти дни пытались развеять зной. Что-то случится. Я остановился, поднял голову, вглядываясь в небо сквозь сумрак.

Тонкие, свитые кольцами кружения.

Искры на горизонте.

Мгла на юго-востоке.

Ореол вокруг иглы Останкинской башни.

Это будет **странная** ночь.

Я коснулся пробегающей девчушки и забрал ее нехитрую **радость: пришедшего** домой трезвым отца.

Словно обломок ветки шиповника, колючий и хрупкий.

Простите меня.

Когда я подошел к «дому на ножках», было почти одиннадцать вечера.

Последним, кого я коснулся, был пьяненький работяга, притулившийся к стене в подворотне. В той самой подворотне, где я впервые убил Темного. Он был почти невменяем. И счастлив.

Я взял и его Силу. Пыльный, заплеванный цветок подорожника, некрасивую грязно-бурую свечку.

И это Сила.

Переходя дорогу, я понял, что нахожусь здесь не один. Вызвав тень, я ушел в сумеречный мир.

Вокруг здания стояло оцепление.

Самое **странное** оцепление, какое мне доводилось видеть. Темные и Светлые — вперемежку. Я заметил Семена, кивнул и получил в ответ спокойный, чуть укоризненный взгляд. Тигренок, Медведь, Илья, Игнат...

Когда их всех вызвали? Пока я бродил по городу, собирая Силу? Не вышел отдых, ребята.

И Темные. Даже Алиса была здесь. На нее страшно было смотреть: лицо ведьмы походило на смятую и выправленную бумажную маску. Похоже, Завулон не лгал, говоря о наказании. Рядом с Алисой стоял Алишер, и, поймав его взгляд, я понял, что эти двое сойдутся в смертельной схватке. Может быть, не сейчас. Но сойдутся непременно.

Я шагнул сквозь кольцо.

— Зона закрыта, — сказал Алишер.

— Зона закрыта, — эхом отозвалась Алиса.

— Я вправе.

Во мне было достаточно Силы, чтобы пройти и без разрешения. Остановить меня сейчас смогли бы лишь Великие Маги, но они были не здесь.

Но меня не стали останавливать. Значит, кто-то, Гесер или Завулон, а может быть, и оба шефа Дозоров приказали лишь предупредить меня.

—Удачи, — услышал я шепот вслед. Обернулся, поймал взгляд Тигренка. Кивнул.

Подъезд был пуст. И дом весь притих, как тогда, когда над Светланой кружил небывалых размеров вихрь инферно. Зло, которое она сама же и призвала на себя.

Я шел сквозь серую мглу. Пол под ногами глухо вздрагивал: здесь, в сумеречном мире, даже почва отзывалась на магию, даже тени человеческих зданий.

Люк на крышу оказался распахнут. Никто не собирался чинить мне даже малейших препятствий. Самое печальное, что я не знал, радоваться мне этому или огорчаться.

Я вышел из сумрака. Ни к чему, пожалуй. Сейчас ни к чему.

Я стал подниматься по лесенке.

Первым я увидел Максима.

Он стал совсем не таким, как прежде, этот спонтанный Светлый маг, дикарь, несколько лет убивавший адептов Тьмы. Может быть, с ним что-то сделали. А может быть, он изменился сам. Есть люди, из которых выходят идеальные палачи.

Максиму повезло. Он и стал палачом. Инквизитором. Тем, кто стоит над Светом и Тьмой, служит всем — и никому. Руки он держал скрещенными на груди, голова была чуть опущена. Что-то в нем было от Завулона, каким я его впервые увидел. А что-то от Гесера. При моем появлении Максим чуть приподнял голову. Скользнул по мне прозрачным взглядом. И опустил глаза.

Значит, я и впрямь допущен к происходящему.

В стороне замер Завулон. Он кутался в тонкий плащ и на мое появление не обратил ни малейшего внимания. Что я приду, он знал и так.

Гесер, Светлана и Егор стояли вместе. Вот они отреагировали на мое появление куда живее.

— Все-таки пришел? — спросил шеф.

Я кивнул. Я смотрел на Светлану. Она была в длинном белом платье, волосы распущены. В ее руке призрачным светом мерцал футляр — маленький, словно из-под броши или медальона, футляр белого сафьяна.

— Антон, ты знаешь, да? — крикнул Егор.

Вот кто из присутствующих был счастлив, так это он. В полной мере.

— Знаю, — ответил я. Подошел к нему. Взъерошил рукой волосы.

Его Сила была похожа на желтеющий цветок одуванчика.

Вот теперь, кажется, я собрал все, что мог.

— Под завязку? — спросил Гесер. — Антон, что ты собрался делать?

Я не ответил ему. Что-то меня настораживало. Что-то было не так.

Ах да! Почему-то не было Ольги.

Инструктаж уже проведен? Светлана знает, что ей предстоит.

— Мелок, — сказал я. — Маленький мелок, заточенный с обеих сторон. Им можно писать на чем угодно. Например, на Книге Судьбы. Зачеркивая прежние строки, вписывая новые.

— Антон, никому из присутствующих ты не откроешь ничего неожиданного, — спокойно сказал шеф.

— Разрешение дано? — спросил я.

Гесер посмотрел на Максима. Инквизитор, будто почувствовав его взгляд, поднял голову. Глухо сказал:

— Разрешение дано.

— Возражение со стороны Дневного Дозора, — скучно произнес Завулон.

— Отклоняется, — равнодушно ответил Максим. Вновь уронил голову на грудь.

— Великая Волшебница может взять мелок в руки, — сказал я. — Каждая строка в Книге Судьбы будет забирать частицу ее души. Забирать — и возвращать измененной. Судьбу человека можно изменить, лишь отдав собственную душу.

— Я знаю, — сказала Света. Улыбнулась. — Антон, ты уж извини. Мне кажется, что это правильно. Это пойдет на пользу — всем.

У Егора в глазах мелькнула настороженность. Он почувствовал что-то неладное.

— Антон, ты боец Дозора, — сказал Гесер. — Если у тебя есть возражения, ты можешь говорить.

Возражения? Чему, собственно? Что вместо Темного мага Егор станет Светлым? Что попытается, пусть тысячу раз неудачно, нести людям Добро? Что Светлана станет Великой Волшебницей?

Пусть и пожертвовав при этом всем человеческим, что в ней пока есть.

— Я не буду ничего говорить, — сказал я.

Мне показалось — или в глазах Гесера мелькнуло удивление? Трудно понять, о чем на самом деле думает Высший Маг.

— Начинаем,— сказал он. — Светлана, ты знаешь, что должна делать.

— Знаю. — Она смотрела на меня. Я отошел на несколько шагов. Гесер — тоже. Теперь они остались вдвоем, Светлана и Егор. Одинаково растерянные. Одинаково напряженные. Я покосился на Завулона — тот ждал. Светлана открыла футляр — щелчок застежки прозвучал как выстрел, — медленно, будто против силы достала оттуда мелок. Совсем крошечный. Неужели он так сточился за тысячелетия, когда Свет пытался менять судьбу мира?

Гесер вздохнул.

Светлана присела на корточки и начала рисовать круг, заключая в него себя и мальчика.

Мне нечего сказать. Мне нечего сделать.

Я собрал столько Силы, что она льётся через край.

У меня есть право творить Добро.

Не хватает самой малости — понимания.

Дохнул ветер. Робко, осторожно. Затих.

Я посмотрел вверх и вздрогнул. Что-то происходило. Здесь, в человеческом мире, небо заволокли тучи. Я даже не заметил, когда они пришли.

Светлана закончила рисовать круг. Поднялась.

Попытавшись глянуть на нее сквозь сумрак, я сразу же отвернулся. В ее руке будто пылал раскаленный уголек. Чувствует ли она боль?

— Надвигается буря, — сказал издали Завулон. — Настоящая буря, какой не было давно.

Он засмеялся.

Никто не обратил на его слова внимания. Разве что ветер — он начал дуть ровнее, все усиливаясь. Я посмотрел вниз — там пока было спокойно. Светлана вела кусочком мела в воздухе, будто обрисовывая что-то видимое лишь ей. Прямоугольный контур. Узор в нем.

Егор тихо застонал. Запрокинул голову. Я сделал было шаг вперед — и остановился. Мне не пройти барьера. Да и ни к чему это.

Не в этом дело.

Когда не знаешь, как поступить, нельзя верить ничему. Ни холодной голове, ни чистому сердцу, ни горячим рукам.

— Антон!

Я посмотрел на Гесера. Шеф казался чем-то озабоченным.

— Это не просто буря, Антон. Это ураган. Будут жертвы.

— Темные? — просто спросил я.

— Нет. Стихии.

— Немножко перебрали со средоточием силы? — поинтересовался я. Шеф не отреагировал на насмешку.

— Антон, какая степень магии тебе позволена?

Конечно же, он знал о сделке с Завулоном.

— Вторая.

— Ты можешь остановить ураган, — сказал Гесер. Просто констатируя факт. — Все кончится проливным дождем. Ты собрал достаточно силы.

Ветер навалился снова. И он уже не собирался прекращаться. Ветер рвал, давил, будто решив снести нас с крыши. Ударили струи дождя.

— Пожалуй, это последний шанс, — добавил шеф. — Впрочем, решать тебе.

Со стеклянным звоном вокруг него возник силовой щит, будто Гесера накрыли кульком из мятого целлофана. Еще ни разу я не видел, чтобы маг применял такие меры защиты от заурядного буйства стихии.

Светлана, в развевающемся платье, продолжала рисовать Книгу Судьбы. Егор не шевелился, стоял, будто распятый на невидимом кресте. Может быть, он ничего уже не воспринимал. Что происходит с человеком, когда он лишается старой судьбы и еще не обретает новую?

— Гесер, ты собираешься устроить такой тайфун, по сравнению с которым эта буря — ничто! — крикнул я.

Ветер уже заглушал слова.

— Это неизбежно, — ответил Гесер. Он вроде бы говорил шепотом, но каждое слово звучало совершенно ясно. — Это уже свершается.

Книгу Судьбы стало видно даже в человеческом мире. Конечно, Светлана не рисовала ее в буквальном смысле, а вытягивала из глубочайших слоев сумрака. Делала копию, любое изменение которой отразится на оригинале. Книга Судьбы казалась муляжем, макетом из пылающих огненных нитей, неподвижно висящим в воздухе. Капли дождя вспыхивали, касаясь ее.

Сейчас Светлана начнет менять судьбу Егора.

А потом, через десятилетия, Егор изменит судьбу мира.

Как всегда — к Добру.

Как обычно — безуспешно.

Меня шатнуло. В один миг, совершенно неожиданно, сильный ветер перешел в ураган. Вокруг творилось что-то невообразимое. Я видел, как останавливаются на проспекте машины, прижимаются к обочине — подальше от деревьев. Совершенно беззвучно — рев ветра заглушал грохот — рухнул на перекрестке огромный рекламный щит. Какие-то запоздалые фигурки бежали к домам, будто надеясь найти укрытие у стен.

Светлана остановилась. Раскаленная точка тлела в ее руке.

— Антон!

Я едва расслышал голос.

— Антон, что мне делать? Скажи! Антон, я должна это сделать?

Меловой круг прикрывал ее — наверное, не до конца: с нее едва не срывало одежду, — но все-таки давал возможность устоять.

Все будто исчезло. Я смотрел на нее, на пылающий мелок, уже готовый менять чужую судьбу. Светлана ждала ответа — вот только мне нечего было сказать. Нечего, ибо я сам не знал ответа.

Я поднял руки к бушующему небу. И увидел призрачные цветы Силы в своих руках.

— Справишься? — сочувственно спросил Завулон. — Буря разыгралась.

Его голос был слышен в грохоте урагана столь же отчетливо, как и голос шефа.

Гесер вздохнул.

Я раскрыл ладони, развернул их к небу — небу, где больше не было звезд, где осталось лишь мельтешение туч, дождевых струй, молний.

Это было одно из самых простых заклинаний. Ему учат едва ли не первым.

Реморализация.

Без всяких уточнений.

— Не делай этого! — закричал Гесер. — Не смей!

Одним движением он сместился, закрывая от меня Светлану и Егора. Будто это могло помешать заклинанию. Нет, теперь его уже не остановить.

Луч света, невидимый людям, бил из моих ладоней. Все крупинки, что я собирал у них, безжалостно и беспощадно. Алое пламя роз, бледно-розовые пионы, желтизна астр, белые ромашки, почти черные орхидеи.

Завулон тихо смеялся за спиной.

Светлана стояла с мелом в руках над Книгой Судьбы.

Егор, раскинув руки, замер перед ней.

Фигуры на доске. Сила в моих руках. У меня еще никогда не было столько Силы, бесконтрольной, струящейся через край, готовой пролиться на кого угодно.

Я улыбнулся Светлане. И медленно-медленно поднес ладони с бьющим из них фонтаном радужного света к своему лицу.

— Нет!

Вопль Завулона не просто прорвался сквозь ураган — заглушил его. Вспышка молнии прорезала небо. Глава Темных бросился ко мне, но навстречу шагнул Гесер, и Темный маг остановился. Я не видел это — чувствовал. Лицо заливало цветное сияние. Голова кружилась. Я больше не чувствовал ветра.

Осталась только радуга, бесконечная радуга, в которой я тонул.

Ветер метался вокруг, не трогая меня. Я посмотрел на Светлану и услышал, как ломается невидимая стена, всегда стоявшая между нами. Ломается — чтобы замкнуть нас в барьер. Развевающиеся волосы упали вокруг лица Светы мягкой волной.

— Ты все истратил на себя?

— Да, — сказал я.

— Все, что собрал?

Она не верила. Не могла поверить до сих пор. Светлана знала, какова цена за взятую взаймы Силу.

— До последней капли! — ответил я. Мне было легко, удивительно легко.

— Зачем? — Волшебница протянула руку. — Зачем, Антон? Ты мог остановить эту бурю. Мог осчастливить тысячи людей. Как ты мог — все на себя?

— Чтобы не ошибиться, — объяснил я. Было даже неудобно, что она, будущая Великая, не понимает такой малости.

Секунду Светлана молчала. Потом поглядела на огненный мелок в своей руке.

— Что мне делать, Антон?

— Ты уже открыла Книгу Судьбы.

— Антон! Кто прав? Гесер или ты?

Я покачал головой.

— А вот это решай сама.

Светлана нахмурилась.

— Антон, и это все? Ради чего ты взял столько чужого Света? Ради чего истратил магию второй степени?

— Ты пойми. — Я не знал, сколько веры в моем голосе. Даже сейчас мне ее не хватало. — Иногда главное — не поступок. Иногда главное — бездействие. Есть то, что ты должна решить сама. Без советов. Моих, Гесера, Завулона, Света, Тьмы. Только сама.

Она замотала головой.

— Нет!

— Да. Ты решишь сама. И эту ответственность с тебя не снимет никто. И что бы ты ни сделала — ты все равно будешь жалеть о несделанном.

— Антон, я люблю тебя!

— Знаю. И я люблю тебя. Потому и не скажу ничего.

— И это твоя любовь?

— Только это и есть — любовь.

— Мне нужен совет! — закричала она. — Антон, мне нужен твой совет!

— Каждый творит свою судьбу, — сказал я. Это было даже чуть больше, чем я мог сказать. — Решай.

Мелок в ее руке вспыхнул тонкой огненной иглой, когда она повернулась к Книге Судьбы. Взмах — я услышал, как хрустят страницы под ослепительным ластиком.

Свет и Тьма — только пятна на страницах судьбы. Взмах. Росчерк.

Стремительный бег огненных строк.

Светлана разжала руку, и мел Судьбы упал ей под ноги. Тяжело, будто свинцовая пуля. Его все таки поволокло ураганом, но я успел нагнуться и спрятать мелок в ладони.

Книга Судьбы начала таять.

Егор пошатнулся, согнулся, повалился на бок, поджимая колени к груди. Съежился в жалкий маленький комочек.

Белый круг вокруг них уже размыло дождем, и я смог подойти. Присел, придерживая мальчика за плечи.

— Ты ничего не вписала! — крикнул Гесер. — Светлана, ты только стерла!

Волшебница пожала плечами. Она смотрела на меня, сверху вниз. Дождь, прорвавшийся за исчезающий барьер, уже пропитал белое платье, превратил его в тонкую кисею, не скрывающую тела. Только что Светлана была жрицей в белоснежных одеждах, лишь миг — и она стала промокшей девушкой, с опущенными руками стоящей в центре бури.

— Это был твой экзамен, — вполголоса сказал Гесер. — Ты упустила свой шанс.

— Светлый Гесер, я не хочу служить в Дозоре, — ответила девушка. — Простите, Светлый Гесер. Но это не мой путь. Не моя судьба.

Гесер печально покачал головой. Он больше не смотрел на Завулона, и тот в несколько шагов оказался возле нас.

— И это — все? — спросил Темный маг. Посмотрел на меня, на Свету, на Егора. — Вы не смогли ничего сделать?

Он перевел взгляд на Инквизитора — тот поднял голову и кивнул.

Больше ему никто не ответил.

Кривая улыбка появилась на лице Завулона.

— Какие усилия, и все окончилось фарсом. Лишь потому, что истеричная девчонка не захотела бросить своего нерешительного возлюбленного. Антон, ты меня разочаровал. Светлана, ты меня порадовала. Гесер, — Темный посмотрел на шефа, — мои поздравления с подобными сотрудниками.

За спиной Завулона открылся портал. Тихо смеясь, он вошел в черное облако.

С земли до меня донесся тяжелый вздох. Я не видел, но знал, что там происходит. Один за другим Темные дозорные выходили из сумрака. Кидались к припаркованным вокруг здания машинам, спеша увести их подальше от деревьев. Пригибаясь, бежали к соседним домам.

А следом покидали оцепление Светлые маги. Некоторые — для тех же простых и понятных человеческих действий. Вот только большинство, я знал это, оставались на месте, вглядываясь вверх, на крышу здания. Тигренок, с виноватым на всякий случай лицом. Семен — с мрачной улыбкой Иного, повидавшего и не такие бури, Игнат — с неизменно искренним сочувствием.

— Я не смогла этого сделать, — сказала Светлана. — Гесер, простите. Я не смогла.

— Ты и не могла, — ответил я. — Да и не должна была...

Я раскрыл ладонь. Посмотрел на маленький кусочек мела, который в моих руках стал просто мокрым и липким кусочком мела. Заточенным с одной стороны. Неровно сломанным с другой.

— Давно понял? — спросил Гесер. Подошел, сел со мной рядом. Его щит раскинулся над нами, и рев урагана стих.

— Нет. Только что.

— Что происходит? — выкрикнула Светлана. — Антон, да что происходит?

Ей ответил Гесер:

— У каждого своя судьба, девочка. У кого-то — править чужие жизни или ломать империи. У кого-то — просто жить.

— Пока Дневной Дозор ждал твоих действий, — пояснил я, — Ольга, взяв вторую половинку мела, переписала чью-то судьбу. Так, как хотелось Свету.

Гесер вздохнул. Протянул руку, коснулся Егора. Мальчик зашевелился, пытаясь подняться.

— Сейчас, сейчас, — ласково сказал шеф. — Все уже кончилось, заканчивается.

Я обнял мальчика за плечи, положил его голову себе на колени. Он снова затих.

— Скажи, зачем? — спросил я. — Если ты все равно знал все наперед?

— Даже мне не дано знать все.

— Зачем?

— Да потому, что все должно было быть естественно, — с легким раздражением ответил Гесер. — Только так Завулон мог поверить в происходящее. И в наши планы, и в наше поражение.

— Это не весь ответ, Гесер. — Я посмотрел ему в глаза. — Далеко не весь!

Шеф вздохнул:

— Хорошо. Да, я мог сделать и по-другому. Светлана стала бы Великой Волшебницей. Вопреки своему желанию. Егор, вопреки тому, что Дозор и так ему задолжал, превратился бы в наш инструмент.

Я ждал. Очень хотелось знать, скажет ли Гесер всю правду. Хоть однажды.

— Да, я мог сделать и так. — Гесер вздохнул. — Вот только, мальчик мой... Все, что я делал, помимо великой борьбы Света и Тьмы, все, что я делал в двадцатом столетии, было подчинено одному, разумеется, не в ущерб делу...

Мне вдруг стало его жалко. Нестерпимо жалко. Может быть, первый раз за тысячу лет Великий Маг, Пресветлый Гесер, истребитель чудовищ и страж государств, вынужден был сказать правду до конца. Не такую красивую и возвышенную, как та, которую он привык говорить.

— Не надо, я знаю! — крикнул я.

Но Великий Маг покачал головой.

— Все, что я делал, — отчеканил Гесер, — было подчинено еще одной цели. Вынудить руководство полностью снять с Ольги наказание. Вернуть ей все силы и позволить вновь взять в руки мел Судьбы. Она должна была стать равной мне. Иначе наша любовь была обречена. А я люблю ее, Антон.

Светлана засмеялась. Тихо-тихо. Я подумал, что она даст шефу пощечину, но, наверное, я до сих пор ее совсем не понимал. Светлана опустилась перед Гесером на колени и поцеловала его правую руку.

Маг вздрогнул. Он словно утратил свои бесконечные силы: защитный купол стал дрожать и таять. Нас вновь оглушил рев урагана.

— А судьбу мира снова будем менять? — спросил я. — Помимо наших маленьких личных дел?

Он кивнул. И спросил:

— Ты не рад этому?

— Нет.

— Что ж, Антон, нельзя ведь выигрывать во всем. И мне это не удавалось. И у тебя не получится.

— Знаю, — сказал я. — Конечно же, знаю, Гесер. Но все равно этого так хочется.

Январь—август 1998 года.
Москва.

В тексте книги использованы
фрагменты из песен групп
«Пикник», «Воскресение»,
«Сплин», «Blackmore's night».

Содержание

По вопросам оптовой покупки книг
издательства АСТ обращаться по адресу:
Звездный бульвар, дом 21, 7-й этаж
Тел. 215-43-38, 215-01-01, 215-55-13

Книги издательства АСТ можно заказать по адресу:
107140, Москва, а/я 140, **АСТ – "Книги по почте"**

Литературно-художественное издание

Лукьяненко Сергей Васильевич
Ночной дозор

Редактор Н.М. Беркова
Художественный редактор О.Н. Адаскина
Компьютерный дизайн: А.С. Сергеев
Технический редактор О.В. Панкрашина
Младший редактор Е.А. Лазарева

Общероссийский классификатор продукции
ОК-005-93, том 2; 953000 — книги, брошюры

Гигиеническое заключение
№ 77.99.14.953.П.12850.7.00 от 14.07.2000 г.

ООО «Издательство АСТ»
Лицензия ИД № 02694 от 30.08.2000 г.
674460, Читинская область, Агинский район,
п. Агинское, ул. Базара Ринчино, д. 84
Наши электронные адреса:
WWW.AST.RU
E-mail: astpub@aha.ru

Отпечатано с готовых диапозитивов
на Книжной фабрике № 1 МПТР России
144003, г. Электросталь Московской обл., ул. Тевосяна, 25.